ARABIC   ASTRONOMY   BANKING   BEE-KEEPING   BIOLOGY
ANISATION   CALCULUS   [barcode] T4-AUF-227   MISTRY
OMMERCIAL CORRESPONDEN   TO
KING   CRICKET   DRAWIN   UTTON
ELECTRICITY IN THE HO   EMBROIDERY
ENGLISH RENASCENCE TO THE ROMANTIC REVIVAL   ROMANTIC
EVERYDAY FRENCH   TO EXPRESS YOURSELF   FISHING   TO FLY
E BOOK   GARDENING   GAS IN THE HOUSE   GEOGRAPHY OF
ONARY   GERMAN GRAMMAR   GERMAN PHRASE BOOK   GOLF
GOOD FARM ACCOUNTING   GOOD FARM CROPS   GOOD FARMING
T FARMING   GOOD GRASSLAND   GOOD AND HEALTHY ANIMALS
GOOD POULTRY KEEPING   GOOD SHEEP FARMING   GOOD SOIL
E   HINDUSTANI   HISTORY: ABRAHAM LINCOLN   ALEXANDER THE
AU CONSTANTINE   COOK   CRANMER   ERASMUS   GLADSTONE AND
MILTON   PERICLES   PETER THE GREAT   PUSHKIN   RALEIGH   RICHELIEU
DROW   EMENT
LIAN   ETTER
ENGIN   ANICS
DERN   · · · · AND HE WILL BE   ORING
HILOSO   HYSICS
PLUMBI   YET WISER *Proverbs 9.9*   UBLIC
RECKO   SSIAN
: ITS N   AND PURPOSE   SOCCER   SPANISH   SPE   AND
SW   SWEDISH   TEACHING   THINKING   TRIG   METRY
BRITISH RAILWAYS FOR BOYS   CAMPING FOR BOYS AND GIRLS
FOR GIRLS   MODELMAKING FOR BOYS   NEEDLEWORK FOR GIRLS
OYS AND GIRLS   SAILING AND SMALL BOATS FOR BOYS AND GIRLS
RK FOR BOYS   ADVERTISING & PUBLICITY   ALGEBRA   AMATEUR
NG   BIOLOGY   BOOK-KEEPING   BRICKWORK   BRINGING UP
NTRY   CHEMISTRY   CHESS   CHINESE   COMMERCIAL ARITHMETIC
TRAVELLING   TO COMPOSE MUSIC   CONSTRUCTIONAL DETAILS
NG   DUTCH   DUTTON SPEEDWORDS   ECONOMIC GEOGRAPHY
ST   EMBROIDERY   ENGLISH GRAMMAR   LITERARY APPRECIATION
VAL   ROMANTIC REVIVAL   VICTORIAN AGE   CONTEMPORARY
FISHING   TO FLY   FREELANCE WRITING   FRENCH   FRENCH
USE   GEOGRAPHY OF LIVING THINGS   GEOLOGY   GEOMETRY
ASE BOOK   GOLF   GOOD CONTROL OF INSECT PESTS   GOOD
FARM CROPS   GOOD FARMING   GOOD FARMING BY MACHINE
D   GOOD AND HEALTHY ANIMALS   GOOD MARKET GARDENING
GOOD SHEEP FARMING   GOOD SOIL   GOOD ENGLISH   GREEK
ORY: ABRAHAM LINCOLN   ALEXANDER THE GREAT   BOLIVAR   BOTHA
CRANMER   ERASMUS   GLADSTONE AND LIBERALISM   HENRY V   JOAN OF
AT   PUSHKIN   RALEIGH   RICHELIEU   ROBESPIERRE   THOMAS JEFFERSON
HOME NURSING   HORSE MANAGEMENT   HOUSEHOLD DOCTOR
URNALISM   LATIN   LAWN TENNIS   LETTER WRITER   MALAY
PONENTS   WORKSHOP PRACTICE   MECHANICS   MECHANICAL
MORE GERMAN   MOTHERCRAFT   MOTORING   MOTOR CYCLING
APHY   PHYSICAL GEOGRAPHY   PHYSICS   PHYSIOLOGY   PITMAN'S
JESE   PSYCHOLOGY   PUBLIC ADMINISTRATION   PUBLIC SPEAKING

TEACH YOURSELF
FINNISH
is one of
THE E.U.P. BOOKS

published by

DAVID McKAY COMPANY, INC.
or THE ENGLISH UNIVERSITIES PRESS LTD.

TEACH YOURSELF
FINNISH

By

ARTHUR H. WHITNEY
M.A.

Published by

DAVID McKAY COMPANY, INC.
NEW YORK

Printed in Great Britain

PREFACE

The book here presented covers the whole of the grammar of the present-day standard language.

The matter for study is divided into twenty lessons or sections for convenience in reference and arrangement; and each consists of a number of explanations of points in the construction and use of the language, an exercise in Finnish for translation into English, a reading in Finnish and a vocabulary. Both the exercise and the reading provide illustrations and practice on the points already explained, chiefly those in the same lesson, but also on matter dealt with in the preceding lessons, in this way gradually building up the student's command of the language without the frustration caused by the inclusion of matter not yet explained.

The readings, which make up a connected simple narrative, will serve as an introduction to reading simpler than any Finnish novel could be.

The key translations will provide the student with a test of his grasp of the construction of the language if he will try to translate them back from English.

What are usually called the ' cases ' of the Finnish noun —over a dozen are in common use—are generally looked upon as evidence that Finnish is a difficult language. But if one considers them simply as words corresponding to ' of ', ' in ', ' on ', ' with ', ' into ', ' out of ' and so on, joined on to other words instead of being separate as they are in English, they become less daunting in aspect.

Another difficulty is the strangeness of the words themselves, and there is no gainsaying this. Few Finnish words are recognisable to the English-speaker in the same way that one spots related words in German or French, and even the few that have a resemblance can usually be recognised only when they are pointed out, for instance *kynttilä*, ' candle ', *kattila*, ' saucepan ' or ' kettle ', *koulu*, ' school ', and a few international words such as *Eurooppa*, ' Europe ', *sohva*, ' sofa ', *kahvi*, ' coffee '.

Of these two difficulties, the second is, of course, resolved as one goes on; the cases I have tackled by dealing with them one by one, taking what I felt were the most useful ones first.

I have deviated from the common practice of referring to 'consonant-stems' and 'vowel-stems': I have treated all stems as vowel-stems on account of the following considerations:

(i) A stem *as a stem* is a fiction which is useful for grammatical explanations, but it does not exist in the language apart from that. It is true that a great many words have a nominative which is identical in form with the stem, e.g. *maa*, land. But no Finn will think of *erää-* (the stem of *eräs*) unless he is thinking along analytical grammatical lines. This part of the word has no separate existence, but must take on some ending to express a relation to another word or words.

(ii) Similarly, the case-endings *alone* mean nothing: they can only relate a stem to something else, add meaning to it.

(iii) Now *kielen* is the genitive and *kieltä* the partitive case of a stem, and some say that *kiel-* is one stem and *-tä* the case-ending and that *kiele-* is another stem and *-n* the ending. But it seems that the *-e-* belongs to the stem, because it is represented in the nominative by *-i* and it appears in other cases, and, moreover, such words as *maa* have the genitive *maan*.

(iv) Since it seems to me that no one is entitled to be dogmatic about the form of something which does not exist but is only a convenient fiction, I have rejected any suspicion of duplicity among stems and dealt with them throughout as vowel-stems, which, however, between certain mutually compatible sounds lose the final vowel, as has happened historically, in fact, in the illative (Note 6*a*) and the present passive (Note 18*e* v), and happens even now, regularly in certain circumstances (see, for example, Note 2*f*, and Note 10*b* ii). The same considerations apply to verb-stems: I have dealt with them throughout as vowel-stems, subject to the same phonetic rules as noun-stems, and it seems to me easier to account for the behaviour of stems on this basis than on the generally accepted dual basis.

Similarly, it has been easier to classify words on the basis of the stem than it is if one takes the nominative of the noun and the infinitive of the verb, which is the usual practice. Where I have classified stems in this way, for instance in Notes 2*e*, 3*c*, and 10*b*, such classifications are intended only for reference, not for learning all at once.

It is on the basis of stems that I have built up the entire course of study of the construction of noun and verb according to the rules of the language, which include the very interesting ' consonant-softening '. This process of modification of certain consonants in certain circumstances has been dealt with fully, but I have tried to make it easier by presenting it gradually. By referring every form back to the stem it has been possible to attain a greater measure of what might be called reasonableness in the behaviour of nouns and verbs than by the common method of starting with the nominative of nouns and the infinitive of verbs, and I have carefully avoided telling the student, as some text-books do, that form *x* of the noun or verb is deducible from form *y* (which he does not know, although a Finn would know it), that, for instance, ' the consonant-stem of the verb is found by dropping the ending of the 3rd person singular of the imperative ', and so on.

Although the word-lists which I have provided as an accompaniment to the lessons give, I believe, every word which appears in the course, some students will no doubt want to have a dictionary to help them when they have worked through the book. A good handy work is Aino Wuolle's *Finnish–English and English–Finnish Dictionary*, published by the Werner Söderström Company in Helsinki.

Books I have made use of, apart from novels and periodicals in Finnish, include *Suomen Kielen Oppikirja*, by E. N. Setälä, revised by Kaarlo Nieminen, 6th edition; *Suomen Kielen Rakenne ja Kehitys*, by Lauri Hakulinen; *Kielenopas* by E. A. Saarimaa; *Finnische Grammatik*, by Hans Jensen; *Lehr- und Lesebuch der finnischen Sprache*, by Arvid Rosenqvist; *Finnische Sprachlehre*, by Robert Englund and Werner Wolf; *A Finnish Grammar*, by Clemens Niemi; and C. N. E. Eliot's book of the same title, long since out of print and rare.

Finally I want to record my gratitude to Mr. Antero Vartia, Press Attaché in the Finnish Embassy in London, and to Mr. K. Sauvala, then of the European Service of the British Broadcasting Corporation, both of whom devoted considerable time and effort to improving the Finnish of the reading-pieces, and I am especially grateful to Miss Rauni Puranen, sometime Lecturer in Finnish at the University of Hull. At the request of the Society for Finnish Literature in Helsinki, to whom I had appealed for help, she very generously looked through the whole text and made many invaluable corrections and suggestions, which I have taken into account in the final version.

I hope this text-book will provide an easy and attractive introduction to the language, and thus help to establish and maintain friendly contacts between the English-speaking world and the admirable Finnish nation.

CONTENTS

INTRODUCTION

(*a*) The *Finnish* alphabet consists of the following letters:

> *a, d, e, g, h, i, j, k, l, m, n, o, p, r, s, t, u, v* (or *w*), *y, ä* and *ö*. (Note the position of the last two, following the order of Swedish.)

In addition, the following letters are among those used for foreign sounds:

> *b, c, f, q, š* or *sh, x, z, ž,* and *å*.

In the older literature the letter *v* is often represented by *w*, especially in the type commonly known in England as gothic or black-letter.

(*b*) (i) There are no silent letters in the standard language. The pronunciation of the letters is roughly as follows (educated southern English equivalents except where indicated):

> *a* as in father, but shorter;
> *d* as in riding, but sometimes so soft that it is hardly heard;
> *e* between *e* in pen and *i* in pin;
> *g* (occurs only after *n*) as in singer;
> *h* as in hot, whatever its position in the word;
> *i* as in pin;
> *j* like the *y* in yellow;
> *k* as in kick;
> *l, m, n* as in let, met, net (but *ng* as in singer, and *n* followed by *p* is pronounced *m*);
> *o* as aw in law, but shorter;
> *p* as in pen, but without any suggestion of an *h* in it;
> *r* is rolled (experts give three to four as the number of flicks of the tip of the tongue);
> *s* as in said, but with the tongue a little farther back from the teeth;

t as in took, but without any *s* or *h* sound in it;

u as in bull;

v as in vain;

y is like the French *u* in *uni* or the German *ü* in *dünn* (it can be produced by pursing the lips as for pronouncing the *oo* in spoon and then trying to pronounce the *i* in pin without moving the lips);

ä is like the *a* in hat;

ö is like the French *eu* in *jeune* or the German *ö* in *Mönch* (it can be produced by pursing the lips as for *oo* in spoon and trying, without altering the position of the lips, to pronounce the *e* in met.)

(ii) Double letters are given extra length in pronunciation. Thus the Finnish *kk* is pronounced as in bla*ck c*ows, *ii* as in machine and so on.

(iii) There are a number of diphthongs, and their sounds are simply a compound of the sounds represented by the spelling.

The diphthongs are divided into what are called ' rising ' diphthongs, *ie*, *uo* and *yö*, which developed from earlier long vowels *ee*, *oo* and *öö*, and 'falling' diphthongs, *ai*, *ei*, *oi*, *ui*, *yi*, *äi* and *öi*; *au*, *eu* and *ou*; *ey*, *äy* and *öy*; and *iu*.

Diphthongs, with the exception of those in which *-i-* is the second element, occur only in the first syllable of a word. Elsewhere such combinations of vowels are not diphthongs, but belong to separate syllables, and this is noticeable in the pronunciation.

(iv) Apart from the letters so far dealt with, there is also an element of Finnish which, though not normally written nor generally noticeable in speech, has yet its grammatical functions and significance and an audible effect, and a written sign used in grammar-books and other linguistic works to denote its presence. This element is a final aspiration; it is not generally heard except in some dialects; its grammatical aspects are dealt with in Notes 3*c* 2, 8*b* 1, 2 and 10*b*; its audible effect is to double a following consonant (Note 8*b* 1), and the written sign is an apostrophe, thus *tule*'.

(v) The foreign letters used in Finnish usually have a

pronunciation approximating to that found in the language of origin:

> *š* or *sh* is like the English *sh*;
> *ž* is like the French *j* in *jour*;
> *à* is the Swedish letter sounding like *aw* in Hawkins.

(*c*) (i) Many of the older imported words have been modified by the exigencies of the Finnish pronunciation. One of these lays down that no word shall begin with more than one consonant, and consequently for example a word absorbed long ago, beginning with *str-* has lost the *st-* and is represented in Finnish now by *ranta*, strand, shore. Again, no Finnish word may begin with *g*, nor does *f* exist in Finnish, so that *kirahvi* is the form which ' giraffe ' has taken. Similarly, the French ' bombe ' has become *pommi* and ' gouverneur ', *kuvernööri*, and the Latin ' doctor ', *tohtori*.

(ii) Another fixed rule of Finnish which affects the spelling is that only the following letters may end words:

> (a) any vowel; or
> (b) *l, n, r, s, t* or the aspiration after a vowel.

(iii) In dividing words into syllables Finnish insists that no syllable or word shall start with more than one consonant. Consequently, where there are three consonants together in a word, only one of them belongs to the following syllable. The word *matto*, for instance, meaning, ' mat, rug ', is divided into syllables thus: *mat-to*, and *kirkko*, church, *kirk-ko*, and *lamppu*, lamp, *lamp-pu*.

(iv) The only groups of two consonants which Finnish permits at the end of a syllable (and this can be only the first) are:

> *lk, lt, lp, ls, rk, rt, rp, rs, nk, nt, ns, mp*.

Certain other groups are found in monosyllabic exclamations; otherwise the groups above are found at the end of a syllable only before *k, t, p* or *s*, and the proportion of such groups in which the last two of the three consonants are not identical is small in comparison to such groups as *lkk, nkk, rss* and *ntt*.

(v) A single consonant between two vowels belongs to the following syllable: *kylä*, village, is divided *ky-lä*.

(vi) From the foregoing it will be seen that a syllable can consist of:

(1) a short (in writing, a single) vowel, e.g. *-e-*;

(2) a long (in writing, a doubled) vowel, e.g. *-aa-*;

(3) a diphthong, e.g. *ai-*, *yö-*, *öi-*, etc.;

(4) any of the above preceded by one consonant, e.g. *lu-*, *pää-*, *nai-*, etc.;

(5) any of the above followed by one consonant, e.g. *et-*, *ään-*, *yöt-*, *kas-*, *tääl-*, *-keis-*;

(6) a short vowel followed by two consonants: *ark-*, *int-*, etc.;

(7) group 6 preceded by one consonant: *kurs-*, *sork-*, etc.

(vii) The following shows how syllables are separated: *pie-ni-en koi-ri-en hau-kun-ta kuu-lui e-tääl-tä.*

(d) Syllables are said to be closed if they end in a consonant (*-en*, *-kun-*, *-tääl-*), and open if they end in a vowel (*pie-*, *-ni-*, *e-*). This distinction is important (see grammatical note on consonant mutation in Lesson 1).

(e) (i) The stress in spoken Finnish falls always on the first syllable in normal statement, with a lighter stress on the third or fourth syllable (see ii) in words of more than three syllables, and then on every other syllable, excepting the last.

(ii) The second stress falls on the fourth syllable only when the third syllable of a word of five or more syllables is short.

(iii) In the case of exclamations and commands, however, consisting of one word only, the stress is sometimes forced to the last syllable by the emphasis with which the word is spoken.

(f) (i) The pronunciation of Finnish is regular; in the standard language there are no letters which are not pronounced, and every sound has a corresponding letter, with the following two exceptions:

(A) the aspiration, which is noted only in philological books, where it is represented by an apostrophe; and

(B) the influence of certain initial consonants of words or syllables on the final sound of a preceding word or syllable. Thus *n* before *k* or its softened form *g* is pronounced like the *ng* in the southern English ' singer ', but before *p* it sounds like an *m*, so that *menen pois* is pronounced *menempois*. Conversely, an initial *k*, *p*, *s* or *t* is strengthened after a word or syllable ending in the aspiration so that *tule tänne* is pronounced as though it were written *tulettänne*.

(ii) Double letters represent, as we have seen, a long version of the sound represented by the single letter. The student should, however, take care that the sounds do not degenerate when they are thus strengthened. The Finnish *k* must not be allowed to turn into the explosive English sound which might be represented as *kh*, nor the Finnish *t* into the English version, which, in the mouths of speakers from some districts, sounds like *ts*.

(iii) Groups of three different consonants, such as *-mps-*, *-rsk-* and so on, are rare, and groups like *-ntt-*, *-mpp-* and so on can be regarded as two-consonants with the second element pronounced with emphasis.

(iv) The long vowels, too, must be carefully distinguished in pronunciation (in length but not quality) from the short versions.

(*g*) The newer imported words in the language do not always behave as Finnish words do.

In such foreign words, any long vowel in the first syllable is written with the Finnish-type double letter; in following syllables a long vowel is written with a double letter before Finnish consonants, but a single letter before foreign consonants: *demokraatti*, democrat, but *intrigi*, intrigue, pronounced as though it were written *intriigi*; and also in the endings *-oli*, *-omi*, *-oni* and *-ori*, whether or not they have the addition of the syllable *-nen*: the word *alkoholi* is pronounced as though it were written *alkohcoli*, and *diktatorinen* as *diktatoorinen*.

Some geographical names, however, form exceptions: those having three or more syllables and ending in *-ia* have a single vowel in the syllable preceding the *-ia*, and it is pronounced long whatever the consonant that follows it.

The consonants *k*, *p*, *t* and *s* are doubled in these words only before a final vowel or a Finnish suffix: *monarkki* but *monarkia*, *Eurooppa* but *tempus*, *romanttinen* but *romantiikka*.

(*h*) (i) An important characteristic of Finnish is what is known as 'vowel harmony' or vowel assonance. Finnish vowels are divided into three groups:

(1) back-vowels, *a*, *o*, *u*;
(2) front-vowels, *ä*, *ö*, *y*;
(3) the two vowels *i* and *e*.

(ii) In any simple (as distinct from compound) Finnish word *all* the vowels must belong to a certain limited scheme: back-vowels may not be present with front vowels, but *i* and *e* may appear with either. In other words, the groups above may be used as follows:

1 alone, as in *talossa*, *puvulla*;
2 alone, as in *näkymä*,
3 alone, as in *leikkien*,
1 and 3 together, as in *laitettu*, or
2 and 3 together, as in *vetämistä*.

(iii) In accordance with this rule, which is valid for all words which are felt to be true Finnish, certain syllables which are attached to the end of or inserted in Finnish words in order to change their meaning have two forms, one for group 1, e.g. *-ssa*, *-lla*, and the other for groups 2 and 3, e.g. *-ssä*, *-llä*.

(iv) If the first syllable contains a vowel of group 1, every other will be of either group 1 or group 3; if it contains a vowel of group 2, every other must be of group 2 or group 3; if the first syllable contains only vowels of group 3, then the second syllable is the decisive one which determines the character of the succeeding ones, If it is of group 1 or 2, then the foregoing rules apply, but if it belongs to group 3, then succeeding vowels may be of groups 2 and 3 only. Thus we find, for example, *ilossa*, *idässä*, but *niitetty*.

(v) Foreign words absorbed into the language may be

as near to the original pronunciation as the rules of Finnish can make them: *kuvernööri* for ' gouverneur ', *tirehtööri* for ' directeur ', *Englanti* for ' England ' and so on.

(i) A first glance at written Finnish may strike the student by the great length of many words and the fewness of the two-, three- and four-letter words which form such a prominent feature of English. This length of the words is due in part to the fact that a long word in Finnish corresponds in meaning to a group of words in other languages. Thus such a construction as *tottelematto-muudestansa* is perfectly ordinary in Finnish, and this particular word means ' because of his lack of obedience ', and may be readily separated into elements thus: *tottele-*, obey; *tottelema*, obeying, obedience; *tottelemattom-*, disobedient; *tottelemattomuude-*, disobedience; *tottelematto-muudesta-*, from disobedience; and *-nsa*, his.

Finnish will be treated in the grammatical notes in this book on the basis of the recognisable elements into which words may be broken up. Many of them will be referred to as stems, and they are the most primitive parts of the verbs and nouns with, in many cases, no individual existence in that form. To indicate this, the stems, which, so far as they exist at all, always end in a vowel, will have a hyphen at the end of this most primitive form. The suffixes in Finnish correspond in most cases in English to separate words such as ' by ', ' with ', ' without ', ' on account of ', to suffixes such as ' -ed ' in ' rounded ', ' -ness ' in ' quietness ', ' -ry ' in ' artistry ', ' -ing ' in ' gardening ' and so on, or to prefixes such as ' un- ' in ' unruly ', ' over- ' in ' overlook ', ' be- ' in ' benighted ', and the ' -m ' of ' him ' and the ' -s ' of ' his ', compared with ' he ', which has no suffix.

But Finnish has a simple system of tenses: instead of such distinctions as ' I walk ', ' I am walking ', ' I do walk ', ' I shall walk ', ' I shall be walking ', Finnish has but one form, and a similar simplicity is observable in the past tenses.

LESSON ONE

GRAMMATICAL NOTES

(*a*) The ARTICLE, both definite ('the') and indefinite ('a', 'an', 'some') has no word in Finnish to represent it exactly. Where it is necessary to make such a distinction in Finnish, the language has its own ways of solving the problem, which we shall come to later. For the present, however, it will be enough to know that *kylä*, for instance, means 'village', 'a village' or 'the village'.

(*b*) The NOMINATIVE SINGULAR of nouns and adjectives (the form with which one names a thing, the form usually given in dictionaries) has no suffix (but see Introduction *c* ii).

(*c*) The NOMINATIVE PLURAL has the suffix -*t*. Thus *kylät* means 'villages', 'the villages'. The suffix is added to what we shall call in these notes the stem of the word. In *kylä* the stem is identical in form with the nominative singular, but many words have a stem which differs in form from the nominative singular, and we shall give such stems a final hyphen. For instance, *mies*, man, has the stem *miehe-*, and the nominative plural is *miehet*, men, the men.

(*d*) The PERSONAL PRONOUNS are, in the nominative, *minä*, I; *sinä*, thou; *hän*, he or she; *se*, it (but sometimes used in place of *hän*), *me*, we; *te*, you; *he*, they (persons); and *ne*, they (referring to animals or things).

Sinä is used for 'you' among relatives, children and close friends and in poetry, and *te* in other cases.

Both *sinä* and *te* are written with a capital as a mark of respect.

(*e*) GRAMMATICAL GENDER does not exist in Finnish, and it will be noticed that one word does duty for 'he' and 'she' just as 'they' in English has to do duty for males, females and both.

(*f*) The GENITIVE or POSSESSIVE case of nouns and adjectives has, in the singular, the suffix -*n*, added to the stem in the same way as the -*t* of the nominative plural: *kylä*, village, *kylän*, of the village, of a village, the village's; *talo*, house, *talon*, of the house, of a house, a house's; *päivä*, day, *valo*, light, *päivänvalo*, light of day, daylight; *maa*, land, country, *tie*, road, *maantie*, high-road. (The last two are instances of words used so commonly together that they are written as compounds.)

A foreign name ending in a consonant-sound adds an -*i*- either to the stem (in established borrowings) or to the suffix for ease in pronunciation: *Conradi*, Conrad; *Conradin*, of Conrad, Conrad's; *Molinos'in*, of Molinos.

For the uses of the genitive see Note 16*c*.

(*g*) The VERB ' BE ' in the present tense is:

(*minä*) **olen**, I am	(*me*) **olemme**, we are
(*sinä*) **olet**, thou art	(*te*) **olette**, you are
hän **on**, he, she is	*he* **ovat**, they are
se **on**, it is	*ne* **ovat**, they are

The pronouns bracketed above are used only for emphasis: the verb indicates the person clearly without them; 3rd person pronouns must be used in the absence of a noun.

On (without a pronoun) also means ' there is ', ' there are ', ' there exist(s) ' or ' it is ' in an impersonal sense: *on päivä*, it is day (-time).

(*h*) PERSONAL PRONOUNS have the following genitive form:

minun, of me, mine	*meidän*, of us, ours
sinun, of thee, thine	*teidän*, of you, yours
hänen, of him, her; his, hers	*heidän*, of them, theirs
sen, of it, its	*niiden* or *niitten*, of those (things), theirs

(*i*) CONSONANT-MUTATION is an essential feature of Finnish. A syllable ending in a vowel is said to be ' open ', but if it ends in a consonant it is ' closed '. If a short syllable beginning with *k*, *p* or *t* is closed by the addition of a consonant, then the *k*, *p* or *t* undergoes certain changes called ' mutation ' or ' softening '. The following examples show the process:

    strong *k* (*kk*) becomes weak (*k*) : *kirkko kirkon kirkot* ;
    strong *p* (*pp*) becomes weak (*p*) : *pappi papin papit* ;
    strong *t* (*tt*) becomes weak (*t*) : *katto katon katot* ;

other changes will be seen from the genitive case in the vocabularies.

(A short syllable is one containing a short vowel or a diphthong formed of a short vowel and the -*i* of the plural: see Notes 2*c*, *e*, *f*.)

Foreign words in Finnish do not necessarily mutate: *auto*, car, has the genitive *auton* ; and names of people similarly do not always soften the hard consonants.

A fuller treatment of the question will be found in Note 17*d*.

(*j*) ADJECTIVES AGREE in number and case with the nouns they qualify, and take suffixes like nouns (it will be remembered that there is no grammatical gender) : *iso talo*, large house ; *isot talot*, large houses ; *ison talon*, of the large house.

(*k*) WORD ORDER : an adjective (with a few exceptions, see Note 5*g* vii), precedes the word it qualifies, unless, of course, it is used as a predicate : *päivä on kirkas*, the day is bright, but *kirkas päivä*, bright day.

In the same way the genitive precedes the possession and any adjective qualifying it, except when it stands as a predicate. In other words, the order is the same as in English, where the possessive is indicated by an ' s ' : *miehen nimi*, the man's name ; *nimi on miehen*, the name is the man's ; *miehen uusi nimi*, the man's new name.

VOCABULARY

(Nouns are given in nominative, stem-form, genitive and partitive singular, and verbs in stem-form, 1st person singular of present indicative, e.g. ' I go ', 3rd person singular of imperfect, e.g. ' he went ', and the infinitive, e.g. ' to go '.)

aamu aamu- aamun aamua, morning

aivan, quite, totally, entirely, absolutely

he, they

hevonen hevose- hevosen hevosta, horse

hiljainen hiljaise- hiljaisen hiljaista, quiet, tranquil

hopea hopea- hopean hopeaa, silver

hopeinen hopeise- hopeisen hopeista, silvern, silvery, of silver

huone huonee- huoneen huonetta, room

hän häne- hänen häntä, he, she

-inen -ise- -isen -ista or *-istä*: suffix meaning ' made of ',
    ' like ', ' -ish ', ' -ly ', ' belonging to ', ' of ', ' of the
    nature of ', etc.

iso iso- ison isoa, large, big

ja, and

joki joke- joen jokea, river, stream, brook

joten, ' so that, whereby '

kapea kapea- kapean kapeaa or *kapeata*, narrow

katto katto- katon kattoa, roof, ceiling

kello kello- kellon kelloa, clock, watch; the time

kelta kelta- kellan keltaa, yellow

keltainen keltaise- keltaisen keltaista, yellow

kenkä kenkä- kengän kenkää, shoe

-kin, too, also, likewise

kirja kirja- kirjan kirjaa, book

kirkas kirkkaa- kirkkaan kirkasta, bright, clear

kirkko kirkko- kirkon kirkkoa, church

kirkontorni -torni- -tornin -tornia, church steeple, tower

kivi kive- kiven kiveä, stone, rock

korkea korkea- korkean korkeaa or *korkeata*, high, lofty

koulu koulu- koulun koulua, school

kuiva kuiva- kuivan kuivaa, dry

kukka kukka- kukan kukkaa, flower, blossom

kuu kuu- kuun kuuta, moon, month

kuusi kuute- kuuden kuutta, six

kuutamo kuutamo- -tamon -tamoa, moonlight

-la -la- -lan -laa: suffix meaning ' dwelling-place of ', ' place
    where ', etc.

lauha lauha- lauhan lauhaa, mild, gentle, soft

leveä leveä- leveän leveää, broad, wide

lyhyt lyhye- lyhyen lyhyttä, short (see Notes 3*c* xviii and
    4*e* xvii)

maa maa- maan maata, land (in the sense of both ' country ' and ' earth ')

maantie -tie- -tien -tietä, high-road

makea makea- makean makeaa or *makeata*, sweet

matala matala- matalan matalaa, low, shallow

me mei- meidän meitä, we

mies miehe- miehen miestä, man (see Notes 3*c* xiv and 4*e* xiii)

minä minu- minun minua, I

musta musta- mustan mustaa, black

mutta, but

muuri muuri- muurin muuria, wall

-n: sign of the genitive (see Notes 1*f, h, i* and 2*c*)

naapuri naapuri- naapurin naapuria, neighbour

ne nii- niiden niitä, they

nimi nime- nimen nimeä, name

nälkä nälkä- nälän nälkää, hunger; *minun on nälkä*, I am hungry

ohi, by, past, over

ole-, be (see Note 1*g*)

omena omena- omenan omenaa, apple

pappi pappi- papin pappia, clergyman, priest

pappila (see *-la*), vicarage

parka parka- paran parkaa, poor, pitiable

pieni piene- pienen pientä, little (see Notes 3*c* xiv and 4*e* xiii)

pimeä pimeä- pimeän pimeää or *pimeätä*, dark

poika poika pojan poikaa, boy. (Note that the *k* being elided because the syllable it begins is closed, the *i* is written *j* to represent the sound it has between two vowels.)

puinen, wooden (formed of *puu*, ' wood ', and *-inen*). (Note that the diphthong is reduced to *u* before *i* as elsewhere.)

punainen punaise- punaisen punaista, red

puu puu- puun puuta, tree, wood

päivä päivä- päivän päivää, day

päivänvalo -valo- -valon -valoa, daylight

pöytä pöytä- pöydän pöytää, table

raha raha- rahan rahaa, money, coin

rakennus rakennukse- rakennuksen rakennusta, building, house (see Notes 3*c* xvii and 4*e* xvi)

ranta ranta- rannan rantaa, shore, beach, coast

siis, then, thus, consequently

sillä, for, because

silta silta- sillan siltaa, bridge
sinä sinu- sinun sinua, thou
suomalainen suomalaise- -laisen -laista, Finnish, Finn
Suomi Suome- Suomen Suomea, Finland
suora suora- suoran suoraa, straight, upright, candid, etc.
syvä syvä- syvän syvää, deep
-t: sign of the nominative plural (see Note 1*c*, but see also Note 2*a* ii)
taivas taivaa- taivaan taivasta, sky, heavens (see Notes 3*c* ii A and 4*e* v)
talo talo- talon taloa, house
te tei- teidän teitä, you
tie tie- tien tietä, road, way, track, etc.
torni torni- tornin tornia, tower
tuuli tuule- tuulen tuulta, wind
tyhjä tyhjä- tyhjän tyhjää, empty
tähti tähte- tähden tähteä, star
vaate vaattee- vaatteen vaatetta, garment, cloth
valkea valkea- valkean valkeaa or *valkeata*, white
valkoinen -ise- -isen -ista, white
valo valo- valon valoa, light
vanha vanha- vanhan vanhaa, old
varpunen varpuse- varpusen varpusta, sparrow
vihreä vihreä- vihreän vihreää or *vihreätä*, green
yksi yhte- yhden yhtä, one
yö yö- yön yötä, night
ystävä ystävä- ystävän ystävää, friend
ystävällinen -llise- -llisen -llistä, friendly, kind
ääni ääne- äänen ääntä, sound, noise, voice

EXERCISE

1. Hän on pappi. 2. Talo on matala. 3 Kukka on kaunis. 4. Ranta on leveä. 5. Tie on kapea. 6. Rannat ovat vihreät. 7. Hänen on nälkä. 8. Silta on musta. 9. Vanha mies on suomalainen. 10. Hän on hyvä ja ystävällinen. 11. Sillat ovat mustat. 12. Suomi on kaunis maa. 13. Huone on kylmä. 14. Omena on makea. 15. Hevonen on naapurin. 16. Varpunen on lintu. 17. Huoneet ovat kylmät. 18. Omenat ovat makeat. 19. Kirja on pojan. 20. Puut ovat korkeat.

READING

Yö ja päivä

(All the characters in the narrative are fictitious ; some are at times impossible).

On yö. Kello on yksi. On hiljainen, kuutamoinen yö. Tuuli on lauha. Maa on vielä musta ja talot ovat pimeät, mutta tähdet ovat kirkkaat. Ilma on kaunis ja kuiva, mutta on vielä aivan pimeä. Joki on hopeinen; kylä on musta ja hiljainen.

.   .   .   .   .

On jo aamu. On päivä, kirkas päivä. Yö on ohi. Kello on kuusi. Taivas on kirkas ja sininen. Kylä on pieni ja kaunis. Harmaat rakennukset ovat kirkko ja pappila. Kirkon katto on punainen. Koulun kivimuurit ovat valkeat ja sen katto on keltainen.

Talot ovat matalat, mutta kirkon torni on korkea. Puutkin ovat korkeat. Talot ovat valkeat, mutta puut ovat vihreät.

Joki on kapea ja syvä, joten uusi silta on lyhyt. Silta on puinen. Rannat ovat vihreät. Maantie on leveä ja suora.

LESSON TWO

GRAMMATICAL NOTES

(*a*) The PRESENT INDICATIVE of the verb has only one form in Finnish, corresponding to, e.g. ' I am going ', ' I do go ', ' I go ' and also to the future ' I shall go ', ' I shall be going '.

(i) It is formed from the stem of the verb (given in these notes with a final hyphen) and certain suffixes which indicate the person and number, that is, they do duty for ' I ', ' thou ', ' he ', ' she ', ' we ', ' you ', ' they '. The personal pronouns for the 1st and 2nd person (given in Note 1*d*) are not essential with the verb, but are used where emphasis is required.

(ii) The suffixes, which are also used in other tenses of the verb, are:

-n (for ' I ')	*-mme* (for ' we ')
-t (for ' thou ')	*-tte* (for ' you ')
	-vat or *-vät* (for ' they ')

while for ' he ', ' she ' and ' it ' the vowel-ending of the stem is lengthened (indicated in writing by doubling the letter) unless the stem already ends in a long vowel or a diphthong: in this case the stem remains unchanged in the standard language, although sometimes the syllable *-pi* is added.

In poetry one sometimes finds the syllable *-vi* instead of the lengthening of a short vowel.

The following examples will show how the endings are added.

From the stem *laula-*, ' sing ':

(*minä*) *laulan*, I sing, etc.	(*me*) *laulamme*, we sing
(*sinä*) *laulat*, thou singest	(*te*) *laulatte*, you sing
hän laulaa, he, she sings	*he laulavat*, they sing

Similarly from *saa-*, receive, may—*saan, saat, saa, saamme, saatte, saavat*; from *mene-*, go—*menen, menet, menee, menemme, menette, menevät*; from *syö-*, eat—*syön, syöt, syö, syömme, syötte, syövät*.

(iii) The verb *ole-*, be, deviates slightly: *olen, olet, on, olemme, olette, ovat* (and in poetry one finds also *oon, oot, ompi, oomme* and *ootte*). Note that *on*, without the personal pronoun, means 'there is', 'there are', and *minä olen* translates both 'I am' and 'it is I'.

(iv) Verbs, like nouns, are subject to consonant-softening (Note 1 i): *otta-*, take, has *otan, otat, ottaa, otamme, otatte, ottavat*; *luke-*, read, has *luen, luet, lukee, luemme, luette, lukevat*.

(v) A class of verbs with (theoretical) stems ending in a short vowel and *-ta- -tä-* might be called 'amalgamating' or 'contracting' verbs; they drop the *-t-* in the present tense, for example: *avata-*, open—*avaan, avaat, avaa, avaamme, avaatte, avaavat*; *makata-*, lie (prone)—*makaan, makaat, makaa, makaamme, makaatte, makaavat*; but if the two vowels are different, the second is lengthened regularly: *haluta-*, wish—*haluan, haluat, haluaa, haluamme, haluatte, haluavat*.

(vi) Popular speech and poetry sometimes use the 3rd singular for the plural: *tytöt laulaa* for *tytöt laulavat*, the girls are singing.

(vii) In polite speech, on the other hand, the use of *te* and the second person plural of the verb is, in addressing an older person or one of higher rank, frequently replaced by phrases using the 3rd person singular of the verb with an appropriate title and where appropriate the name: *Mitä herra lukee ?*—What are you reading (sir)? *Mitä herra Brown lukee ?*—What are you reading, Mr. Brown? (What is Mr. Brown reading?)

(*b*) The FUTURE has no separate tense in Finnish, and the present tense does duty for it. This is not surprising when one bears in mind the English constructions like 'I *am writing* a letter at the moment' and 'I *am going* to Finland in the summer'; '*I leave* London every week-end' and '*I leave* in July'.

Thus the Finnish *saan*, I receive, can also mean 'I shall receive', 'I shall be receiving'.

(*c*) The GENITIVE PLURAL of nouns and adjectives has the final -*n* which we have already seen in the genitive singular. But between it and the stem come first *i*, the sign of the plural, and then various forms of a linking element which seems to be basically -*te*-, but is subject to modifications according to the nature of the stem:

-*t*- may be strengthened to give -*itten* as the ending;
-*t*- may be softened, leaving -*iden*;
-*t*- may be elided leaving -*ien*;
-*ien* after a vowel is written -*jen* in accordance with the pronunciation;
-*ien* sometimes elides the -*e*-, leaving -*in*;
-*iten* drops the -*i*- in certain cases, leaving -*ten*.

Stems will be found classified with regard to the genitive plural in Lesson 4.

(*d*) The ACCUSATIVE CASE of nouns and adjectives has, in the singular, two forms, one (which we shall deal with later) like the nominative and the other like the genitive; in the plural it has the same form as the nominative. Thus *talo* has the following forms:

singular	plural
nominative *talo*	nominative *talot*
accusative *talo*; *talon*	accusative *talot*

The personal pronouns, however, have the following two accusative forms (for the moment we shall deal only with the -*t* form):

minun	sinun	hänen	meidän	teidän	heidän
minut	sinut	hänet	meidät	teidät	heidät

Broadly speaking, the use of the accusative indicates that the whole of the object is affected by the verb: *Saat kirjan*— You shall have the book. We shall deal with this at greater length in later lessons.

(*e*) PLURAL CASES, apart from the nominative and accusative, which end in -*t*, have as their sign of the plural the -*i*- which we have already seen in the genitive plural. It is added to the stem before the case-endings.

(*f*) VOWEL-CHANGES take place in certain stem-endings when this *-i-* is added, according to what the stem-ending is and what precedes it, as follows:

(1) A long vowel or one of the ' rising ' diphthongs (*uo*, *yö*, *ie*, which were originally long vowels) lose the first element: *maa*, land, has the plural stem *mai-* as in *maiden* or *maitten*, of the lands; *suo*, swamp, has *soi-*; *työ*, work, *töi-*; *tie*, ' road ', *tei-*; and so on.

Stems ending in *-ii-*, however, sometimes also change the remaining *-i-* to *-e-*. Thus the stem *kaunii-*, beautiful, has a plural stem *kaunei-* in addition to *kaunii-*, and the former is commoner, because it is clearly not the singular stem.

(2) Of the short vowels, *-o-*, *-u-*, *-ö-* and *-y-* suffer no changes when the plural *-i-* is added, but for *-a-*, *-ä-*, *-e-* and *-i-* the following changes are observed:

(i) In the case of *-a-* and *-ä-* a sub-classification is found according to the number of syllables in the stem: if it is of two syllables, *-ä-* is elided as in *kylä*, village, with the plural stem *kyli-*, while *-a-* is elided only after a syllable containing *-o-* or *-u-* as in *kuva*, picture, with the plural stem *kuvi-*; otherwise the *-a-* is changed to *-o-*, as in *kirja*, book, *kirjoi-*; *herra*, gentleman, Mr., *herroi-*.

In stems of more than two syllables *-a-* and *-ä-* are elided before the *-i-*, as in *oikea*, right, *oikei-*; *ystävä*, friend, *stävi-*; except that *-a-* *-ä-* are changed to *-o-* *-ö-* where the preceding syllable contains *-i-*, as in *lattia*, floor, *lattioi-*; *kynttilä*, candle, *kynttilöi-*; or the last syllable is *-la-* *-lä-*, as in *kahvila*, cafe, *kahviloi-*; *kylpylä*, bathing resort, *kylpylöi-*; or two consonants immediately precede the *-a-* *-ä-*, as in *silakka*, herring, *silakkoi-*; or the stem ends in *-ua-*, as in *saippua*, soap, *saippuoi-*.

But *tavara*, article, has the plural stem *tavaroi-*, goods, and *isäntä*, host, and *emäntä*, hostess, have the plural stems *isänti-*, *emänti-*.

Some words have more than one possible way of forming the plural stem, and generally the shorter forms are preferred.

(ii) Stems ending in *-e-* always elide this before the plural *-i-*, as in *mäke-*, hill, *mäki-*.

(iii) Stems ending in a single *-i-* change this to *-e-*, as in *risti*, cross, *ristei-*; *kaupunki*, town, *kaupunkei-*.

Further examples of the way these various types of stem behave in the plural will be found in Notes *3c* and *4e*.

(iv) A short vowel followed by the plural *-i-* and either a single consonant closing the syllable, or by one of the syllables *-ta- -tä-* (Note *3c*) or *-den* (Note *4e*) softens a preceding consonant.

(*g*) PREPOSITIONS and POSTPOSITIONS in Finnish represent prepositions in English (such words as 'over', 'with', 'beside'). Many of these require the genitive case of the word to which they relate a position or refer a relation, for example, *halki* means 'through', 'across', 'athwart' and takes the genitive; *metsä* is 'wood', so that *halki metsän* means 'through the wood'. Such case-requirements will be indicated in the vocabularies. The construction is analogous to the English 'on the top of', 'in the middle of', etc., and in many of these constructions the stem corresponding to 'top', 'middle' and so on is distinguishable, and its case-ending corresponds to 'on the', 'in the', etc., while 'of' is represented by the genitive case.

Others take the partitive case, which is introduced in Lesson 3.

For details see Note 15*f*.

VOCABULARY

aamiainen aamiaise- aamiaisen aamiaista, breakfast; *-nsa*, his, her (Note 4*b*)

aina, always

alla, under (referring to position, see Note 7*a*)

ammu- ammun ammui ammua, low, bellow

arkihuone, living-room

ateria ateria- aterian ateriaa, meal

auki, open (adverb)

aurinko aurinko- auringon aurinkoa, sun

avata- avaan avasi avata, open (something)

elä- elän eli elää, live

eno eno- enon enoa, uncle, mother's brother

entä, and what?, what if, and, what about

hake- haen haki hakea, seek

huuta- huudan huusi huutaa, cry, call, exclaim, shout

hylly hylly- hyllyn hyllyä, shelf

ikkuna ikkuna- ikkunan ikkunaa, window

ilmeisesti, obviously

istu- istun istui istua, sit

isä, isä- isän isää, father

joka jo-ka jonka jota, who, which (see Note 8*h*)

jos, if, whether

juo- juon joi juoda, drink

juuri, just, exactly, quite

kaappi kaappi- kaapin kaappia, chest of drawers

kahdenkymmenen vuoden vanha, 20 years old (see Lesson 13)

kaikki kaikke- kaiken kaikkea, all

kalusto kalusto- kaluston kalustoa, furniture, furnishing

karitsa karitsa- karitsan karitsaa, lamb

kasvot kasvoi- kasvojen kasvoja (plural noun), features, face

kesken (preposition and postposition, taking the genitive),
    between, among

kiirehti- kiirehdin kiirehti kiirehtiä, hurry (or *kiiruhti-*, etc.);
    minun on kiire, I am in a hurry

kiitos kiitokse- kiitoksen kiitosta, thanks, praise

kirjahylly (see *hylly*), bookshelf

kirje kirjee- kirjeen kirjettä, letter; *kirjeenkantaja -ja- -jan -jaa*,
    postman

kirjoitus kirjoitukse- kirjoituksen kirjoitusta, writing, written
    article, writing-; *kirjoituspöytä*, writing-table, desk

koira koira- koiran koiraa, dog

koitta- koitan koitti koittaa, dawn

kolme kolme- kolmen kolmea, three

koputta- koputan koputti koputtaa, knock

kuka ku-ka (——) *kuta*, who (see Note 8*g*)

kukko kukko- kukon kukkoa, cockerel

kuori kuore- kuoren kuorta, cover, peel, shell, bark, etc.;
    (*kirjeen*) *kuori*, envelope

kuulotorvi (see Vocabulary 14), earpiece (telephone)

kuva kuva- kuvan kuvaa, picture

kyllä, certainly, for sure, surely, indeed

lakeus lakeute- lakeuden lakeutta, plain

lapsi lapse- lapsen lasta, child

laula- laulan lauloi laulaa, sing, crow, etc.

lehmä lehmä- lehmän lehmää, cow
lehti lehte- lehden lehteä, leaf, piece of paper, newspaper
leima leima- leiman leimaa, stamp, impress, die
loista- loistan loisti loistaa, shine, gleam, sparkle
Lontoo Lontoo- Lontoon Lontoota, London
loppu loppu- lopun loppua, end, conclusion, remainder
loppupuoli -puole- -puolen -puolta, latter part
luke- luen luki lukea, read, study
lumi lume- lumen lunta, snow; *sataa lunta,* it is snowing
ma(k)ata- makaan makasi maata, lie
mene- menen meni mennä, go, get, become
metsä metsä- metsän metsää, wood(s), forest
mitä, what
mäki mäke- mäen mäkeä, hill
määki- määin määki määkiä, bleat
naura- nauran nauroi nauraa, laugh, smile
niin, thus, so
niitty niitty- niityn niittyä, meadow
noin, so, there, about
nouse- nousen nousi nousta, rise, get up, on to
nuori nuore- nuoren nuorta, young
nyt, now
näky- näyn näkyi näkyä, be visible, seen, appear, look
opetta- opetan opetti opettaa, teach
oppilas oppilaa- oppilaan oppilasta, pupil, student, disciple
otta- otan otti ottaa, take
ovi ove- oven ovea, door
pala- palan paloi palaa, burn (i.e. be burning)
peittä- peitän peitti peittää, cover
piha piha- pihan pihaa, courtyard
poikki, across, off (preposition or postposition taking the genitive)
posti posti- postin postia, post, mail
puhe puhee- puheen puhetta, speech, talk
puhu- puhun puhui puhua, to talk, speak
puoli (see *loppupuoli*), half
risti risti- ristin ristiä, cross
räystäs räystää- räystään räystästä, eaves
saa- saan sai saada, get, receive, have, induce, may, must
saarnata- saarnaan saarnasi saarnata, preach
sano- sanon sanoi sanoa, say, tell

B

sata- (sadan) satoi satua, rain, etc.

seiso- seison seisoi seisoa, stand

seitsemän (see Lesson 13), seven

silmä silmä- silmän silmää, eye;   *silmät kiinni,* (with) eyes
     closed (Note 7*e*)

sisä sisä- sisän sisää, interior

sitten, then

soi- soin soi soida, sound, ring, chime, etc.

soutele- soutelen souteli soudella, row (about)

-sti (an ending corresponding to ' -ly ' in ' quickly ', etc.)

suo suo- suon suota, swamp, marsh, fen

syö- syön söi syödä, eat

säde sätee- säteen sädettä, ray, beam

tahto- tahdon tahtoi tahtoa, want, wish

takana (preposition and postposition), behind

toukokuu -kuu- -kuun -kuuta, May

tukki tukki- tukin tukkia, log

tule- tulen tuli tulla, come;   *Mikon tulee nälkä,* Mikko gets (is
     getting) hungry

tuli tule- tulen tulta, fire

tumma tumma- tumman tummaa, dark

tuo tuo- tuon tuota, that

tuoksu tuoksu- tuoksun tuoksua, scent, odour

tuoli tuoli- tuolin tuolia, chair

tuo- tuon toi tuoda, fetch, bring, take

tyttö tyttö- tytön tyttöä, girl

tyyni tyyne- tyynen tyyntä, still, tranquil

työ työ- työn työtä, work

työhuone, workshop, work-room, study

täyttä- täytän täytti täyttää, fill (something), fulfil, accomplish,
     etc.

ulos, out

vaalea vaalea- vaalean vaaleaa or *vaaleata,* light, pale

vielä, yet, still, further, more

visertä- viserrän visersi visertää, chirp, twitter

vuosi vuote- vuoden vuotta, year

yksinkertainen -kertaise- -kertaisen -kertaista, simple, plain

yli, over

ylös, up

äiti äiti- äidin äitiä, mother

EXERCISE

1. Isä tulee. 2. On yö. 3. Sataa. 4. Tuli palaa.
5. Oppilaat istuvat ja oppivat. 6. Opettaja seisoo ja
opettaa. 7. Äiti lukee. 8. Minun on kova nälkä. 9.
Tähdet loistavat. 10. Kirkko näkyy. 11. Poika tulee.
12. Kellot soivat. 13. Pappi saarnaa. 14. Lumi loistaa.
15. Tyttö laulaa ja nauraa. 16. Minä saan kirjan. 17.
Poika lukee. 18. Tytöt laulavat. 19. Pojat huutavat.
20. Minä luen. 21. Sataa lunta.

READING

Aamu

On toukokuun loppupuoli. Kukko laulaa. Aurinko
nousee puiden yli, mutta lakeuden peittävät vielä siniset
varjot. Linnut visertävät räystään alla. Aamu koittaa.

Niittyjen ja nuorien lehtien tuoksu täyttää tyynen ilman.
Lehmä ammuu. Karitsat määkivät. Auringon säteet
loistavat. Kaikki heräävät. On kaunis toukokuun päivä.

Arkihuone

Nuori mies on pitkä ja vaalea ja noin kahdenkymmenen
vuoden vanha. Nuoren miehen nimi on Mikko. Mikon
kasvot ovat laihat ja silmät tummansiniset.

Arkihuone on iso ja kolmi-ikkunainen. Se on ilmeisesti
Mikon työhuone. Huonekalusto on yksinkertainen: kir-
joituspöytä, tuoli, kirjahylly ja kaappi. Kaappi on oven
takana. Ovi on auki.

Mikko istuu juuri ja lukee. Enon koira on pöydän alla.
Se nukkuu. Nuori mies nousee aina varhain ylös. Nyt
kello on seitsemän ja Mikon tulee nälkä. Hän nousee,
menee pihan poikki ja hakee aamiaisensa. Hän syö ja juo.

Kesken aterian soi puhelin. Mikko nousee, nostaa
kuulotorven ja sanoo: »Haloo, kuka puhuu? . . . Kiitos,
kiitos, entä te? . . . Elän, syön, opiskelen, soutelen, ja
nukun kuin tukki . . . Kyllä tulen, jos tahdotte, metsän
halki ja sitten joen poikki. Tie on lyhyt. Hyvä on.»

Kirjeenkantaja koputtaa. Kirje! Lontoon ja Helsingin
postileimat. Hän repäisee kuoren auki ja lukee, ajattelee
silmät kiinni ja kiirehtii sitten ulos.

LESSON THREE

GRAMMATICAL NOTES

(a) The PARTITIVE case has the ending -(t)a- -(t)ä-. The omission of the -t- depends on the form of the stem (see below). The personal pronouns have *minua, sinua, häntä, meitä, teitä* and *heitä*.

(b) Its USES include the expression of:

(i) 'From' a place (the original sense): *takaa*, from afar, *ulkoa*, from outside, *kotoa*, from home, *luota*, from by.

(ii) 'Some from': *hän syö omenaa*, she is eating an apple (cf. the English of the Authorised Version, Gen. ii. 17: eat *of* it), *he syövät omenia*, they are eating apples (some of all the apples there are).

(iii) The plural -*s* where nouns follow numbers. The noun is singular: *kaksi kirjaa*, two books; *pari miestä*, a couple of men; *kolme poikaa*, three boys.

(iv) 'Of' with words expressing quantity or measure; the noun here is singular or plural according to the sense: *litra maitoa*, a litre of milk; *joukko ihmisiä*, a crowd of men.

(v) 'Some': a plural partitive noun with a verb in the singular used impersonally: *Tulee miehiä*—There are some men coming. *Kirjastoja on, mutta vähän*—There are libraries, but not many (literally 'but few').

(vi) 'Of', 'belonging to' a class: *Musta ja sininen ovat tummia värejä*—Black and blue are dark colours.

(vii) 'Made of', 'partaking of the quality of': *Ovi on tammea*—The door is of oak. *Pullo on keltaista lasia*—The bottle is of yellow glass. *Se on selvää*—That is clear. *Täällä on kaunista*—It is beautiful here.

(viii) 'Any' in a negative sentence: *Täällä ei ole ihmisiä*—There are not any people here. *Siellä ei ole sanomalehteä*—There is no newspaper there ('not any').

(ix) 'One of the most . . .' by a partitive plural of a superlative: *Suomi on Euroopan kauneimpia maita*—Finland is one of Europe's most beautiful countries (see Note 5g iv).

36

(x) (in comparisons) 'than' and in the older language 'by': *Hän on minua vanhempi*—'He is older than I'. *Hän on minua kahta vuotta vanhempi* (in modern Finnish *kaksi vuotta vanhempi*)—He is older than I by two years (see Note 13*b* viii).

(xi) Similarly in comparison with a standard of measurement: *Vesi on kahta (kaksi) metriä syvä*—The water is two metres deep.

(xii) The object of a negative sentence: *Minä en osta taloa*—I shall not buy the house (see Note 5*b* for negative).

(xiii) Similarly with objects expressing time or distance: *Hän ei viivy siellä koko päivää*—She will not stay there all day.

(xiv) and possessions (see Note 7*a* x).

(xv) The object of an unfinished or continuing action: *mies myy kirjoja*, the man sells books (see also Note 6*e* ii).

(xvi) The object of feelings, thoughts, wishes, etc.: *minä rakastan häntä*, I love her; *odotamme heitä*, we are expecting them; *he pelkäävät minua*, they fear me; *Hyvää päivää!* Good day!; *Hyvää yötä!* (I wish you a) good night!

(xvii) 'In', 'on', 'along', etc., with certain verbs which express 'going', 'frequenting', etc.: *Hän käy koulua*—She goes to school. *Menen tätä tietä*—I shall go by this road.

(xviii) The manner of an action by the partitive of an adjective: *Puhun hiljaa*—I shall speak quietly.

(*c*) FORMS of the partitive. While Note 3*a* will enable the student to recognise the partitive, the following details will show the behaviour of the various types of stem, and will be useful for reference and classification. The forms given are the stem (followed by the meaning), the nominative singular and the partitive singular and plural:

(i) Stems like the nominative singular, ending in a long vowel or one of the diphthongs *ie*, *uo*, *yö* (which developed from *ee*, *oo*, *öö*, hence the similar behaviour):

maa-, land, *maa*, *maata*, *maita*;
suo-, swamp, *suo*, *suota*, *soita* (see Note 2*f* 1).

(ii) Stems ending in a long vowel, with the nominative singular ending in a short vowel and *-s* or *-t*, or in *-e-* and

as aspiration. These formerly had an aspiration between
the two vowels now represented by the long vowel; in the
nominative singular the second vowel is now dropped
and the aspirated sound has taken the forms shown above
(but some dialects preserve the aspiration throughout, e.g.
rikah for *rikas*). The aspiration is not normally marked in
spelling. Greek and other foreign names whose nomina-
tives put them in this class make an exception of nominatives
in *-os*, *-ös*, *-us* and *-ys* (see xvii below):

A. *puhtaa-*, pure, clean, *puhdas*, *puhdasta*, *puhtaita*
   kirvee-, axe, *kirves*, *kirvestä*, *kirveitä*
   Periklee-, Pericles, *Perikles*, *Periklestä*, . . .

B. *vaattee-*, garment, *vaate'*, *vaatetta*, *vaatteita*
   kääntee-, turn(ing), *käänne'*, *käännettä*, *käänteitä*

C. *kevää-*, Spring, *kevät*, *kevättä*, *keväitä* (see also 16a i).

(iii) Stems ending in a diphthong with *-i-* as its second
part: *koi-*, moth, *koi*, *koita*, *koita*.

(iv) Stems like the nominative singular ending in two
vowels of which neither is *-i-*: *korkea-*, high, *korkea*, *korkeata*
or *korkeaa*, *korkeita*; *ylpeä-*, proud, *ylpeä*, *ylpeätä* or *ylpeää*,
ylpeitä.

(v) Stems ending in two different vowels of which the
first is *-i-*; but if the second is *-a-*, then the singular is like
type iv, and the plural changes *-a-* to *-o-* if the vowel in
the first syllable is *-a-*: *valtio-*, state, realm, *valtio*, *valtiota*,
valtioita; *asia-*, thing, subject, *asia*, *asiata* or *asiaa*, *asioita*.

(vi) Stems of two syllables in *-o-*, *-ö-*, *-u-* or *-y-*: *pelto-*,
field, *pelto*, *peltoa*, *peltoja*; *kylpy-*, bath, *kylpy*, *kylpyä*, *kylpyjä*.

(vii) Stems as in (vi) but with more than two syllables:
pusero-, blouse, *pusero*, *puseroa*, *puseroja* or *puseroita*.

(viii) Two-syllabled stems in *-a-* with *-o-* or *-u-* as the
first vowel, and those ending in *-ä-*: *sota-*, war, *sota*, *sotaa*,
sotia; *pöytä-*, table, *pöytä*, *pöytää*, *pöytiä*.

(ix) Two-syllabled stems in *-a-* with *a*, *e* or *i* as the
first vowel: *raha-*, money, *raha*, *rahaa*, *rahoja*.

(x) More than two syllables in *-a- -ä-*, with *-i-* in the
preceding syllable, or with two consonants before *-a- -ä-*
(all except as in class xi below): *tekijä-*, author, maker,
tekijä, *tekijää*, *tekijöitä*; *silakka-*, sprat, herring, *silakka*,
silakkaa, *silakoita* (2*f* 2 iv).

(xi) More than two syllables in *-ma- -mä-*, *-va- -vä-*, *-isa- -isä-*, and the two words *isäntä*, host, *emäntä*, hostess: *sanoma-*, report, *sanoma, sanomaa, sanomia* (but those in *-ttoma -ttömä*: *avuttoma-*, helpless, *avuton, avutonta, avuttomia*, and e.g. *lämpimä-*, warm, *lämmin, lämmintä, lämpimiä*.)

(xii) Other polysyllabic stems in *-a- -ä-*: *omena-*, apple, *omena, omenaa, omencita omenoja* or *omenia*; *typerä-*, stupid, *typerä, typerää, typeröitä typeröjä* or *typeriä*.

(xiii) Stems in *-i-*: *lasi-*, glass, *lasi, lasia, laseja*; *äiti-*, mother, *äiti, äitiä, äitejä*; stems of more than two syllables have an alternative plural (see also Note 2 *f* 2 iv): *kaupunki-*, town, *kaupunki, kaupunkia, kaupunkeja* or *kaupungeita*.

(xiv) Stems in *-he-*, *-le-*, *-ne-*, *-re-*, *-se-*, or *-te-* (note that *-t-* changes regularly to *-s-* before *-i-*; *-e-* becomes *-i* in the nominative singular or is elided): *lohe-*, salmon, *lohi, lohta lohia* (but *miehe-*, man, *mies, miestä, miehiä*); *kiele-*, tongue, *kieli, kieltä, kieliä* (but a few like *sammale-*, moss, *kyynele-*, tear-drop, elide the *-e-* in the nominative singular); *piene-*, small, *pieni, pientä, pieniä* (but *paimene-*, shepherd, *paimen, paimenta, paimenia*); *suure-*, great, *suuri, suurta, suuria* (but some, like *sisare-*, sister, *tyttäre-*, daughter, have nominative singular *sisar, tytär*, etc.); *kuuse-*, spruce, *kuusi, kuusta, kuusia*; *kuute-*, six, *kuusi, kuutta, kuusia* (but *yhte-*, one, has *yksi, yhtä, yksiä* and *kahte-*, two, *kaksi, kahta, kaksia*; and a class of stems derived from adjectives and ending in *-(u)ute- -(y)yte-* has, e.g. *vapaute-*, freedom, *vapaus, vapautta, vapauksia*, *ylpeyte-*, pride, *ylpeys, ylpeyttä, ylpeyksiä*. But *piene-*, small, forms *pienuus*, smallness, and *pitkä*, long, *pituus*, length, instead of the front-vowel endings one would expect); N.B.—*nukke-*, doll, *nukke, nukkea, nukkeja* or *nukkia*.

(xv) Stems in *-me-* (see Introduction, *c* ii): *happame-*, sour, *hapan, hapanta, happamia*; *avaime-*, key, *avain, avainta, avaimia*; *sydäme-*, heart, *sydän, sydäntä, sydämiä*; some have partitives *-mea, -meä*; *suomea*, Finland, *nimeä* name; (nominative *suomi, nimi*).

(xvi) Stems in *-je-*, *-ke-* and *-pe-*: *velje-*, brother, *veli, veljeä, veljiä*; *joke-*, river, *joki, jokea, jokia*.

(xvii) Stems in *-kse-*, *-pse-* and *-tse-*: *kiitokse-*, thanks, *kiitos, kiitosta, kiitoksia*; *lapse-*, child, *lapsi, lasta, lapsia*; but *ripse-*, eyelash, *ripsi, ripseä, ripsiä*; *veitse-*, knife, *veitsi*,

veistä, veitsiä; and foreign names with nominatives in
-*os*, -*ös*, -*us* and -*ys* and Biblical names in -*es*: *Moosekse-*,
Moses, *Mooses, Moosesta*.

(xviii) A class of stems in -*ue*- -*ye*- (or -*ute*- -*yte*-): *ohute-*,
thin, *ohut, ohutta, ohuita*; *lyhyte-*, short, *lyhyt, lyhyttä, lyhyitä*.

(xix) Stems in -*te*- preceded by *l*, *n* or *r*: *kante-*, cover,
kansi, kantta, kansia (see xiv above); *virte-*, psalm, *virsi,
virttä, virsiä*; but ordinal numbers (see Lesson 13) have,
e.g. *viidente-*, fifth, *viides, viidettä, viidensiä*.

(*d*) QUESTIONS are constructed:

(i) With interrogative pronouns or conjunctions (who,
where, whether, etc.): *Kuka tulee?* Who is coming?
Missä se on? Where is it?

(ii) By adding to the word which is really being enquired
about the interrogative suffix -*ko* -*kö* and putting this at the
beginning of the question: *Tuleeko hän?* Is he coming?
Hänkö tulee?—Is *he* coming?

(iii) Sometimes merely by intonation with a sentence in
the affirmative form: *Te tulette?*—You coming?

In an affirmative reply to the second type, the word
receiving the interrogative suffix is repeated, but without
the suffix: *Hänkö tulee?*—*Hän*. Is he coming?—Yes, he is.
Or the word *kyllä*, certainly, or *niin*, (it is) so, can be used,
either alone or in a full statement: *Kyllä*—Yes. *Kyllä hän
tulee*—O yes, he'll come.

For negative replies, see Lesson 5.

VOCABULARY

aita aita- aidan aitaa, fence, hedge
ammatti ammatti- ammatin ammattia, trade, occupation,
    calling
anta- annan antoi antaa, give, allow
asia asia- asian asiaa or *asiata*, thing, matter, subject, trans-
    action
astu- astun astui astua, step, walk
autta- autan auttoi auttaa, help
avain avaime- avaimen avainta, key
avautu- avaudun avautui avautua, open (of oneself)
edisty- edistyn edistyi edistyä, progress, advance

ehkä, perhaps, possibly

eläin eläime- eläimen eläintä, animal

emäntä emäntä- emännän emäntää, hostess, lady of the house

Englanti Englanti- Englannin Englantia, England

englanninkieli (see *kieli*), English (language)

englantilainen -laise- -laisen -laista, English, Englishman

enkeli enkeli- enkelin enkeliä, angel

ennen, before, prior to, rather; *ennen kaikkea*, above all

erikoinen -koise- -koisen -koista, special

eräs erää- erään erästä, a, a certain, some

eteinen eteise- eteisen eteistä, vestibule, hall, ante-room

että, that

-han -hän (strengthening particle, see Note 20e)

harrasta- harrastan harrasti harrastaa, be interested in

harvoin, rarely

hauska hauska- hauskan hauskaa, pleasant, agreeable

hedelmä hedelmä- hedelmän hedelmää, fruit

herra herra- herran herraa, gentleman, Mr.

herätys herätykse- herätyksen herätystä, waking, rousing

herätyskello, alarm-clock

herättä- herätän herätti herättää, awaken (someone)

hevonen hevose- hevosen hevosta, horse

hiiri hiire- hiiren hiirtä, mouse

hiljaa, quietly

hiukan, slightly, a little

hoikka hoikka- hoikan hoikkaa, slender, slim

hunaja hunaja- hunajan hunajaa, honey

huomio huomio- huomion huomiota, notice, attention, observation

hymyile- hymyilen hymyili hymyillä, smile

hyppäys hyppäykse- hyppäyksen hyppäystä, leap, skip, jump

hyvin, well, very, quite

hyvyys hyvyyte- hyvyyden hyvyyttä, goodness

hyödyllinen hyödyllise- -llisen -llistä, useful

ies ikee- ikeen iestä (see Note 3c ii A), yoke

ihminen ihmise- ihmisen ihmistä, human being

ilman (post- and preposition taking the partitive), without

ilmesty- ilmestyn ilmestyi ilmestyä, appear, arise

ilta ilta- illan iltaa, evening

isäntä isäntä- isännän isäntää, host, master, farmer

itse, self

— *jokin*, some, any

joukko joukko- joukon joukkoa, crowd, heap, mass, etc.

juusto juusto- juuston juustoa, cheese

järjestä- järjestän järjesti järjestää, arrange, put in order

järvi järve- järven järveä, lake

-kaan -kään (see note 5*e*), (not) even, (not) either

kahvi kahvi- kahvin kahvia, coffee

kahvila kahvila- kahvilan kahvilaa, coffee-house, restaurant

kaksi (see Lesson 13), two

kansi kante- kannen kantta, lid, cover, deck

— *kasva- kasvan kasvoi kasvaa*, grow

katso- katson katsoi katsoa, look, see, observe, consider, regard, think

katu katu- kadun katua, street

kaukaa, from afar

kauneus kauneute- kauneuden kauneutta, beauty

kaupunki kaupunki- kaupungin kaupunkia, town

— *kera* (postposition taking the genitive), with

kieli kiele- kielen kieltä, tongue, language, point, etc.

— *kihara kihara- kiharan kiharaa*, curl, ringlet

— *kiinni*, fast, fixed, shut

— *kiire kiiree- kiireen kiirettä*, hurry

kilpailija -ja- -jan -jaa, competitor

— *kirjasto kirjasto- kirjaston kirjastoa*, library

— *kirves kirvee- kirveen kirvestä*, axe

kissa kissa- kissan kissaa, cat

-ko -kö (interrogative suffix)

— *koi koi- koin koita*, moth

koko, all, entire

korkeakoulu -koulu- -koulun -koulua, college

koski koske- kosken koskea, waterfall

koti koti- kodin kotia, home

koto, home (*kotona*, at home; *kotoa*, from home)

kuinka, how

kulke- kuljen kulki kulkea, walk, go

kun, when, while

kunto kunto- kunnon kuntoa, condition, shape, ability, worthiness; *laitan kuntoon*: see *laitta-*

kutsut kutsui- kutsujen kutsuja, party

kuuluisa kuuluisa- kuuluisan kuuluisaa, famous

kuulu- kuulun kuului kuulua, be heard, be audible, sound; belong to, concern

kuuntele- kuuntelen kuunteli kuunnella, listen, attend

kuusi kuuse- kuusen kuusta, spruce

kylpy kylpy- kylvyn kylpyä, bath

kynttilä kynttilä- kynttilän kynttilää, candle

kysy- kysyn kysyi kysyä, ask, enquire, question

käsi käte- käden kättä, hand

kävele- kävelen käveli kävellä, walk, stroll

käy- käyn kävi käydä, go, become, visit

käänne kääntee- käänteen käännettä, turn, change, bend

köyhä köyhä- köyhän köyhää, poor, indigent

lahja lahja- lahjan lahjaa, gift, talent

laitta- laitan laittoi laittaa, prepare, make ready, adjust; *laitan kuntoon*, I put . . . into order

laki laki- lain lakia, ceiling, roof; law

lammas lampaa- lampaan lammasta, sheep

lasi lasi- lasin lasia, glass

leikkisä leikkisä- leikkisän leikkisää, playful

leivos leivokse- leivoksen leivosta, pastry

leuka leuka- leuan leukaa, chin

litra litra- litran litraa, litre

-llinen -llise- -llisen -llista or *-llistä* (suffix forming adjectives and nouns, roughly similar to the English *-ful*; *-like*)

lohi lohe- lohen lohta, salmon

luokka luokka- luokan luokkaa, class, rank

luonnollinen (see *-llinen*), natural

luonto luonto- luonnon luontoa, nature

lyö- lyön löi lyödä, strike

läpi (postposition taking the genitive), through

maito maito- maidon maitoa, milk

makea makea- makean makeaa or *makeata*, sweet

marja marja- marjan marjaa, berry, berry-picking

matkustaja -ja- -jan -jaa, traveller

maukas maukkaa- maukkaan maukasta, tasty

melkein, almost, nearly

metri metri- metrin metriä, metre

mietti- mietin mietti miettiä, think, ponder

miten, how

moni mone- monen monta, many a . . .

muu muu- muun muuta, other, different

neljä neljä- neljän neljää, four
nopea nopea- nopean nopeaa or *nopeata,* swift
näke- näen näki nähdä, see
näyttämö näyttämö- näyttämön näyttämöä, stage, scene
odotta- odotan odotti odottaa, await, expect
— *ohut ohute-* or *ohue- ohuen ohutta,* thin
oikein, right, rightly, properly
olut olute- or *olue- oluen olutta,* beer
opinto opinto- opinnon opintoa, study (subject of study)
opisto opisto- opiston opistoa, college, academy
oppi oppi- opin oppia, doctrine, knowledge, religion, -logy
osta- ostan osti ostaa, buy
-pa -pä (strengthening suffix corresponding to), why, yet,
    but, just, etc.
paimen paimene- paimenen paimenta, shepherd, pastor
— *paitse* or *paitsi* (postposition taking the partitive), besides
paljon, much
pari pari- parin paria, pair, couple
— *parvi parve- parven parvea,* flock, shoal
— *pehmeä pehmeä- pehmeän pehmeää* or *pehmeätä,* soft
— *pelata- pelaan pelasi pelata,* play, gamble
— *pelkätä- pelkään pelkäsi pelätä,* fear, be afraid of
— *pelto pelto- pellon peltoa,* field
penkki penkki- penkin penkkiä, bench, seat
— *pensas pensaa- pensaan pensasta,* bush
perhe perhee- perheen perhettä, family
pian, soon, quickly (from *pika,* fast, but note *pikemmin,*
    sooner, *pikimmiten,* most speedily, *piammiten,* soonest
    (See Note 5g)
— *pitkin* (postposition taking the partitive), along
polku polku- polun polkua, path
— *porras portaa- portaan porrasta,* step, stair
— *porstua porstua- porstuan porstuaa,* entrance-hall
puku puku- puvun pukua, dress, suit, costume, apparel
pullo pullo- pullon pulloa, bottle, flask
— *purista- puristan puristi puristaa,* press, squeeze
pusero pusero- puseron puseroa, blouse
— *pysähty- pysähdyn pysähtyi pysähtyä,* stop, halt
— *pää pää- pään päätä,* head, end, tip
— *päättä- päätän päätti päättää,* decide, resolve, conclude, finish
— *raapi- raavin raapi raapia,* scratch, scrape

rakasta- rakastan rakasti rakastaa, love
rakenta- rakennan rakensi rakentaa, build
rakennustaide -taitee- -taiteen -taidetta, architecture
rakentaja -ja- -jan -jaa, builder
rauho rauha- rauhan rauhaa, peace, quiet
reikä reikä- reiän reikää, hole, opening
reki reke- reen rekeä, sledge
rikas rikkaa- rikkaan rikasta, rich
rouva rouva- rouvan rouvaa, married woman, Mrs.
ruis rukii- rukiin ruista, rye
saksa saksa- saksan saksaa, German (language)
saksalainen -laise- -laisen -laista, German (person or thing)
sala sala- salan salaa, secret; *salaa*, in secret
sanoma sanoma- sanoman sanomaa, tidings, message, news
sanomalehti (see *lehti*), newspaper
sekä, and; *sekä . . . että . . .*, both . . . and . . .
selvä selvä- selvän selvää, clear, distinct, lucid, pure
sepä hauskaa! how nice!
siellä, there; *siellä täällä*, here and there
silakka silakka- silakan silakkaa, small herring
soitta- soitan soitti soittaa, ring, play, telephone
sota sota- sodan sctaa, war
-sto -stö (suffix meaning), collection of, e.g. *huoneisto*, suite
    of rooms, flat
suuri suure- suuren suurta, great, large
suuruus suuruute- suuruuden suuruutta, size, greatness
sydän sydäme- sydämen sydäntä, heart
syy syy- syyn syytä, cause, reason, motive
taas, again, on the other hand
tai, or
taide (see *rakennustaide*), art
takaa, from behind
talous taloute- talouden taloutta, economy, household, house
    keeping
tammi tamme- tammen tammea, oak
tapa tapa- tavan tapaa, manner, way, style, habit, custom
tarjotin tarjottime- tarjottimen tarjotinta, tray
tarve tarpee- tarpeen tarvetta, want, need, necessity
tavallinen tavollise- tavallisen tavallista, usual, customary
teke- teen teki tehdä, do, make, act, constitute
tekijä tekijä- tekijän tekijää, maker, author, factor

terve tervee- terveen tervettä, healthy, sound, fresh
tietä- tiedän tiesi tietää, know
tiehyt tiehyte- or *tiehye- tiehyen tiehyttä*, passage
tiistai tiistai- tiistain tiistaita, Tuesday
tila tila- tilan tilaa, room, space, site, property, estate
tosi tote- toden totta, truth, true
toteutta- toteutan toteutti toteuttaa, realise, pursue, make come
     true
toveri toveri- toverin toveria, fellow, comrade, companion
tuleva tuleva- tulevan tulevaa, coming, future
tulo tulo- tulon tuloa, arrival, coming, income
tunte- tunnen tunsi tuntea, feel (object in partitive), know
     (object in accusative)
tunti tunti- tunnin tuntia, hour, lesson
tuntikausi -kaute- -kauden -kautta, space of an hour
tupa tupa- tuvan tupaa, cottage, family-room
tusina tusina- tusinan tusinaa, dozen
tuva- (see *tupa*)
typerä typerä- typerän typerää, silly, foolish
tädi- (see *täti*)
täi täi- täin täitä, louse
tämä tämä- tämän tätä, this
tänne, hither, to this place, here
täti täti- tädin tätiä, aunt
täällä, here
ui- uin ui uida, swim
ulappa ulappa- ulapan ulappaa, open sea
usea, many, several
usein, often, frequently
vaikea vaikea- vaikean vaikeaa or *vaikeata*, difficult
vain, only, but, merely
vaiti, silent; *vaitiolo*, silence
valli valli- vallin vallia, wall, embankment, bank
valmis valmii- valmiin valmista, ready, done, prepared
valmista- valmistan valmisti valmistaa, prepare, make ready
valtio valtio- valtion valtiota, state, realm
vankka vankka- vankan vankkaa, substantial, firm, robust
vapaus vapaute- vapauden vapautta, freedom
varjo varjo- varjon varjoa, shade, shadow
varma varma- varman varmaa, certain, sure
varvas varpaa- varpaan varvasta, toe

vetä-, vedän veti vetää, pull, draw
veitsi veitse- veitsen veistä, knife
veli velje- veljen veljeä, brother
vene venee- veneen venettä, boat
vesi vete- veden vettä, water
vieras vieraa- vieraan vierasta, strange, foreign; stranger,
    guest, visitor
viides (see Lesson 13), fifth
viipy- viivyn viipyi viipyä, stay, linger
viisi (see Lesson 13), five
viivyn (see viipy-)
viljele- viljelen viljeli viljellä, cultivate, till
villa villa- villan villaa, wool
virsi virte- virren virttä, psalm
voi voi- voin voita, butter
vuori vuore- vuoren vuorta, mountain
vähä(n) vähä- vähän vähää, a little (vähän is accusative)
väki väke- väen väkeä, people
väri väri- värin väriä, colour
värjätä- värjään värjäsi värjätä, colour, stain, dye
yksitoista (see Lesson 13), eleven
yliopisto (see opisto), university
ylpeys ylpeyte- ylpeyden ylpeyttä, pride
ylpeä ylpeä- ylpeän ylpeätä or ylpeää, proud
ympäröi- ympäröin ympäröi ympäröidä, surround

EXERCISE

1. Mitä hän näkee? 2. Kaikki on sään syytä. 3. Hän
opiskelee taidetta. 4. Se herättää huomiota. 5. Joukko
lehtiä. 6. Mitä työtä hän tekee? 7. Nämä miehet
ovat hyvin kaukaa. 8. Valkoisia ja keltaisia ruusuja.
9. He kuuntelevat radiota. 10. Hän käy koulua. 11.
Hän auttaa äitiä. 12. Kissa syö paljon hiiriä. 13. Kissa
tulee aina hyvin hiljaa. 14. Nämä köyhät pojat ovat
hyviä oppilaita. 15. Lehmä, hevonen ja lammas ovat
kaikki hyödyllisiä eläimiä. 16. Paljonko kello on? 17.
Näettekö jokea ja punaista tupaa? 18. Hän kulkee pientä
polkua, joka käy metsän halki. 19. He rakentavat
kirkkoa. 20. Taloa ympäröi kuusiaita. 21. Hän rakastaa
kauniita hevosia.

READING

Keskustelu

Kello on yksitoista. Mikko kävelee hitaasti katua pitkin. Tornikello lyö yhdeksän. Nuori mies katsoo kelloa, hymyilee ja kääntyy. Hän avaa suuren oven, nousee portaita ylös ja pysähtyy. Tämä ovi se varmasti on. Hän soittaa heti kelloa ja ovi avautuu. Mikon ystävä Jussi ilmestyy. Hän puristaa Mikon kättä:
»Tervetuloa, Mikko! Mitä kuuluu? Mitä juot? Maitokahvia, niinkuin aina ennenkin? Siis kaksi maitokahvia. Sepä hauskaa!»
Jussi laittaa nopeasti kuntoon kahvitarjottimen. Sitten hän jatkaa:
»Syötkö leivoksia? Leivokset ovat täällä erikoisen hyviä. Vähän voita?»
Mikko syö, sitten kysyy: »Mitä nuo miehet tuolla rakentavat?»
»He rakentavat uutta kirkoa . . . Omenat ovat pieniä mutta makeita.»
»Se on totta, tämä on makea kuin hunaja.»
»Sinä harrastat rakennustaidetta, eikö totta? Kuinka edistyvät opinnot?»
»Kiitos, oikein hyvin; minä herään aina ilman herätyskelloa ja nousen hyvin varhain ylös . . . ja kuinka tyyntä ja hiljaista kaikki onkaan! On metsää ja sinisiä vesiä ja pehmeitä värejä ja ennen kaikkea rauhaa, ja se auttaa minua. Syön aamiaista ja järjestän hiukan huonetta . . . siellä on näet aina koko joukko kirjoja. Monet ovat lahjoja. Luen saksalaisia ja englantilaisia kirjoja ja vain harvoin sanomalehtiä.»
»Ja onko talo itse kaunis?»
»On. Eno viljelee näet siellä pientä tilaa. Se on vain pieni talous: pari miestä, pari hevosta ja joitakin lehmiä, ja harvoin vieraita, eno kun on hiljainen mies. Siellä kasvaa omenapuita ja marjapensaita, ja taloa ympäröi kuusiaita. Puiden takaa näkyy useita valkoisia rakennuksia ja järvi. Soutelen ja uin usein ja syön vankkoja aterioita . . . minun on aina kova nälkä.»
»Minä odotan vielä muita vieraita. Tänne tulee näet kaksi saksalaista: herra ja rouva Berger, hyvin hauskaa

väkeä. Rouva harrastaa lapsia ja kotia ja kahvikutsuja
. . . sehän on tavallista ja luonnollista; mies tekee vain
työtä ja on melkein aina vaiti. Mutta hän tietää kyllä
mitä hän tekee . . . minkä hän päättää, sen hän toteuttaa.»
»Ja mitä kieltä puhutte?»
»Saksaa. Poika käy yliopistoa tai korkeakoulua. Tun-
netko ehkä perheen lapsia?»
»Mikä herran nimi taas onkaan? Berger, vai
miten? . . .»
»Aivan niin, Heinrich Berger.»
»Aivan oikein, pojan minä tunnen hyvin. Mehän
olemme opiskelutovereita. Luemme englanninkieltä.»

Tavallista - usual, customary
melkein - almost, nearly
vaiti - silent
toteuttaa - to pursue, realise, come true
päättää - decide, resolve, conclude
kasvaa - grow
usein - often, frequently
vankka - substantial, firm, robust
harvoin - rarely
hiukan - slightly, a little

LESSON FOUR

GRAMMATICAL NOTES

(a) The INESSIVE CASE has the suffix *-ssa -ssä* added to the stem: in the personal pronouns, for example, we have *minussa, sinussa, hänessä, meissä, teissä* and *heissä*; but note that *se* becomes *siinä* and *ne* becomes *niissä, tämä tässä*, and *nuo noissa*; it expresses:

(i) 'Within': *Hän on tuvassa*—He is in the cottage, *Suomessa*—in Finland.

(ii) The time within which something takes place: *päivässä*, within a day; *vuorokaudessa*, within 24 hours.

(iii) Place-names ending in *-la* take the inessive to express 'in': *Mikkolassa*, at Mikko's place; but with archaic names ending in *-maa*, land, the inessive is used when referring to things which are by nature always there, but otherwise the adessive case is used (see Lesson 7): *Saksanmaassa on kauniita kaupunkeja*—There are beautiful towns in Germany. But: *Hän matkustaa Saksanmaalla*—He is travelling in Germany.

In the case of the archaic *Suomenmaa*, Finland, the inessive is always used.

(iv) An occupation in which a person is engaged: *Hän on työssä*—He is at work, working. *He ovat kalassa*—They are fishing (*kala*, fish, fishing).

(v) 'Covered in (with)', 'wet with', 'full of': *Silmät kyynelissä*—(With her) eyes in (that is, full of) tears. *Järvi on jäässä*—The lake is (covered) in ice.

(vi) A close contact: *Takki on naulassa*—The jacket is on the peg. *Kengät jalassa*—(With his) shoes on (his) feet (literally foot). *Rasiassa on musta kansi*—The box has a black lid.

(vii) 'In' with abstract concepts: *Te olette oikeassa ja minä olen väärässä*—You are right and I am wrong (as we say 'in the right, in the wrong'). *Hän elää köyhyydessä*—He lives in poverty.

(*b*) The PERSONAL or POSSESSIVE SUFFIXES of Finnish, added to the word representing the possession, take the place of the English possessive pronouns ' my ', ' his ', etc. They are:

-ni, my;	*-si*, thy;	*-nsa -nsä*, his, her;
-mme, our;	*-nne*, your;	*-nsa -nsä*, their.

For the 3rd person, both singular and plural, another form is used as an alternative where the case-ending has a final vowel: this vowel is doubled and *-n* is added.

These suffixes are added after the case-ending, but in the nominative singular, where there is none, the stem is used. Where the case-ending has a *final* consonant, this is elided. Thus the forms *kirja, kirjan* and *kirjat* all have the same form with the personal suffix: *kirjani, kirjasi*, etc.

Where the final consonant has, without the personal suffix, the effect of softening the consonant which begins the syllable, the softened consonant is restored to its original state when the personal ending is added. For example, when the suffix *-nsä* is added to *käden*, of the hand, the *-n* of the latter is elided and the *-t-* is restored in place of the *-d-*, so that *kätensä*, of his hand, is left. The following systematic exposition of a few examples will help to make all this clear. The nouns are given with the personal endings in the nominative, genitive, partitive and inessive, first in the singular and then in the plural:

talo, house

nom. sing.	gen. sing.	part. sing.	iness. sing.	
taloni	*taloni*	*taloani*	*talossani*	my house, etc.
talosi	*talosi*	*taloasi*	*talossasi*	thy house, etc.
talonsa	*talonsa*	{ *taloansa* { *taloaan*	{ *talossansa* { *talossaan*	his, her house, etc.
talomme	*talomme*	*taloamme*	*talossamme*	our house, etc.
talonne	*talonne*	*taloanne*	*talossanne*	your house, etc.
talonsa	*talonsa*	{ *taloansa* { *taloaan*	{ *talossansa* { *talossaan*	their house, etc.

talot, houses

nom. plur.	gen. plur.	part. plur.	iness. plur.	
taloni	*talojeni*	*talojani*	*taloissani*	my houses, etc.
talosi	*talojesi*	*talojasi*	*taloissasi*	thy houses, etc.

nom. plur.	gen. plur.	part. plur.	iness. plur.	
talonsa	talojensa	$\begin{cases} talojansa \\ talojaan \end{cases}$	$\begin{cases} taloissansa \\ taloissaan \end{cases}$	his, her houses, etc.
talomme	talojemme	talojamme	taloissamme	our houses, etc.
talonne	talojenne	talojanne	taloissanne	your houses, etc.
talonsa	talojensa	$\begin{cases} talojansa \\ talojaan \end{cases}$	$\begin{cases} taloissansa \\ taloissaan \end{cases}$	their houses, etc.

käsi, hand

nom. sing.	gen. sing.	part. sing.	iness. sing.	
käteni	käteni	kättäni	kädessäni	my hand, etc.
kätesi	kätesi	kättäsi	kädessäsi	thy hand, etc.
kätensä	kätensä	$\begin{cases} kättänsä \\ kättään \end{cases}$	$\begin{cases} kädessänsä \\ kädessään \end{cases}$	his, her hand, etc.
kätemme	kätemme	kättämme	kädessämme	our hand, etc.
kätenne	kätenne	kättänne	kädessänne	your hand, etc.
kätensa	kätensä	$\begin{cases} kättänsä \\ kättään \end{cases}$	$\begin{cases} kädessänsä \\ kädessään \end{cases}$	their hand, etc.

kädet, hands

nom. plur.	gen. plur.	part. plur.	iness. plur.	
käteni	$\begin{cases} käsieni \\ kätteni \end{cases}$	käsiäni	käsissäni	my hands, etc.
kätesi	$\begin{cases} käsiesi \\ kättesi \end{cases}$	käsiäsi	käsissäsi	thy hands, etc.
kätensä	$\begin{cases} käsiensä \\ kättensä \end{cases}$	$\begin{cases} käsiänsä \\ käsiään \end{cases}$	$\begin{cases} käsissänsä \\ käsissään \end{cases}$	his, her hands, etc.
kätemme	$\begin{cases} käsiemme \\ kättemme \end{cases}$	käsiämme	käsissämme	our hands, etc.
kätenne	$\begin{cases} käsienne \\ kättenne \end{cases}$	käsiänne	käsissänne	your hands, etc.
kätensä	$\begin{cases} käsiensä \\ kättensä \end{cases}$	$\begin{cases} käsiänsä \\ käsiään \end{cases}$	$\begin{cases} käsissänsä \\ käsissään \end{cases}$	their hands, etc.

lapsi, child

nom. sing.	gen. sing.	part. sing.	iness. sing.	
lapseni	lapseni	lastani	lapsessani	my child, etc.
lapsesi	lapsesi	lastasi	lapsessasi	thy child, etc.
lapsensa	lapsensa	$\begin{cases} lastansa \\ lastaan \end{cases}$	$\begin{cases} lapsessansa \\ lapsessaan \end{cases}$	his, her child, etc.
lapsemme	lapsemme	lastamme	lapsessamme	our child, etc.
lapsenne	lapsenne	lastanne	lapsessanne	your child, etc.
lapsensa	lapsensa	$\begin{cases} lastansa \\ lastaan \end{cases}$	$\begin{cases} lapsessansa \\ lapsessaan \end{cases}$	their child, etc.

lapset, children

nom. plur.	gen. plur.	part. plur.	iness. plur.	
lapseni	{ *lapsieni* / *lasteni*	lapsiani	lapsissani	my children, etc.
lapsesi	{ *lapsiesi* / *lastesi*	lapsiasi	lapsissasi	thy children, etc.
lapsensa	{ *lapsiensa* / *lastensa*	{ *lapsiansa* / *lapsiaan*	{ *lapsissansa* / *lapsissaan*	his, her children, etc.
lapsemme	{ *lapsiemme* / *lastemme*	lapsiamme	lapsissamme	our children, etc.
lapsenne	{ *lapsienne* / *lastenne*	lapsianne	lapsissanne	your children, etc.
lapsensa	{ *lapsiensa* / *lastensa*	{ *lapsiansa* / *lapsiaan*	{ *lapsissansa* / *lapsissaan*	their children, etc.

(*c*) EMPHASIS laid on the possessor, where this is represented by a personal pronoun, is expressed by putting the genitive of the pronoun before the word which has the personal suffix and thus represents the possession: *lelu*, toy, *heidän lelunsa*, *their* toy, *their* toys, of *their* toy.

This emphasised form is especially necessary with a verb in the 3rd person where the possessor is also in the 3rd person. It is used where the possessor is not the subject of the phrase: *Hän istuu tuolissaan*—He is sitting in his chair (his own). But *Tyttö istuu hänen tuolissaan*—The girl is sitting in his chair (or ' her, someone else's, chair '). But where *meidän*, *teidän* or *heidän* refers not to a possession, but rather to a place of abode or a family relationship, the personal suffix is omitted: *Meidän kylän pojat*—The boys of our village.

(*d*) OTHER USES of the personal suffixes, relating things to persons, but not as possessions, will be met with later.

(*e*) GENITIVE PLURAL classified (see Note 2*c*) for reference:

(i) Stems identical with the nominative singular, ending in -*ie*-, -*uo*-, -*yö*- or a long vowel: *maa*-, land, *maiden* or *maitten*; *suo*-, swamp, *soiden* or *soitten*; *tie*-, road, *teiden* or *teitten* (the two forms are equally valid).

(ii) Stems ending in a diphthong of which -*i*- is the second element: *koi*-, moth, *koiden* or *koitten*.

(iii) Stems in two vowels, neither being -*i*-: *korkea*-, high, *korkeiden* or *korkeitten*; *ylpeä*, proud, *ylpeiden*, *ylpeitten*.

(iv) Stems in two vowels, the first being -*i*-: *valtio*, state, *valtioiden* or *valtioitten*. But if the second vowel is -*a*- and the first syllable contains -*a*-: *asia*-, thing, matter, *asioiden* or *asioitten* (but in compounds *asiain*-).

(v) Stems ending in a long vowel with the nominative singular in a short vowel and -*s*, -*t* or aspiration: *puhtaa*-, pure (nominative *puhdas*) *puhtaiden*, *puhtaitten* or *puhdasten*; *kevää*-, Spring, (nom. *kevät*) *keväiden*, *keväitten* or *kevätten* (see 16*a* i); *vaattee*-, garment, (nom. *vaate'*) *vaatteiden* or *vaatteitten* only.

(vi) Stems ending in a single -*o*-, -*ö*-, -*u*- or -*y*-: *katu*-, street, *katujen*; the -*jen* is sometimes reduced to -*in*, and stems of more than two syllables have alternatively -*iden* or -*itten*: *näyttämö*-, scene, *näyttämöjen*, *näyttämöiden* or *näyttämöitten*.

(vii) Stems of two syllables in -*a*-. with *o* or *u* in the first syllable, and those ending in -*ä*-: *tupa*-, cottage, *tupien*; *pöytä*-, table, *pöytien*. Alternatively, some stems in -*a*- simply add -*in*: *tupain*, *poikain*.

(viii) Stems of two syllables in -*a*-, with *a*, *e* or *i* as the first vowel: *pata*, pot, *patojen* or *patain*.

(ix) Stems of more than two syllables in -*a*- -*ä*- with *i* in the penultimate syllable or with two consonants before the -*a*- -*ä*- (except as in x below and superlatives, see Note 5*g* iv): *kahvila*, coffee-house, *kahviloiden* or *kahviloitten*; *kynttilä*, candle, *kynttilöiden* or *kynttilöitten*; *kirsikko*, cherry, *kirsikoiden*, *kirsikoitten* or *kirsikkojen*.

(x) Polysyllabic stems in -*a*- -*ä*- preceded by *m*, *v* or *is*, and the two words *isäntä*, host, and *emäntä*, hostess: *sanoma*-, report, *sanomien*; *ystävä*, friend, *ystävien*; *isäntien*.

(xi) Other polysyllabic stems in -*a*- -*ä*-: *omena*, apple, *omenien*, *omenojen*, *omenoiden* or *omenoitten*; *typerä*-, stupid, *typerien*, *typeröjen*, *typeröiden* or *typeröitten*.

(xii) Stems in -*i*-: *äiti*-, mother, *äitien* or *äitein*, and if of more than two syllables: *kaupunki*, town, *kaupunkien*, *kaupunkein* or *kaupungeiden* (for -*ng*- see Note 17*d*).

(xiii) Stems in -*he*-, -*le*-, -*ne*-, -*re*-, -*se*- or -*te*- preceded by a vowel: *kiele*-, tongue, *kielten* or *kielien*; *piene*-, small, *pienten* or *pienien*; *käte*-, hand, *kätten* or *käsien* (see 3*c* xiv).

But note *miehe-*, man, *miesten* or *miehien*; stems in *-hte-*, e.g. *lahte-*, bay, *lahtien*; *lehte-*, leaf, *lehtien*; but *yhte-*, one, *yksien*, and *kahte-*, two, *kaksien*; and stems derived from adjectives and ending in *-(u)ute- -(y)yte-*, e.g. *vapaute-*, freedom, *vapauksien*.

(xiv) Stems in *-me-*: *avaime-*, key, *avainten* or *avaimien*; *sydäme-*, heart, *sydänten* or *sydämien*.

(xv) Stems in *-je-*, *-ke-*, or *-pe-*: *joke-*, river, *jokien*; *velje-*, brother, *veljien*.

(xvi) Stems in *-kse-*, *-pse-* or *-tse-*: *lapse-*, child, *lasten* or *lapsien*; *veitse-*, knife, *veisten* or *veitsien*.

(xvii) The stems in *-u(t)e- -y(t)e-* form the genitive singular and plural thus: *lyhye-*, short, *lyhyen*, *lyhyitten* or *lyhytten*; *ohue-*, thin, *ohuen*, *ohuitten* or *ohutten*.

(xviii) Stems in *-lte-*, *-nte-* or *-rte-*: *kante-*, cover, *kansien*; *virte-*, hymn, psalm, *virsien*.

VOCABULARY

aika aika- ajan aikaa, time, while

ajatus ajatukse- ajatuksen ajatusta, thought

arkinen arkise- arkisen arkista, workaday, daily

asema asema- aseman asemaa, position, condition, station

asia asia- asian asiaa, matter, thing; *itse asiassa*, in fact, as a matter of fact, in reality

askare askaree- askareen askaretta, or *askar askare- askaren askarta*, task

asu- asun asui asua, live, dwell

aterioi- aterioin aterioi aterioida, eat, have a meal

edestä, from before

elämä elämä- elämän elämää, life

epä- (prefix expressing the negative or opposite of what it is attached to, thus corresponding to un-, mis-, dis-, etc.)

epäjärjestys -tykse- -tyksen -tystä, disorder.

ete- (a stem which is found in various cases, including the elative *edestä* above), before

hammas hampaa- hampaan hammasta, tooth; *hammas hampaasta*, a tooth for a tooth

harja harja- harjan harjaa, crest, mane, brush (but comb of a cockerel)

harju harju- harjun harjua, ridge
hiekka hiekka- hiekan hiekkaa, sand
hiljaisuus -suute- -suuden -suutta, quietness, stillness
joka, each, every
jossakin, somewhere
jumala jumala- jumalan jumalaa, god
juna juna- junan junaa, train
järjestys (see *epäjärjestys*), order, arrangement
järki järke- järjen järkeä, reason, understanding
jää jää- jään jäätä, ice
kahdeksan (see Lesson 13), eight
kahdeksankymmentä (see Lesson 13), eighty
kamari kamari- kamarin kamaria, chamber, room
kanssa : *-n kanssa*, with
katsele- katselen katseli katsella, look at, contemplate
kerros kerrokse- kerroksen kerrosta, layer, stratum, floor, storey;
    toisessa kerroksessa, on the *first* floor
ketju ketju- ketjun ketjua, chain
kimaltele- kimaltelen kimalteli kimallella, sparkle, glisten
kuitenkin, yet, still, nevertheless
kuohu- kuohun huohui huohua, swell, roar, seethe
kuuma kuuma- kuuman kuumaa, hot
kymmenen (see Lesson 13), ten
köyhyys köyhyyte- köyhyyden köyhyyttä, poverty
laaja laaja- laajan laajaa, wide, extensive
lastenkamari (see *kamari*), nursery
leikki- leikin leikki leikkiä, play, frolic
lukko- lukko- lukon lukkoa; *lukossa*, locked
mela mela- melan melaa, paddle
messinki messinki- messingin messinkiä, brass
mukaan (postposition taking the genitive), (along) with,
    according to, in conformity with
muoto muoto- muodon muotoa, form, appearance
muotokuva (see *kuva*), portrait
naula naula- naulan naulaa, nail, spike, peg, pin
nielaise- nielaisen nielaisi nielaista, swallow
nurmi nurme- nurmen nurmea, pasture, lawn
nurmikko nurmikko- nurmikon nurmikkoa, grass, lawn
oikea oikea- oikean oikeaa or *oikeata*, right, real, proper
oma oma- oman omaa, own
onni onne- onnen onnea, happiness, fortune, luck

onnistu- onnistun onnistui onnistua, succeed
orpo orpo- orvon orpoa, orphan
paikka paikka- paikan paikkaa, place, spot
paista- paistan paistoi paistaa, shine; roast, grill, etc.
pallo pallo- pallon palloa, ball
pitä- pidän piti pitää, hold, keep, regard, consider; *pidän
. . . sta* (see Note 5*a* vi), I like . . .; *pitäjä*, parish
pihka pihka- pihan pihkaa, resin, gum
pohja pohja- pohjan pohjaa, bottom, ground, base; north
pohjoinen pohjoise- pohjoisen pohjoista, northern, north
puro puro- puron puroa, brook
pääskynen pääskyse- pääskysen pääskystä, swallow
ratsasta- ratsastan ratsasti ratsastaa, ride
rauhallinen (see *-llinen*), peaceful
rengas renkaa- renkaan rengasta, ring, link
rikko- rikon rikkoi rikkoa, break, shatter
risteile- risteilen risteili risteillä, cruise, go crosswise
saatavissa, obtainable
sama sama- saman samaa, same
sandaali sandaali- sandaalin sandaalia, sandal
sangen, very, rather
sanka sanka- sangan sankaa, handle
seinä seinä- seinän seinää, wall
selkä selkä- selän selkää, back
seura seura- seuran seuraa, company, party, club, society
seurata- seuraan seurasi seurata, accompany, follow, succeed
siellä, there
sileä sileä- sileän sileää or *sileätä*, smooth, flat, even
sisar sisare- sisaren sisarta, sister
sisarukset sisaruksi- sisaruksien sisaruksia (used only in plural),
brother(s) and sister(s), sisters
sisko sisko- siskon siskoa, sister
solina solina- solinan solinaa, murmuring, babbling
solise- solisen solisi solista, murmur, babble
suhina suhina- suhinan suhinaa, rustle, rustling, hissing
suhise- suhisen suhisi suhista, hiss, rustle
sukka sukka- sukan sukkaa, stocking, sock
sula- sulan suli sulaa, melt
sulke- suljen sulki sulkea, close (something)
takki takki- takin takkia, coat, jacket
tapahtu- tapahdun tapahtui tapahtua, happen

tapahtuma tapahtuma- tapahtuman tapahtumaa, happening,
    event
tasa tasa- tasan tasaa, level, even
tasainen -aise- -aisen -aista, even, smooth, steady
toimi toime- toimen tointa, task, employment, function
toinen (see Note 8*i* and Lesson 13) second, the one . . .
    the other; *toisiamme, toisianne*, etc., each other
toivo toivo- toivon toivoa, hope
tosiaan, indeed, really
tytär tyttäre- tyttären tytärtä, daughter
tässä, here, in this
vaikka, though; *vaikka missä*, wheresoever
valitettava, unfortunate; *valitettavasti*, unfortunately
Venäja Venäjä- Venäjän Venäjää, Russia
vie- vien vei viedä, carry, take
vieri viere- vieren viertä, border, edge; *-n vieressä*, beside
viettä- vietän vietti viettää, celebrate, pass
viikko viikko- viikon viikkoa, week
virka virka- viran virkaa, office, service
virta virta- virran virtaa, current, stream
voimakas voimakkaa- voimakkaan voimakasta, powerful
vuode vuotee- vuoteen vuodetta, bed
vuorokausi -kaute- -kauden -kautta, (space of) twenty-four hours,
    a day and a night
vuotias vuotiaa- vuotiaan vuotiasta, . . . years old
vuotinen -ise- -isen -ista (adjective formed from *vuosi*, year)
välähtä- välähdän välähti välähtää, flash, show for a moment
väärä väärä- väärän väärää, wrong, bent, crooked, unjust,
    etc.
yhtä, equally, just as
älykäs älykkää- älykkään älykästä, intelligent
ääri ääre- äären äärtä, edge, limit, margin, etc.; . . . *n
ääressä*, beside . . .

EXERCISE

1. Ilmassa on pihkan tuoksua. 2. Se on hänen asiansa.
3. Hän sulkee silmänsä. 4. Asun tässä. 5. Hän pitää
vaatteet kunnossa. 6. Poika on vuoteessaan. 7. Tyttö
on koulussa. 8. Hän katselee kenkiään. 9. Hampaanne
ovat yhtä valkoiset kuin hänen. 10. Hän kulkee sukat

jalassa ja sandaaleissa. 11. He ovat väärässä, aivan väärässä. 12. Otatteko tyttärenne mukaan? 13. Ovi on lukossa. 14. Tämä on ammattini. 15. Miehen on mela kädessä, Jumala venettä viepi (proverb). 16. Poika ratsastaa hevosen selässä. 17. Pallo on maassa. 18. Hän asuu kaupungissa.

READING

Talossa

Mikko asuu Helsingissä isän, äidin ja sisaruksien kanssa suuressa kivitalossa. Mikon huone on toisessa kerroksessa. Äidin veli, Mikon eno, asuu pitäjässä, jonka nimi on Hiekkaharju. Joka vuosi Mikko viettää muutaman viikon siellä. Hän istuu juuri nyt pöydän ääressä, ja hänen vieressään istuu kaksi miestä: eno ja herra Kivi. Iso ikkuna on auki ja he aterioivat ikkunan vieressä. Aurinko paistaa, järvi kimaltelee ja pääskyset risteilevät ilmassa. Syvän hiljaisuuden rikkoo vain puiden suhina ja puron solina. Virta on rauhallinen nyt, mutta eno sanoo, että joka vuosi, kun lumi sulaa pohjoisessa, virta on leveä, kohisee ja kuohuu.

Talo on hänen. Rakennuksen edessä on nurmikko, sitten kuumaa keltaista hiekkaa, sitten pieni järvi ja sen takana on pelto pellon, niitty niityn vieressä. Siellä eno kulkee aina arkisissa askareissa. Hän on vielä voimakas ja hänen äänensä on vielä kirkas, vaikka hän on jo kahdeksankymmentävuotias. Täti pitää talon kunnossa.

Eno sulkee silmänsä ja nielaisee tortunpalasen, avaa silmänsä ja juo lasillisen teetä ja kysyy sitten: »Tunnetko sen talon lapsia? (N.B. partitive here expresses doubt.) Käyvätkö he samaa koulua?»

»Korkeakoulua, eno. Tunnen vain pojan.»

»Mikä hänen nimensä on?»

»Hans, eno.»

»Ja puhutko englantia hänen kanssaan?»

»Usein.»

»Niin että toivoa on.» Eno hymyilee ja hänen silmänsä välähtävät messinkisankaisten silmälasien takana ('behind'). Herra Kivi nauraa:

»Itse asiassa olette oikeassa. Hänessä on paljon hyvää, mutta pelkään, että eräs tyttö on aina hänen ajatuksissaan.»

Mikko hymyilee: »Huoneessani on tosiaankin tytön muotokuva, ikkunan ääressä. Hän on Lontoossa, eräässä suomalaisessa perheessä . . . lastenkamarissa, aina lasten kanssa . . . mutta hän on älykäs ja hänen oikea paikkansa on yliopistossa. Valitettavasti hän on orpo. Hän on niitä, jotka kulkevat omia teitään.»

»Työtä on aina saatavissa, mutta hänen asemassaan . . .»

»Ja kuitenkin hän onnistuu aina elämässään ja toimissaan. Tapahtumat seuraavat toisiaan hänen elämässään kuin sileät renkaat tasaisessa ketjussa.»

LESSON FIVE

GRAMMATICAL NOTES

(a) The ELATIVE CASE has the suffix -sta -stä added to the stem. Thus the personal pronouns become *minusta, sinusta, hänestä, meistä, teistä, heistä*; and *se, ne, tämä, nämä, tuo, nuo* become *siitä, niistä, tästä, näistä, tuosta, noista* respectively. The elative translates:

(i) 'Out of' a place: *Tulen kylästä*—I come from a village.

(ii) 'From' a close proximity, 'off' (cf. Note 4a vi): *päästä*, off the head; *naulasta*, off the peg.

(iii) 'For' in buying, selling, exchanging, etc.: *Silmä silmästä ja hammas hampaasta*—An eye for an eye and a tooth for a tooth. *Kiitän kirjasta*—Thank you for the book. *Myyn tämän kirjan punnasta*—I will sell this book for a pound.

(iv) Finding, seeking, etc., 'in' a place: *Kirjan löydätte laatikosta*—You'll find the book in the drawer.

(v) An impression given 'to' or made 'on' a person: *Minusta tuntuu, että* . . . It seems to me that . . .

(vi) The object of the verb *pitä-* meaning 'to like': *Pidättekö hänestä?*—Do you like her?

(vii) 'Of', 'from among' a number: *Vanhempi veljistä on pitempi*—The elder of the brothers is the taller. *Laatokka on suurin Euroopan järvistä*—Lake Ladoga is the largest of the European lakes (of the lakes of Europe).

(viii) Similarly, a part separated 'from' a thing: *Poika leikkasi kappaleen leivästä*—The boy cut a piece of the bread.

(ix) Rich 'in', empty 'of', 'in respect of' (concrete, tangible things): *Kaivo on tyhjä vedestä*—The well is empty of water. *Järvi on köyhä kalasta*—The lake is poor in fish.

(x) Time 'from' or 'at' which an action begins: *siitä hetkestä*, from that moment; and note *ilta yöstä*, late at night, *aamu yöstä*, in the small hours; similarly 'from', 'through' openings: *Poika menee ovesta ulos*—The boy goes out through the door.

(xi) Made ' out of ': *Hän tekee sormuksen kullasta*—He will make the ring from gold. And with *tule-*, ' become of ': *Hänestä tulee lääkäri*—He is going to be a doctor. *Mitähän tulee minusta?*—Whatever will become of me?

(xii) ' From ' indicating a cause or origin: *Mistä syystä kirje ei tule?*—Why does the letter not come? *Hän kuolee ikävyydestä*—She is dying of boredom. *Olen ylpeä teistä*—I am proud of you. *Tunnen hänet puvusta*—I shall recognise her by (her) dress. And warning ' of ': *Varoitan teitä tästä hevosesta*—I warn you of this horse.

(*b*) The NEGATIVE of verbs is formed of what we shall call the ' verb of negation ', corresponding to ' I . . . not, you . . . not ' and so on, and consisting of one word only, and the operative verb in a form which shows the tense. The verb of negation is *en*, I-not, *et*, thou-not, *ei*, he, she, it-not, *emme*, we-not, *ette*, you-not, *eivät*, they-not. It can be used alone for ' not '. Personal pronouns can be used as with any other verb. The operative form as used in the negative construction in the present tense is the stem we have met with already, but in this case closed by an aspiration which softens consonants regularly. Thus *ole-*, be, has the present negative (*minä*) *en ole*, I am not, (*sinä*) *et ole*, thou art not, *hän ei ole*, he, she is not, *ei ole*, there is (are) not, (*me*) *emme ole*, we are not, (*te*) *ette ole*, you are not, *he eivät ole*, they are not. Similarly, *anta-*, give, (*anna'* because of the aspiration) has: (*minä*) *en anna*, I do not (shall not) give; (*sinä*) *et anna*, thou dost not, wilt not give; *hän ei anna*, he, she does not give, etc.; (*me*) *emme anna*, we do not give; (*te*) *ette anna*, you do not give; *he eivät anna*, they do not give. Stems are modified as in the 1st person singular of the present affirmative; thus the amalgamating stems have, for instance (*avata-*, open; *avaan*, I open): *He eivät avaa*—They do not open, are not opening, will not open. The aspiration is not normally indicated, but school books use the apostrophe for it.

If *ja*, and, is to be followed by a negative it is usually replaced by *-kä* suffixed to the verb of negation: *Emme anna emmekä ota mitään*—We will not give and not take anything (for *mitään* see Note *e* below).

'Unless', 'if not' is expressed by *joll-* or *ell-* and the verb of negation: *Jollen mene* or *ellen mene*, Unless I go, if I do not go, *jollemme tule* or *ellemme tule*, unless we come, etc., but *jos en . . ., jos emme . . .*, etc., are also used. Other words ending in a vowel can also drop it before the verb of negation: *Hän sanoo, ettette mene* (for *että ette mene*)— She says you are not going. *Miksei* (for *miksi ei?*)—Why not?

(c) NEGATIVE QUESTIONS are contained with the addition of the interrogative particle *-ko -kö* to the verb of negation, and the stem as before (see also Note 8g): *ette anna*, you do not (will not) give; *ettekö anna?* will you not give? do you not give?

(d) NEGATIVE REPLIES can use the full form of the negative or simply the verb of negation: *en anna*, I do not give, will not give; *en*, no *or* I will not *or* I do not; *emme*, we do not.

There is no Finnish word exactly corresponding to the English 'No'; as we have seen, the least we can say in Finnish is expressed by the verb of negation, which includes the personal endings corresponding to 'I', 'you', 'he', etc.

(e) NO ONE, NOWHERE and so on, that is, negative replies to questions beginning with interrogative pronouns or adverbs, are constructed with the verb of negation and the appropriate case of the pronoun or adverb with a suffix *-kaan -kään* or *-aan -ään* (see Note 8g x): *Kuka on tuolla?*—Who is there? *Ei kukaan*—Nobody. *Ette milloinkaan . . .*—You never . . . *Missä on?*—Where is it? *Ei missään*—Nowhere. *Mitä näette?*—What do you see? *Emme mitään*—Nothing.

(f) DEPENDENT CLAUSES have the interrogative in the same form and order as in main clauses: *Tiedättekö, onko hän ranskalainen?*—Do you know whether he is French? *En tiedä, onko hän suomalainen*—I do not know whether he is a Finn.

(g) COMPARISON of adjectives.

(i) The comparative degree is formed by adding to the positive stem the suffix *-mpa- -mpä-*, after which the necessary number and case endings are added; certain changes are caused in some stems, as will be seen presently. Examples of the formation of the comparative without such changes are:

huono-, bad;	*huonompa-*, worse
paksu, fat;	*paksumpa-*, fatter
rakkaa-, dear, beloved;	*rakkaampa-*, dearer

The *-m-*, of course, calls for a softening of the consonants which begin a short syllable, where these are susceptible of softening, e.g. *heikko*, weak; *heikompa-*, weaker.

(ii) The comparative stem is declined as follows:

	singular	plural
nominative	*huonompi*	*huonommat*
genitive	*huonomman*	*huonompien*
partitive	*huonompaa*	*huonompia*
inessive	*huonommassa*	*huonommissa*
elative	*huonommasta*	*huonommista*

and so on, regularly.

The change from *-mp-* to *-mm-* before a closed syllable is, of course, quite regular.

(iii) Two-syllabled stems ending in a consonant and a single *-a- -ä-* change this *-a- -ä-* to *-e-* before the comparative ending, e.g. *vanha*, old, *vanhempa-*, older; *kova*, hard, *kovempa-* harder; *köyhä*, poor, *köyhempä-*, poorer; but *tärkeä*, important, *tärkeämpä-*.

(iv) The stem of the superlative degree is formed from the positive stem by adding the superlative ending *-impa- -impä-*. The number and case endings are added to this stem, and the declension follows that of the comparative, except that in the nominative singular the ending is reduced to *-in* (see Introduction, Note *c* ii); the partitive singular can be either *-impaa -impää* or *-inta -intä*; and the genitive plural can do any one of three things: add *-ten* to the reduced ending *-in-*; elide the *-a- -ä-* of the superlative stem and add *-ien*; or add *-in* to the superlative stem.

The stem *iso*, great, then, is *isoimpa-* in the superlative, and is declined as follows:

singular		plural
nominative	*isoin*	*isoimmat*
genitive	*isoimman*	*isointen, isoimpain, isoimpien*
partitive	{ *isoimpaa* { *isointa*	*isoimpia*
inessive	*isoimmassa*	*isoimmissa*
elative	*isoimmasta*	*isoimmista,*

and so on, regularly.

(v) Stems ending in *-a- -ä-*, and *-e-* drop these before the superlative suffix, while *-aa- -ää-* become *-ai- -äi-*, *-ee-* or *-i-* becomes *-ei-*, and *-ii-* usually becomes *-ei-*, but sometimes remains unchanged in appearance. Thus we have, for example: *vanha*, old, *vanhin vanhimpa-*, oldest, eldest; *köyhä*, poor, *köyhin köyhimpä-*, poorest; *tärkeä*, important, *tärkein tärkeimpä-*, most important; *suure-*, great, *suurin suurimpa-*, greatest; *korkea*, high, *korkein korkeimpä-*, highest; *siisti*, tidy, *siistein siisteimpä-*, tidiest; *rakkaa-*, beloved, *rakkain rakkaimpa-*, dearest; *tervee-*, healthy, *tervein terveimpä-*, healthiest; *kaunii-*, beautiful, *kaunein kauneimpa-* or *kauniin kauniimpa-*, most beautiful.

(vi) There are a few irregular comparisons: *pitkä*, long, comparative stem *pitempä-* or *pidempä-*, longer (disappearance of the *-k-* at the beginning of a closed syllable, and sometimes a softening of the *-t-* which remains, and the final *-ä-* changed as in section v above to *-e-*).

Superlative (*-t-* which remains is changed to *-s-* before the *-i-* as in Notes 3*c* xix and 6*c* x): nominative *pisin*, stem *pisimpä*, smallest.

hyvä, good; *parempi parempa-*, better; *paras* or *parhain*, best (with the stem *parhaa-* in the singular and *parhaimpa-* in the plural).

paljon, much; *enempi enempä-*, more; *enin enimpä-*, most.

moni, many (a): *usea*, many, several, is used, with its comparative *useampi useampa-* and superlative *usein useimpa-*.

lyhyt, short, and *ohut*, thin, have the comparatives *lyhyempi lyhyempä-*, *ohuempi ohuempa-*, and the superlatives *lyhyin lyhyimpä-*, *ohuin ohuimpa-* (see Note 3*c* xviii).

molempa- molemmat, both, has the form of a comparative, but of course there is no corresponding positive or superlative; and *vasen* or *vasempi*, left, is declined like a comparative, *vasempa-*.

(vii) Some adjectives are neither compared nor declined. Such are: *aika*, *aimo*, both meaning 'doughty', 'big', 'regular', 'mighty'; *ensi*, first, next; *eri*, separate; *kelpo*, fit, serviceable; *koko*, all, whole; *pikku*, little. *Kaikki*, all, has this form for both singular and plural in the nominative, but otherwise the stem is *kaikke-*, so that the genitive, for example, is *kaiken* in the singular and *kaikkien* in the plural.

(viii) Nouns, too, sometimes take the suffixes of comparison in Finnish, as for instance *ilta*, evening, *illempana*, later in the evening; *ranta*, shore, *rannemmaksi*, nearer the shore, and they serve thus as adverbs of time or space.

(ix) Comparatives and superlatives, like the positive degree of adjectives, agree in number and case with the nouns they qualify: *pienimmissä kylissä*, in the smallest villages.

(x) Comparatives are related to the standard of comparison either by *kuin*, than, or by putting the standard in the partitive case; but, as in English, the standard may be simply understood because it has previously been mentioned: *lyijy on raskaampaa kuin rauta*, lead is heavier than iron, *lyijy on rautaa raskaampaa*, lead is heavier than iron.

(xi) Superlatives are related to the standard ('all') by the genitive pl. *kaikkein*: *Rauta on raskasta, lyijy on vielä raskaampaa, mutta kulta on kaikkein raskainta*—Iron is heavy, lead is still heavier, but gold is heaviest of all.

(xii) Such sentences as 'It is better to . . .', 'it is best to . . .' are translated by *parempi on . . ., paras on . . .* and so on. The form of the verb used here is introduced in Lesson 10.

(xiii) A strengthening of adjectives is achieved without the use of comparison by putting a noun or adjective before them in the genitive case. The word in the genitive corresponds to an English adverb or adjective: *tumma*, dark, *sininen*, blue, *tummansininen*, dark blue; *kauhea*, frightful, *suuri*, big, *kauhean suuri*, frightfully big; *pieni*, small, *pienen pieni*, tiny, very small.

(xiv) The use of *mitä* followed by a superlative gives the idea of a very high degree of the quality named, without any direct comparison: *mitä kaunein*, extraordinarily beautiful.

(xv) *Sen* before a comparative partitive in negative sentences adds emphasis: *sen enempää*, *any* more.

VOCABULARY

-aan -ään, -kaan -kään (see Note 5*e*)
aika (indeclinable adjective), mighty
aimo (as *aika* above)
alku alku- alun alkua, beginning
alkukirjain -kirjaime- -kirjaimen -kirjainta, initial letter
enemmä- (see *enempi*)
en, et, ei, emme, ette, eivät (see Note 5*b*)
enempi enempä- enemmän enempää, more
enin enimpä- enimmän enimpää, most
ensi (indeclinable adjective), first
(*enä-*) *ei enää*, no more, no longer
eri (indeclinable adjective), separate, different, various
halpa halpa- halvan halpaa, cheap
harhaoppi (see *oppi*), false doctrine, heresy
herrasmies (see *mies*), gentleman
hetki hetke- hetken hetkeä, moment, while
hinta hinta- hinnan hintaa, price
hirveä hirveä- hirveän hirveää or *hirveätä*, terrible, awful, hideous, etc.
ikävyys ikävyyte- ikävyyden ikävyyttä, boredom, irksomeness
insinööri insinööri- insinöörin insinööriä, engineer
joku (*jo-ku-*) *jonkun jotakuta*, someone, some
joskus, sometimes
juoma juoma- juoman juomaa, drink, beverage
järjetön järjettömä- järjettömän järjetöntä, unreasonable, senseless, absurd, etc.
-kaan -kään (see *-aan -ään*)
kaivo kaivo- kaivon kaivoa, well
kappale kappalee- kappaleen kappaletta, piece, fragment, one of a series of identical objects (such as a ' copy ' of a book, ' one ' oil-stove and so on).
kapteeni kapteeni- kapteenin kapteenia, captain
kauan, long, for a long time

kauhea kauhea- kauhean kauheaa or *kauheata*, dreadful
kaunein (see Note 5g v), most beautiful
kauppa kauppa- kaupan kauppaa, trade, traffic, bargain, shop
kelpo (indeclinable adjective), serviceable, capable
kipinä kipinä- kipinän kipinää, spark
kirjain (see *alkukirjain*), letter (of the alphabet)
kirjakauppa (see *kauppa*), bookshop; *kirjakauppias -kauppiaa-*
    -kauppiaan -kauppiasta, bookseller
kisko- kiskon kiskoi kiskoa, demand, extort
kohden (postposition taking various cases), towards
kohti (preposition or postposition taking partitive), towards
koivu koivu- koivun koivua, birch
kolmesataa, 300
kolmetoista, 13
(*koskaan*) *ei koskaan*, never
kovin, very
(*kukaan*) *ei kukaan*, no one
kulta kulta- kullan kultaa, gold
kuole- kuolen kuoli kuolla, die
kuten, as
kuvastu- kuvastun kuvastui kuvastua, be reflected
kysymys kysymykse- kysymyksen kysymystä, question
kyte- kyden kyti kyteä, smoulder
käyttä- käytän käytti käyttää, use, employ
kömpelö kömpelö- kömpelön kömpelöä, clumsy
kynä (see *lyijykynä* below), pen, pencil
laatikko laatikko- laatikon laatikkoa, box, case, drawer
laita laita- laidan laitaa, side, border, margin; case, matter,
    position (of a matter)
laji laji- lajin lajia, sort, kind
lakki lakki- lakin lakkia, cap
lamppu lamppu- lampun lamppua, lamp
lattia lattia- lattian lattiaa, floor
lause lausee- lauseen lausetta, sentence
leikkata- leikkaan leikkasi leikata, cut, carve
leipä leipä- leivän leipää, bread
liika liika- liian liikaa, too much
-lla -llä on, at, etc. (Note 7*a*)
lyijy lyijy- lyijyn lyijyä, lead (also used for ' graphite ' in
    lyijykynä -kynä- -kynän -kynää, lead pencil)
lääkäri lääkäri- lääkärin lääkäriä, physician

löytä- löydän löysi löytää, find

maailma -ma- -man -maa, world

maalainen -laise- -laisen -laista, countryman, countrified

maalaiselämä -elämä- -elämän -elämää, country life (see Note 20f E)

maaseutu -seutu- -seudun -seutua, country(side)

markka markka- markan markkaa, mark (unit of money)

matematiikka -iikka- -iikan -iikkaa, mathematics (note the singular in the Finnish)

meri mere- meren merta, sea, ocean

merimies -miehe- -miehen -miestä, seaman

merkitse- merkitsen merkitsi merkitä, mark, record, indicate, signify

mieli miele- mielen mieltä, mind, thought, temper, taste, opinion, etc.

mikään: ei mikään, no-one, none, no

minuutti minuutti- minuutin minuuttia, minute

mitä . . . sitä . . . (see Note 3b xi), the (e.g. more) the (e.g. merrier)

mitään (see *mikään*) ; *mitkään muut*, any others

-mpa- -mpä- -mma- -mmä- (see Note 5g)

muka, supposedly, one supposes

muuan (or *muudan*) *muutama- muutaman muutamaa*, a, some

myöhä myöhä- myöhän myöhää, late, belated

myöhemmin, later (see Note 11c xi)

myös, also, too

naurahta- naurahdan naurahti naurahtaa, laugh

nautti- nautin nautti nauttia, enjoy

nautinto nautinto- nautinnon nautintoa, enjoyment

niin juuri, just so

näkö näkö- näön näköä, sight, appearance, looks

näköala -ala- -alan -alaa, view, scenery

oma oma- oman omaa, own

otsa otsa- otsan otsaa, forehead

paksu paksu- paksun paksua, fat, stout

paras paraa- (or *paraha-* or *parhaa-*) *parhaan parasta*, best

parempi parempa- paremman parempaa, better

parhain parhaimpa- parhaimman parhaimpaa or *parhainta*, best

parka, poor (fellow, etc.) (usually follows the word associated with it)

pikku, little

pudotta- pudotan pudotti pudottaa, drop (something)
puhuja puhuja- puhujan puhujaa, speaker
puisto puisto- puiston puistoa, park
punta punta- punnan puntaa, pound
puolestani, for my part, as far as I am concerned; *puoles-
tamme*, for our part, etc. (*puoli*, half)
pyytä- pyydän pyysi pyytää, ask, request, invite; (*pyydän*)
anteeksi, I beg your pardon
rahakukkaro -kukkaro- -kukkaron -kukkaroa, purse
rakas rakkaa- rakkaan rakasta, dear, beloved
rakkaus rakkaute- rakkauden rakkautta, love
raskas raskaa- raskaan raskasta, heavy
ryppy ryppy- rypyn ryppyä, wrinkle
sama sama- saman samaa, the same
sana sana- sanan sanaa, word
sata sata- sadan sataa, hundred
satama satama- sataman satamaa, harbour
senttimetri (see *metri*), centimetre
sentti sentti- sentin senttiä, centimetre
setä setä- sedän setää, uncle, father's brother
sido- (see *sito-*)
sidotta- sidotan sidotti sidottaa, have (a book) bound
sidottu sidottu- sidotun sidottua, bound (Notes 17a, b)
sisempi sisempä- sisemmän sisempää, inner
sito- sidon sitoi sitoa, bind, tie
sormus sormukse- sormuksen sormusta, ring
suurin suurimpa- suurimman suurinta or *suurimpaa*, greatest
suurkaupunki (see *kaupunki*), large city
synty- synnyn syntyi syntyä, be born (note: 'I was born' is
translated *olen syntynyt*)
syvyys syvyyte- syvyyden syvyyttä, depth
tapaus tapaukse- tapauksen tapausta, event, case
tarkastele- tarkastelen tarkasteli tarkastella, examine
tarvitse- tarvitsen tarvitsi tarvita, need
tehty tehty- tehdyn tehtyä, made, done (see Notes 17a, b)
tohtori tohtori- tohtorin tohtoria, doctor
totisesti, certainly, seriously
tuijotta- tuijotan tuijotti tuijottaa, stare
tuntu- (——) tuntui tuntua, feel, seem, appear; *minusta
tuntuu*, it seems to me
tällainen -ise- -isen -ista, like this, of this sort, such

unohta- unohdan unohti unohtaa, forget
vaati- vaadin vaati vaatia, demand, claim, require, insist on
vaara vaara- vaaran vaaraa, danger
vaarallinen -ise- -isen -ista, dangerous
vaimo vaimo- vaimon vaimoa, woman, wife
vanhemmat vanhempi- vanhempien vanhempia (plural noun),
   parents
vanhin vanhimpa- vanhimman vanhinta or *vanhimpaa,* oldest
vasen vasempa- vasemman vasempaa, left(-hand)
viisas viisaa- viisaan viisasta, wise
vilja vilja- viljan viljaa, grain, crop
voileipä -leipä- -leivän -leipää, bread-and-butter, sandwich
vähempi vähempä- vähemmän vähempää, less
ymmärtä- ymmärrän ymmärsi ymmärtää, understand (object in
   accusative if a thing, partitive if a person)
ystävällisyys ystävällisyyte- ystävällisyyden ystävällisyyttä, kind-
   ness, friendliness
äkkiä, suddenly

EXERCISE

1. Ilta on aamua viisaampi. 2. Siitä en tiedä mitään.
3. Me tulemme pian metsästä. 4. Emme tarvitse hevosta.
5. Minä en tule. 6. Hän astuu ovesta ulos. 7. Tämä
veitsi on parempi. 8. Nämä puut ovat tämän metsän
suurimpia. 9. Turku on suurempi kuin Viipuri, mutta
Helsinki on Suomen kaupungeista suurin. 10. Tämä
koivu on puistomme kaunein puu. 11. Ruis on tärkeämpi
kuin mitkään muut Suomen viljalajit. 12. Hän ei pidä
tästä talosta. 13. Teistä tulee hänen toinen vaimonsa.
14. Hän ei sano mitään. 15. Hän ottaa pöytälaatikosta
taskulampun. 16. Mistä sen tiedätte?—Mistäkö sen
tiedän? 17. Hän puhuu kaikesta muusta, mutta ei itsestään.
18. Hän ei pidä sanaansa. 19. Yksi niistä on Helsingin
Vanhassa kirkossa. 20. Rouen on maan suurimpia sata-
makaupunkeja.

READING

Yrjö

Mikon veli, kolmetoistavuotias Yrjö, tulee kirjakaupasta
kirja kädessään, otsa rypyssä. Muuan herrasmies astuu
tiellä häntä kohti. Poika ottaa lakin päästään:

»Hyvää päivää, tohtori!»

»Päivää, päivää, Yrjö . . . mikä tuo kirja on?»

»Tämä on veljeni kirja. Hänhän myy kirjoja. Kirjakauppias sanoo, että hän ostaa kirjoja vaikka kuinka paljon, mutta että veljeni vaatii liian korkeita hintoja . . . Saman kirjan hinta kaupassa on viisisataa markkaa. Veljeni pyytää kolmeasataa, mutta mies ei anna kolmeasataa.»

Lääkäri ottaa kirjan Yrjön kädestä. »Hirveätä! Se on mielestäni aivan liian halpa. Mutta mistä veljesi löytää tällaisia kirjoja?»

»En tiedä. Hän ei käytä kirjaa enää korkeakoulussa. Hänestä tulee, kuten tiedätte, insinööri.»

Lääkäri ottaa taskustansa rahakukkaronsa. He astelevat erästä kahvilaa kohti. »Minä annan kirjasta viisisataa markkaa.»

»Kiitos, olette kovin ystävällinen.»

Paria minuuttia myöhemmin lääkäri ja Yrjö istuvat jo kahvilassa ja tarkastelevat voileipäluetteloa. Ikkunasta on kaunis näköala: rannan rakennukset kuvastuvat tyynen järven syvyydestä.

Äkkiä Yrjö sanoo: »Mutta tehän olette lääkäri. Mitä hyötyä on lääkärin asemassa korkeammasta matematiikasta?»

»Minä itse en pidä matematiikasta. En ymmärrä sitä. Mutta vanhin pojistani opiskelee yliopistossa ja käyttää tätä kirjaa.» Yrjö on kauan vaiti ja tuijottaa ikkunasta ulos. »Mitä sinä nyt mietit?»

»Tohtori, mitä enemmän opiskelemme, sitä enemmän tiedämme, eikö totta?»

»Niin juuri.»

»Ja mitä enemmän tiedämme, sitä enemmän unohdamme.»

»Se on myös totta.»

»Mutta mitä enemmän unohdamme, sitä vähemmän tiedämme.»

»Niin on asian laita. Onpa elämä vaikeata.»

»Mitä vähemmän tiedämme, sitä vähemmän unohdamme.»

»Se on selvä.»

»Mitä vähemmän unohdamme, sitä enemmän tiedämme,

siis mitä vähemmän opiskelemme, sitä enemmän tiedämme?»

Lääkäri naurahtaa: »Kuinka vaarallista harhaoppia! Kuinka vanha sinä nyt olet?»

»Minä olen kolmentoista.   Entä teidän poikanne?»

»Hän on pian kahdeksantoista.»

»Siis kolme vuotta nuorempi kuin veljeni, mutta viisi vuotta minua vanhempi.   Mikko on sisaruksistani vanhin ja kauhean pitkä . . . kaksikymmentäkuusi senttiä minua pitempi . . . mikä on luonnollistakin, hän kun on niin vanha.   Hän lukee aina.   Joskus, kun hän lukee, hän sanoo: En ymmärrä sitä.   Olen maailman typerin ja järjettömin ihminen.   En ymmärrä mitään . . . Mutta se ei ole totta.   Kukaan hänen tovereistaan ei ole häntä viisaampi. . . . Hän pitää kirjoista, mutta hän sanoo, että luonto on kauniimpi kuin kauneimmatkaan kirjat.»

»Hän on nyt Hiekkaharjulla, eikö niin?   Pitääkö hän maalaiselämästä?»

»Pitää.   Hän sanoo, mies parka, ettei hänen elämäänsä kirkasta mikään muu kuin luonnon kauneus, hänen työnsä ja eräs tyttö.»

»Mutta sinun mielestäsi elämä, kauneus ja rakkaus eivät missään tapauksessa vielä vaadi suuria alkukirjaimia. Entä sinä, etkö sinä pidä maaseudusta?»

»Maaseudusta minä pidän, mutta en pidä suurkaupungeista . . . vaikka vanhemmat sanovat, ettei Suomessa ole suuria kaupunkeja.   Kalle-setä on juuri Shanghaissa. Hän on näet merimies.   Kapteeni.   Hänen kirjeestään tiedän, että Shanghai on maailman suurimpia kaupunkeja.»

LESSON SIX

GRAMMATICAL NOTES

(*a*) The ILLATIVE CASE has the basic meaning ' into ', and is formed on the stem as follows according to the ending:

(i) A short (single) vowel is lengthened (doubled in writing) and -*n* is added: *talo*, house, *taloon*, into the house; *silmi*-, eyes, *silmiin*, into the eyes. In the older language an -*h*- was inserted between the two vowels: *talohon*, etc., and such forms are found in poetry and in dialects.

(ii) Any diphthong, or a long vowel of a monosyllabic stem lengthens the second element of the diphthong or long vowel, inserts -*h*- and adds the final -*n* as above: *puu*, tree, *puuhun*; *työ*, work, *työhön*; *kirkkoi*-, stem of ' churches ', *kirkkoihin*.

(iii) Other stems ending in a long vowel take -*seen* in the singular, but the plural stem takes -*siin* or -*hin*: *kirjee*-, letter (nominative *kirje*) *kirjeeseen*, plural *kirjeihin* or *kir-jeisiin*; *vieraa*- (*vieras*), stranger, guest, *vieraaseen*, plural *vieraihin* or *vieraisiin*.

(iv) Pronouns deviate somewhat from the above: *minä*, I, *minuun*; *sinä*, thou, *sinuun*; *hän*, he, she, *häneen*, *me*, we, *meihin*; *te*, you, *teihin*; *he*, they, *heihin*; *se*, it, *siihen*; *ne*, those, *niihin*; *tämä*, this, *tähän*; *nämä*, these, *näihin*; *tuo*, that, *tuohon*; *nuo*, those, *noihin*.

(*b*) USES of the ILLATIVE include:

(i) ' Into ', e.g. *Menen metsään*—I am going into the wood.

(ii) ' To ' (with the implication of finally ' into '): *Lähden kaupunkiin*—I am setting out for the town.

(iii) ' To ' an activity: *Menen kalaan*—I am going fishing. *Menimme marjaan*—We went gathering berries.

(iv) Destination understood as finishing, ending, being left or forgotten or staying behind or halting ' in ' or ' at ' a

74

place or condition, reaching a given measurement, writing
' on ', or dying ' of ' a thing, etc., as in the following
examples: *Kärrytie loppuu suon laitaan*—The cart-track ends
at the edge of the marsh. *Mihin toiset jäivät?*—Where did
the others stay (behind)? *Hän jätti meidät pulaan*—He left us
in the lurch. *Unohdin avaimet toimistoon*—I left (i.e. forgot)
(my) keys at the office. *Miesten luku nousi kahteensataan*—
The number of men rose to (attained) two hundred.
Hän kumartui alas ja kirjoitti maahan—He stooped and wrote
on the ground. *Hän kuoli nälkään*—He died of hunger.

(v) The time ' at ' which a thing is done, and in negative
sentences the length of time ' during ' which a thing fails to
happen or is not done, etc.: *Se tapahtui samaan aikaan*—
It happened at the same time. *Mihin aikaan?*—At what
time? *En nähnyt häntä pitkään aikaan*—I have not seen her
for a long time.

(vi) ' On to ' (cf. Notes 4*a* vi, 5*a* ii): *Hän pani lakin
päähän*—He put (his) cap on (his) head. *Lapsi heittäytyi
äitinsä kaulaan*—The child threw herself on (threw her
arms round) her mother's neck. But also, e.g. *Pukeudun
harmaaseen pukuuni*—I shall put on (literally ' get dressed
into ') my grey suit.

(vii) With the verbs *ole-*, *tule-*, *vivahta-* and others to
express a likeness: *Lapsi tulee isäänsä*—The child is like his
father. And the verb *verrata*, stem *vertata-*, compare, requires
the illative to express ' to ' or ' with '.

(viii) The use to which a thing is put or for which it is
suited or unsuited: *Se ei kelpaa mihinkään*—That is no good
for anything (*mihin* is the illative of a stem *mi-*, for which
see Lesson 8).

(*c*) The IMPERFECT of verbs, that is the form corre-
sponding to the English ' I made, we went, he was writing ',
etc. is, like the present, formed from the stem of the verb.
The affirmative form is produced as follows:

(i) The characteristic for the imperfect affirmative,
-*i*-, is added to the stem.

(ii) The personal endings are then added as for the
present tense, except that the 3rd person singular has no
vowel-lengthening nor any other addition. Thus, taking
sano-, say, as an example, we have: (*minä*) *sanoin*, I said,

I was saying; (*sinä*) *sanoit*, thou saidst, wast saying; *hän sanoi*, he, she said, was saying; (*me*) *sanoimme*, we said, were saying; (*te*) *sanoitte*, you said, were saying; *he sanoivat*, they said, were saying.

(iii) Certain changes are produced by this -*i*- in the stem of the verb, in much the same way as the -*i*- of the plural affects the stem of nouns (see Note 2*e*):

1. a stem ending in a diphthong of which the second element is -*i*- amalgamates this with the -*i*- of the imperfect: *ui*-, swim, *uin*, I swim, I swam.

2. the stem *käy*-, go, changes the -*y*- to -*v*-: *kävin*, I went, *kävimme*, we went.

3. Stems ending in -*ie*-, -*uo*-, and -*yö*- or a long vowel elide the first element (cf. Note 2*f* 1) before -*i*-: *vie*-, carry, *vein*, I carried, was carrying; *juo*-, drink, *joi*, he drank: *jää*-, remain, *jäivät*, they remained.

4. The stem *myy*-, sell, has also the variant imperfect stem *möi*-: *möivät*, they sold, from a stem *myö*-.

All other verb-stems end in a short vowel (cf. Note 2*f*).

5. Stems in -*e*- reject this before the -*i*-: (*tule*-) *tulin*, I came; (*luke*-) *luin*, I read (*k* elided in closed syllable); *lähte*-, set out, has the alternative stems *lähti*-, *läksi*-: *lähdin* or *läksin*, I set out (cf. *yksi*, one, genitive *yhden*).

6. Stems in -*a*- -*ä*- reject this, except that where the first syllable contains *a*, if the second syllable is the stem-ending, its -*a*- is changed to -*o*- before the -*i*- (cf. Note 2*f* 2, i): (*heittä*-) *heitin*, I threw; (*laula*-) *lauloimme*, we were singing.

7. Where the -*i*- forms a diphthong with the vowel of the stem, consonants are softened as though the -*i*- were not there: (*anta*-) *annoin*, I gave; *annoimme*, we gave.

8. Stems in -*ta*- -*tä*- preceded by a single vowel drop the -*a*- -*ä*- and change *t* to *s* before -*i*- (as we have seen in noun-stems): (*avata*-) *avasin*, ' I opened '.

9. Stems in -*ta*- -*tä*- preceded by *l*, *n* or *r* behave in the same way: (*lentä*-) *lensimme*, we flew, but if the first syllable contains *a*, *o* or *u*, the *t* is sometimes preserved (*murta*-) *mursi* or *murti*, he broke. The stem *kyntä*-, plough, on the other hand, has only *kynti*, he ploughed, *kynnimme*, we were ploughing, etc., in order to avoid confusion with the stem *kynsi*-, scratch, with its imperfect *kynsi*-: *kynsin*, I scratch(ed).

10. Similarly, to avoid confusion: *vetä-*, pull, *veti*, he pulled, *vedimme*, we pulled (the form *vesi* could not be used because it means ' water '); *pitä-*, hold, *pidin*, I held (*pisin*, the smallest).

11. Stems ending in *-ta- -tä-* preceded by *-t-*, *-h-* or *-s-* do not change the *-t-* to *-s-*: *näyttä-*, show, *näyttivät*, they showed, *näytin*, I showed; *unohta-*, forget, *unohdimme*, we forgot, *unohti*, he forgot.

12. Stems ending in *-ta- -tä-* preceded by a long vowel or a diphthong not *-aa-* or *-ai-* behave either as in section 6 or as in section 9: *huuta-*, call out, *huusi* (or *huuti*), he shouted. But in the case of *nouta-*, fetch, *nouti*, he fetched, *noudimme*, we fetched, etc., is the only form used because *nousi* is the imperfect of *nouse-*, rise.

13. Stems ending in *-ta-* with *-aa-* or *-ai-* as the vowel of the first syllable vary in their behaviour: the *-ta-* changes to *-si-*, or *-toi-*: *kaata-*, overturn, pour, *kaatoi* or *kaasi*, he poured; but: *paista-*, shine, roast, *paistoi* or *paisti*, roasted, shone.

14. Stems ending in *-i-*: *oppi-*, learn, *hän oppi*, he was learning, *opin*, I am learning, I was learning. In the older literature the *-i-* of the stem is found as *-e-* before the *-i-* of the imperfect: *sallein, etseimme*, etc.

15. Stems ending in other vowels simply add the *-i-*: *tapahtu-*, happen, *se tapahtui*, it happened.

(*d*) The NEGATIVE

(i) is formed of the verb of negation *en, et*, etc., and the active past participle of the operative verb (see Note 16*a*).

(ii) The latter consists of the stem of the verb and a suffix *-nut -nyt* in the singular and *-neet* in the plural (stem *-nee-* in both cases) (*-nut* is, of course, the form for back-vowel words and *-nyt* for those with front-vowels). Thus we have, for example, from *otta-*, take, and *syö-*, eat: *en ottanut*, I did not take, was not taking; *et ottanut*, thou didst not take, etc.; *hän ei ottanut*, he, she, did not take, etc.; *emme ottaneet*, we did not take, etc.; *ette ottaneet*, you (plural) did not take, etc.; *he eivät ottaneet*, they did not take, etc.; *ette ottanut*, you (one person) did not take, etc.; *en syönyt*, I did not eat, was not eating; *emme syöneet*, we did not eat, etc.

(iii) The form *ette ottanut, ette syönyt*, etc., is used in polite address for one person. It will be remembered that *et ottanut, et syönyt*, etc., which correspond to *sinä*, thou, are used only between members of the same family and close friends.

(*e*) IMPERFECT TENSE, USES.

(i) This tense corresponds to the English imperfect, as in *Eilen me uimme salmen poikki*—Yesterday we swam across the sound.

(ii) And also to the English past continuous tense, as in *Tyttö luki juuri lehteä, kun minä tulin*—The girl was reading the paper when I came.

(iii) It is used to express a kind of emotional hypothesis of the type 'whatever happens!': *Teen sen, maksoi mitä maksoi*—I'll do it, whatever the cost!

VOCABULARY

ahkera ahkera- ahkeran ahkeraa, diligent, industrious
airo airo- airon airoa, oar
alka- alan alkoi alkaa, begin
alas, down, downward
ampu- ammun ampui ampua, shoot
anteeksi: pyydän anteeksi, I beg your pardon (the nominative is *anne*, the stem *antee-*)
anteeksipyyntö -pyyntö- -pyynnön -pyyntöä, apology
arkku arkku- arkun arkkua, chest, trunk
asettu- asetun asettui asettua, settle, place oneself
askel (or *askele*) *askele- askelen askelta*, step, pace
auto auto- auton autoa, motorcar
bussi bussi- bussin bussia, bus
eikä, nor, and not
eilen, yesterday
elokuvat -kuvi- -kuvien -kuvia (plural noun), moving pictures, cinema (literally life-pictures, living pictures)
esine esinee- esineen esinettä, object, thing
eteenpäin, forwards
hajamielisesti, absentmindedly, abstractedly (from a stem *haja* meaning 'apart, asunder', *mieli*, mind, *-ise-* forming an adjective and *-sti* forming an adverb)
haka haka- ha'an hakaa, enclosure

haltu haltu- hallun haltua, keeping, custody, possession
hammasharja -harja- -harjan -harjaa, toothbrush
hammastahna -tahna- -tahnan -tahnaa, toothpaste
heikko heikko- heikon heikkoa, weak
heittä- heitän heitti heittää, throw
heittäyty- heittäydyn heittäytyi heittäytyä, throw oneself
hengittä- hengitän hengitti hengittää, breathe
henki henke- hengen henkeä, breath, spirit, person, etc.
henkilö henkilö- henkilön henkilöä, person
hius hiukse- hiuksen hiusta, hair
hiusvesi (see *vesi*), hair-oil
hotelli hotelli- hotellin hotellia, hotel
huomata- huomaan huomasi huomata, notice, observe, remark
huudahta- huudahdan huudahti huudahtaa, exclaim, cry out
hämmästy- hämmästyn hämmästyi hämmästyä, be surprised
hätäisesti, hastily
hävitä- häviän hävisi hävitä, disappear
ihme ihmee- ihmeen ihmettä, wonder, marvel, miracle
ihmeellinen -ise- -isen -istä, wonderful
ihmettele- ihmettelen ihmetteli ihmetellä, wonder at, admire
iho iho- ihon ihoa, skin
illallinen illallise- illallisen illallista, evening meal; *illalliset,*
    dinner party
ilo ilo- ilon iloa, joy
irroitta- irroitan irroitti irroittaa, loosen, unfasten
istuutu- istuudun istuutui istuutua, sit down
itsenäinen -ise- -isen -istä, independent
itsepintaisuus -isuute- -isuuden -isuutta, stubbornness
jatku- jatkun jatkui jatkua, continue, pursue
johta- johdan johti johtaa, lead, conduct, convey
jumalaton jumalattoma- jumalattoman jumalatonta, godless,
    impious
jälkeen, after
järjestäyty- järjestäydyn järjestäytyi järjestäytyä, get arranged,
    become ordered
jättä- jätän jätti jättää, leave, quit, forsake
jääty- jäädyn jäätyi jäätyä, freeze
jää- jään jäi jäädä, remain, stay
kaata- kaadan kaatoi (or *kaasi*) *kaataa,* overturn, upset, fell,
    drop, pour
kaiva- kaivan kaivoi kaivaa, dig, excavate

kannu kannu- kannun kannua, can, jug

katsahta- katsahdan katsahti katsahtaa, glance at

katse katsee- katseen katsetta, glance, look

kaukana, far off

kaula kaula- kaulan kaulaa, neck

kelpata- kelpaan kelpasi kelvata, be fit for, good for

kerran (see *kerta*)

kerro- (see *kerto-*)

kerta kerta- kerran kertaa, time, occasion; *kerran*, once, once upon a time

kerto- kerron kertoi kertoa, tell, narrate

keskus keskukse- keskuksen keskusta, centre, middle

kiertä- kierrän kiersi kiertää, turn, circulate, encircle, wander

kiitä- kiidän kiiti kiitää, speed, hasten

kiinty- kiinnyn kiintyi kiintyä, stick to, be attracted to

kiittä- kiitän kiitti kiittää, thank; *kiittää jotakuta jostakin*, to thank someone for something

kolkka kolkka- kolkan kolkkaa, corner, nook

kolkutta- kolkutan kolkutti kolkuttaa, beat, hammer

kotona, at home (for *-na -nä* see Note 10*f*)

kumarta- kumarran kumarsi kumartaa (or)

kumartele- kumartelen kumarteli kumarrella, bow

kumartu- kumarrun kumartui kumartua, bow

kunnianhimo -himo- -himon -himoa, ambition, desire for honour

kupari kupari- kuparin kuparia, copper

kuparinen kuparise- -isen -ista, coppery, of copper

kuppi kuppi- kupin kuppia, cup

kuukausi kuukaute- kuukauden kuukautta, month

kynsi- kynsin kynsi kynsiä, scratch with nails, claw

kyntä- kynnän kynti kyntää, plough

lentä- lennän lensi lentää, fly

linna linna- linnan linnaa, castle

-lle, (on) to (see Note 9*a*)

loppu- lopun loppui loppua, come to an end

luku luku- luvun lukua, number, chapter, calculation; *ottaa lukuun*, to take into account

luo- luon loi luoda, create, cast, throw off

lähistö lähistö- lähistön lähistöä, vicinity

lähte- lähden lähti (or *läksi*) *lähteä*, set out, depart, start, go

lämmin lämpimä- lämpimän lämmintä (also *lämpime-*), warm, warmth

maalata- maalaan maalasi maalata, paint
maalari maalari- maalarin maalaria, painter
matka matka- matkan matkaa, journey, travel, distance;
   pitkän matkan päässä, at a great distance; *minne matka?*
   or *mihinkä matka?,* where are you going to?; *onnea*
   matkalle!, happy journey!
matkalaukku -laukku- -laukun -laukkua, travelling bag
matkusta- matkustan matkusti matkustaa, travel
melkoinen melkoise- melkoisen melkoista, considerable
meno meno- menon menoa, going, passage, way, expense
mielenkiinto -kiinto- -kiinnon -kiintoa, interest
mietiskele- mietiskelen mietiskeli mietiskellä, ponder, muse
mietti- mietin mietti miettiä, ponder, think
mihin, whither, where to, into what
miksi, why
milloinkaan: en milloinkaan, et milloinkaan, etc., I never . . .,
   thou never . . . est, etc.
minne, whither
missä, where, in what; *ei missään,* nowhere, in nothing
molempa- (plural *molemmat molempi- molempien molempia*),
   both
muista- muistan muisti muistaa, remember, recall (acc.),
   think of (partit.)
mumise- mumisen mumisi mumista, mumble
murta- murran mursi murtaa, break, crush
museo museo- museon museota, museum
muurari muurari- muurarin muuraria, bricklayer, mason
muun muassa, among other things
myöhäinen myöhäise- myöhäisen myöhäistä, late, belated
määrätä- määrään määräsi määrätä, determine, order, direct
naapuri naapuri- naapurin naapuria, neighbour
naiminen (used in the plural): *menen naimisiin,* I am getting
   married; *olen naimisissa,* I am married
nainen naise- naisen naista, woman, lady
naulata- naulaan naulasi naulata, nail
nosta- nostan nosti nostaa, lift, receive, draw
nouta- noudan nouti noutaa, fetch, take, call for
-nut -nyt (see Notes 6d ii, 16a)
nykyisin, nowadays
nykyään, nowadays
näyttä- näytän näytti näyttää, show; appear, look

oikeus oikeute- oikeuden oikeutta, right, justice
paholainen -laise- -laisen -laista, the evil one
paita paita- paidan paitaa, shirt
pakkata- pakkaan pakkasi pakata, pack
palata- palaan palasi palata, return
palautu- palaudun palautui palautua, return
palvelustyttö (see *tyttö*), servant-girl
palvelus palvelukse- palveluksen palvelusta, service
pane- panen pani panna, put, place, set; compel; *panna olutta*, brew beer; *panna muistiin*, note, make a note of; *panna toimeen*, arrange, organise
peili peili- peilin peiliä, mirror
pelkkä, nothing but
perustus -tukse- -tuksen -tusta, foundation
pesä pesä- pesän pesää, nest
pimene- pimenen pimeni pimetä, become dark
pinta pinta- pinnan pintaa, surface
pistä- pistän pisti pistää, sting, prick
pudista- pudistan pudisti pudistaa, shake
puhaltele- puhaltelen puhalteli puhallella, blow
puhalta- puhallan puhalsi puhaltaa, blow
pukeutu- pukeudun pukeutui pukeutua, dress
pula pula- pulan pulaa, straits, dilemma
puna puna- punan punaa, red, redness
putota- putoan putosi pudota, fall
puuseppä puuseppä- puusepän puuseppää, joiner
puutarha puutarha- puutarhan puutarhaa, garden
puutarhuri -uri- -urin -uria, gardener
puute puuttee- puutteen puutetta, lack, want
pyyntö (see *anteeksipyyntö*), request
päin, towards
päre päree- päreen pärettä, shingle, wooden tile
pääkaupunki (see *kaupunki*), capital
päätty- päätyn päättyi päättyä, end, be finished, turn out
ranne rantee- ranteen rannetta, wrist
ratas rattaa- rattaan ratasta, wheel; *rattaat*, cart
ravinto ravinto- ravinnon ravintoa, nourishment
ravintola -la- -lan -laa, restaurant
repi- revin repi repiä, tear
riittä- riitän riitti riittää, suffice, be enough
ristiin: panna ristiin, fold (hands) together

ruoka ruoka- ruoan ruokaa, food
saapu- saavun saapui saapua, arrive
saarta- saarran saartoi saartaa, surround
saavu- (see *saapu-*)
sahata- sahaan sahasi sahata, saw
sairas sairaa- sairaan sairasta, sick, invalid
salmi salme- salmen salmea, sound, strait
sattu- satun sattui sattua, happen
seisahtu- seisahdun seisahtui seisahtua, stop, halt
sellainen -laise- -laisen -laista, such, like that
sentähden, therefore, on that account
seppä seppä- sepän seppää, smith
seutu seutu- seudun seutua, region, neighbourhood
sietä- siedän sieti sietää, bear, stand
siirty- siirryn siirtyi siirtyä, move, proceed
siisteys siisteyte- siisteyden siisteyttä, orderliness, cleanliness
siisti siisti- siistin siistiä, clean, neat, proper
silmäys silmäykse- silmäyksen silmäystä, glance
silti, however, yet, for that reason
sisään, in, into
sitkeys sitkeyte- sitkeyden sitkeyttä, toughness, tenacity
sitkeä sitkeä- sitkeän sitkeää or *sitkeätä,* tough, tenacious
sivistys sivistykse- sivistyksen sivistystä, civilisation
soitto soitto- soiton soittoa, playing, sound, music
sopi- sovin sopi sopia, fit, agree, tally
sorta- sorran sorsi (or *sorti*) *sortaa,* oppress
sovi- (see *sopi-*)
suoraan, straight, directly, downright
syntymä syntymä- syntymän syntymää, birth
syntymäpäivä (see *päivä*), birthday, day of birth
takertu- takerrun takertui takertua, stick, cling
talvellinen -ise- -sen -ista, winter, wintry
talvi talve- talven talvea, winter
tarkka tarkka- tarkan tarkkaa, exact, strict, scrupulous
tarpeeton tarpeettoma- tarpeettoman tarpeetonta, needless
tarttu- tartun tarttui tarttua, grip, seize
teatteri teatteri- teatterin teatteria, theatre
teko teko- teon tekoa, act, work, deed; (in compounds) artificial, making
tieto tieto- tiedon tietoa, knowledge, information, word, message

tiili tiile- tiilen tiiltä, brick, tile
toisiamme, (we) each other (Note 8*j*)
toivo- toivon toivoi toivoa, hope, expect, wish
toivotta- toivotan toivotti toivottaa, wish
touhu touhu- touhun touhua, bustle, confusion
tukka tukka- tukan tukkaa, hair; *tukkainen -ise -isen -ista*,
   -haired
tulvi- tulvin tulvi tulvia, flow, flood
tunkeutu- tunkeudun tunkeutui tunkeutua, penetrate, force a
   way through
turha turha- turhan turhaa, vain, useless
tuskin, hardly
tyytymätön -mättömä- -mättömän -mätöntä, discontented
tyytyväinen -ise- -isen -istä, satisfied
työntä- työnnän työnsi työntää, push, force, drive
työteliäs työteliää- työteliään työteliästä, industrious
tänään, today
uni une- unen unta, sleep, dream; *näen unta*, I dream
uskalta- uskallan uskalsi uskaltaa, dare
usko- uskon uskoi uskoa, believe, trust
uskonto uskonto- uskonnon uskontoa, religion
uuni uuni- uunin uunia, oven, stove
uutinen uutise- uutisen uutista, news
vai niin, indeed, really?
vaippa vaippa- vaipan vaippaa, mantle
vaipu- vaivun vaipui vaipua, sink, fall
valitse- valitsen valitsi valita, choose
valko- (in compounds), white-
valkotukkainen (see *tukkainen*), white-haired
vara vara- varan varaa (used especially in the plural), means,
   assets
vastata- vastaan vastasi vastata, reply, correspond to
verho verho- verhon verhoa, cover, curtain
vertata- vertaan vertasi verrata, compare
vierailija -ja- -jan -jaa, visitor
vihdoin, vihdoinkin, at last
viileä viileä- viileän viileää or *viileätä*, cool
vilkaise- vilkaisen vilkaisi vilkaista, glance
visertele- visertelen viserteli viserrellä, chirp
vivahta- vivahdan vivahti vivahtaa, resemble
voi! oh dear, oh!, alas!

voima voima- voiman voimaa, power
vuosikausi (see *kausi*), (period of) a year
yhdessä, together
yhdistys -tykse- -tyksen -tystä, union
ylinen -ise- -isen -istä, upper
äärimmäisyys -yyte- -yyden -yyttä, extreme, extremity

EXERCISE

1. He lähtevät yhdessä metsään. 2. Kun hän tuli kotiin, niin hän ei enää tuntenut äitiänsä. 3. Lapset astuivat talon suurimpaan veneeseen. 4. Kivi putosi maahan. 5. Hän tarttui molempiin käsiini. 6. Kaksi pääskystä teki pesänsä rägstään alle. 7. Luen kirjani kannesta kanteen. 8. Hän asettui Turkuun. 9. Nousin ranskalaiseen laivaan. 10. He palasivat kylään. 11. Matti jäi vanhaan taloon. 12. Emäntä ei unohtanut talvellista vedenpuutetta. 13. Henkilöauto ilmestyi pihaan. 14. Ovi johti pieneen huoneeseen. 15. Ette tullut oikeaan paikkaan. 16. Siitä kääntyy katse ikkunaan. 17. Vedimme verhot ikkunan eteen. 18. Hän näkee suoraan tytön vihreihin silmiin.

READING

Kirje.

Mikko meni ikkunan ääreen ja tuijotti kauan järvelle. Hän ei lukenut nykyisin. Hänen kaikki ajatuksensa alkoivat tytöstä ja päättyivät tyttöön. Hän ei enää nukkunut hyvin. Kolmeen viikkoon hän ei ollut ('had not') saanut tietoja eikä kirjettä. Elikö tyttö vielä? Oliko hän ('had she') ehkä mennyt naimisiin toisen kanssa?

Äkkiä puhelin soi. Täti.

»Olin tänään Helsingissä . . .» sanoi täti. Mikko kuunteli hajamielisesti. Sitten sanat: . . . kirje . . . Lontoosta . . . herättivät Mikon mielenkiinnon. Hän kuunteli jo tarkasti, mitä täti sanoi, ja vastasi sitten:

»Hyvä on, kello seitsemän aikaan tai jo ennenkin, näkemiin!»

Mikko vilkaisi kelloa ja pakkasi sitten hätäisesti pieneen siniseen matkalaukkuun hammasharjan, hammastahnaa, hiusvettä ja yöpuvun, pukeutui harmaaseen pukuunsa, katsahti peiliin ja kiirehti ulos. Hän irroitti veneen, heitti takin ja laukun siihen, astui itse veneeseen, työnsi sen rannasta ja tarttui airoihin. Järvi ei ollut leveä, mutta ilma oli kuuma ja paita takertui pian ihoon.

Puoli tuntia myöhemmin Mikko istui jo bussissa ja mietiskeli. Miksi hän kiirehti niin? Miksi hän oli tyytymätön elämäänsä ja itseensä? Miksei hän tunne enää työn iloa?

Bussi kiiti pohjoista kohti. Mustasiltaan, Punametsän pohjoisimpaan kolkkaan, vei hyvä autotie, ja noin tuntia myöhemmin bussi saapui kylään. Mikko kiirehti taloa kohti, seisahtui pihalla ja vilkaisi rannekelloonsa. Puoli seitsemän. '(' Half past six '.) Hän katseli Mustasillan maita—niittyjä, peltoja, hakoja. Tämä oli Mustasilta, seudun kauneimpia taloja . . .

Vanha nainen tuli ulos. Mikko nosti lakkiaan. Se oli hänen tätinsä, ei (Note 5b) niin pieni eikä laiha kuin Mikon äiti, mutta vanhempi ja valkotukkainen. Hän otti Mikon käden käsiinsä:

»Tervetuloa, tervetuloa, Mikko! Pitkään aikaan emme ole (' we have not ') nähneet toisiamme.»

Mikko astui tädin kodikkaaseen asuntoon. Kaikessa oli vanhan sivistyksen leima. Arkku oli kolmensadan vuoden vanha ja hopeinen kannu oli vieläkin vanhempi, vain rakennus oli uusi. Mikko seurasi tätiään huoneesta toiseen.

Pian oli illallinen valmis ja he asettuivat pöytään. Täti kertoi: ». . . vanha talo ei ollut enää oikein hyvässä kunnossa . . . ostin maata ja rakennusmestarin kanssa valitsin rakennuspaikan . . .

»Niinkö?» sanoi Mikko.

». . . miehet toivat kiviä ja tiiliä ja hirsiä . . .»

»On lämmin» Mikko mietti.

». . . puusepät tekivät ovet ja ikkunat, rakennusmiehet sahasivat ja kolkuttivat ja naulasivat . . .»

Mikko söi hajamielisesti ja sanoi vain »niinkö?» ja »voivoi!» ja »vai niin!»

». . . muurarit tekivät uunit ja maalari maalasi ovet ja ikkunat . . .»

Mikko tuskin huomasi, mitä täti sanoi.

». . . ja talvi saapui vihdoinkin ja peitti maan lumivaippaan . . .»

Palvelustyttö toi kahvitarjottimen. Täti kaatoi kahvia kuppeihin. Äkkiä hän huudahti:
»Voi minua typerää! Kirjeesi! Tässä on.»

Nuori mies otti kirjeen, mumisi anteeksipyynnön ja luki. Kirje oli lyhyt: tyttö jää Lontooseen tai sen lähistölle (-lle here: ' in '). Sitten Mikko katsoi tätiä silmiin ja sanoi:
»Mitä hyötyä on työstä? Eeva ei palaa Suomeen.»

Täti pani kätensä ristiin: »Mutta ei työsi silti ole turhaa.»

Mikko ei vastannut mitään. Hän tuijotti suoraan eteensä. Auringonvalo tulvi huoneeseen korkeista ikkunoista, linnut visertelivät ja kukkien tuoksu tunkeutui huoneeseen. Mikko veti syvään henkeään ja pudisti päätänsä.

»Hän oli aina niitä, jotka kulkevat omia teitään» sanoi hän vihdoin. Sitten hän hymyili. »Joskus sanoin: 'Tänään menemme elokuviin,' mutta Eeva sanoi: ' Eilenhän juuri kävimme elokuvissa, tänään menemme teatteriin.' Ja niin menimme teatteriin.»

»Mutta sehän on luonnollista. Hänhän on älykäs ja itsenäinen nuori nainen.»

»Ei vain itsenäinen. Hänessä on paljon suomalaista itsepintaisuutta ja sitkeyttä.»

Huoneessa vallitsi hiljaisuus. Sitten täti sanoi:
»Isäsi ei opiskellut yliopistossa. Koti oli köyhä ja sisaruksia paljon . . . ei ollut varoja opintoihin, mutta hän oli työteliäs eikä hän milloinkaan eikä missään mennyt äärimmäisyyksiin. Sitten hän meni naimisiin ja teki aina ahkerasti työtä. Vanhempasi eivät koskaan ostaneet mitään tarpeetonta. Isäsi oli tyytyväinen, kunhan varat riittivät hetken tarpeisiin. He uskoivat oikeuden ja rakkauden voimaan maailmassa, Jumalaan, joka johti kaikkea, ihmisiä ja ihmisten tekoja . . . Ja isäsi onnistui kaikessa. Hän on nyt, kuten tiedätkin, Suomen rikkaimpia miehiä.»

Illallisen jälkeen he menivät puutarhaan. Täti oli ahkera puutarhuri, ja pääkaupungin elämä oli kaukana hänen maailmastaan. Hän pelkäsi pääkaupunkia, sen jumalatonta menoa, kuten hän sanoi, autoja ja väkijoukkoja. Hän ei uskonut paholaiseen, mutta hän sanoi, että pääkaupunki on paholaisen asunto. Täti jutteli kylän elämästä ja naapureistaan.

Vihdoin he astelivat taloon päin. Mikko tarttui tätiä kädestä, toivotti hyvää yötä ja meni kamariin, missä vuode odotti häntä. Hän istuutui, otti taskustaan kirjeen, luki sen vielä kerran ja pisti sen sitten taskuunsa. Hän vaipui ajatuksiinsa. Tekikö Eeva oikein? Hän nousi ja hengitti yön ihmeellistä tuoksua.

Oli jo myöhäistä, kun hän vihdoin meni vuoteeseen ja vaipui uneen.

LESSON SEVEN

GRAMMATICAL NOTES

(*a*) The ADESSIVE CASE has the ending *-lla -llä*: in it the personal pronouns are *minulla, sinulla, hänellä, meillä, teillä,* and *heillä*. It translates:

(i) ' On ': *Kirja on pöydällä*—There is a book on the table.

(ii) ' In ': *Tampereella*, in Tampere, *Venäjällä*, in Russia.

(iii) ' During ' a named but not further particularised period and in expressions in the singular denoting historical periods: *aamulla*, in the morning; *kesällä*, in the summer (cf. Note 10*f* ii); *keskiajalla*, in the Middle Ages.

(iv) Engaged ' in ' some activities: *Hän on ruoalla*— He is at a meal. *Me olimme ongella*—We were fishing.

(v) ' In ' weather conditions: *Joka tyynellä makaa, se tuulella soutaa* (proverb)—Make hay while the sun shines.

(vi) Some adverbs are in the adessive: *täällä*, here.

(vii) ' In ' certain mental states: *Oletteko hereillä?*— Are you awake? *He ovat pahalla mielellä*—They are in a bad mood.

(viii) The price ' at ' which a thing is bought: *Ostin sen kahdella punnalla*—I bought that for two pounds.

(ix) The means ' with ' which or the manner ' in ' which a thing is done, ' in ' a vehicle: *Tyttö lakaisee luudalla*— The girl is sweeping with a broom. *Tulin autolla*—I drove here by car.

(x) With *ole-* it translates ' to have ': adessive for the possessor, nominative or partitive for the possession, and *ole-* in the 3rd person singular of the appropriate tense: *Minulla on kirja*—I have a book. *Minulla ei ole rahaa*—I have no money (partitive for negative sense). *Hänellä oli kauniit hampaat*—She had beautiful teeth (parts of the body always nominative). *Onko teillä saksia?*—Have you some scissors? A personal pronoun representing a possession has the suffix *-t*: *Sinulla on minut*—You have me. If the possession is in fact a *part* of an inanimate object, the inessive is used: *Rasiassa on musta kansi*—The box has a black lid. But: *Rasialla on outo historia*—The box has a strange history.

(xi) Superlatives in the plural adessive, with the 3rd personal ending translate ' at its . . . est': *Päivä oli kuumimmillaan*—The day was at its hottest.

(*b*) The PERFECT INDICATIVE ACTIVE (i) is constructed, in the affirmative, with the present indicative of the verb *ole-* and the past participle active of the operative verb. Taking *saa-*, receive, as an example, we have: *olen saanut*, I have received, I have been receiving; *olet saanut*, thou hast (you have) received, etc.; *hän on saanut*, he, she has received, etc.; *olette saanut*, you (one person) have received, etc.; *olemme saaneet*, we have received, etc.; *olette saaneet*, you (more than one person) have received; *he ovat saaneet*, they have received, etc.

It will be seen that the past participle agrees in number with the subject.

(ii) The negative is formed analogously to the present negative: the verb *ole-*, be, of the affirmative is replaced by the negative, and the past participle is used as in the affirmative of the perfect: *en ole saanut*, I have not received, been receiving; *et ole saanut*, thou hast not received, etc.; *hän ei ole saanut*, he, she has not received, etc.; *ette ole saanut*, you (one person) have not received, etc.; *emme ole saaneet*, we have not received, etc.; *ette ole saaneet*, you (more than one) have not received; *he eivät ole saaneet*, they have not received, etc.

(*c*) The PLUPERFECT affirmative is constructed in the same way as the perfect, but substituting the imperfect of *ole-* for the present:

(i) *olin saanut*, I had received, been receiving; *olit saanut*, thou hadst received, been receiving; *hän oli saanut*, he, she had received, etc.; *olitte saanut*, you (one person) had received, etc.; *olimme saaneet*, we had received; *olitte saaneet*, you (more than one person) had received; *he olivat saaneet*, they had received.

(ii) And the negative: *en ollut saanut,* I had not received, been receiving; *et ollut saanut,* thou hadst not received, been receiving; *hän ei ollut saanut,* he, she had not received, etc.; *ette ollut saanut,* you (one person) had not received; *emme olleet saaneet,* we had not received, etc.; *ette olleet saaneet,* you (more than one) had not received; *he eivät olleet saaneet,* they had not received, etc.

(iii) It will help in the understanding of this construction if one considers the participle *saanut,* etc., as meaning ' (in the state of) having received ': although *olen* means ' I am ', *olen saanut* means not ' I am received ' but ' I am in the state of having received ', i.e. ' I have received '.

(*d*) The USES of the perfect and pluperfect correspond to the English tenses indicated above.

(*e*) NOMINATIVE AND PARTITIVE ABSOLUTE. In the constructions known as the nominative absolute and the partitive absolute there is no grammatical link between them and the word or expression whose sense they modify. The construction consists of (usually two) words (one in the nominative or partitive) serving as an adverbial amplification of the thought expressed by the subject and the verb. Examples are (last two words in each sentence): *Hän istuutui pöydän ääreen silmät kyynelissä*—She sat down at the table (with) tears in her eyes. *He astelivat käsi kädessä*—They were walking hand in hand.

VOCABULARY

aikaisin, early, betimes
edes, forward, forth; *ei edes,* not even
ellen, ellet, ellei, etc., if not, unless
ensin, firstly
entinen entise- entisen entistä, former
entuudestaan, before, from before, previously
erehty- erehdyn erehtyi erehtyä, make a mistake, err
ero ero- eron eroa, parting, separation
etten, ettet, ettei, etc. (equivalent to *että en, että et, että ei,* etc.), that I do not, that thou dost not, etc.
eurooppalainen -laise- -laisen -laista, European

halu halu- halun halua, wish, desire
hattu hattu- hatun hattua, hat, bonnet
haukku- haukun haukkui haukkua, bark
heinä heinä- heinän heinää, hay; *heinäpelto* (see *pelto*), hayfield;
    heinäkuu (see *kuu*), July
hiljene- hiljenen hiljeni hiljetä, abate, subside
huoahta- huoahdan huoahti huoahtaa, sigh
huomautta- huomautan huomautti huomauttaa, point out, remark
hymy hymy- hymyn hymyä, smile.
hyttynen hyttyse- hyttysen hyttystä, gnat, mosquito
hyvästi, farewell; well
häntä häntä- hännän häntää, tail
häiritse- häiritsen häiritsi häiritä, disturb
ihan (or *ihka*), quite, entirely
ikä ikä- iän ikää, age, life
itsenäisyys itsenäisyyte- -syyden -syyttä, independence
jarru jarru- jarrun jarrua, brake
jolla, on (with) which (adessive of *joka*)
jne. (abbreviation for *ja niin edespäin* or *ja niin edelleen*),
    and so on, etc.
jokapäiväinen -ise- -isen -istä, every day, daily, common
junasilta (=*asemasilta*, see *silta*), platform
juokse- juoksen juoksi juosta, run
juttele- juttelen jutteli jutella, narrate, chat, talk
jäljellä, remaining, left, behind, yet to come
kadun (see *katu-*)
kaikkialla, everywhere
kaksitoista, twelve (see Lesson 13)
kalamies (see *mies*), angler
kallis kallii- kalliin kallista, dear, costly; precious
kas!, see!, look!
katu- kadun katui katua, regret
keko keko- keon kekoa (*mehiläiskeko*), beehive
kenttä kenttä- kentän kenttää, field
kerrassa, altogether, wholly, absolutely;   *ei kerrassaan*
    mitään, nothing at all
keskellä, between, among, amid
keskenään, between, among them
kesä kesä- kesän kesää, summer
kesämökki -mökki- -mökin -mökkiä, summer cottage
kiinnittä- kiinnitän kiinnitti kiinnittää, fasten, fix, mortgage

kirjoitta- kirjoitan kirjoitti kirjoittaa, write
kitise- kitisen kitisi kitistä, screech
kolmannes, third (see Lesson 13)
kone konee- koneen konetta, machine
kori kori- korin koria, basket; *korituoli*, wicker chair
korva korva- korvan korvaa, ear
koska, because, since; when
kova kova- kovan kovaa, hard, strong, severe, difficult, great
kultanen kultase- kultasen kultasta, dear, darling
kunnes, until
kutri kutri- kutrin kutria, curl, lock
kuumin kuumimpa- kuumimman kuumimpaa, hottest
kyyhkynen kyyhkyse- kyyhkysen kyyhkystä, pigeon
kyynel kyynele- kyynelen kyyneltä, tear
laiva laiva- laivan laivaa, ship
lakaise- lakaisen lakaisi lakaista, sweep
laske- lasken laski laskea, let down, let fall, let loose; go down,
    sink; count, calculate
lasku lasku- laskun laskua, reckoning, account, calculation,
    bill; *auringonlasku*, sunset
laulu laulu- laulun laulua, song
lehto lehto- lehdon lehtoa, grove
lento lento- lennon lentoa, flight, flying; *lentokone* (see *kone*),
    aeroplane
liha liha- lihan lihaa, meat, flesh
liikku- liikun liikkui liikkua, move, stir
lippu lippu- lipun lippua, strip, flag, ticket
lopulta (see *loppu*), finally (see Note 8a)
luistele- luistelen luisteli luistella, skate
lukeminen lukemise- lukemisen lukemista (see Note 13a), read-
    ing
luuta luuta- luudan luutaa, broom
mahdollinen -llise- -llisen -llista, possible
matikka matikka- matikan matikkaa, maths
matkustele- -stelen -steli -stella, travel (about)
mehiläinen -läise- -läisen -läistä, bee
menettä- menetän menetti menettää, lose
mielelläni, mielelläsi, etc., gladly
mieltä: minä olen sitä mieltä, että . . . I am of the opinion
    that . . .; *pojan mielestä*, in the boy's opinion
mielipide mielipitee- mielipiteen mielipidettä, opinion

milloinkaan: *en, et, ei* (etc.) *milloinkaan*, I, thou, he (etc.)
 never
mukava mukava- mukavan mukavaa, convenient, comfortable
muutta- muutan muutti muuttaa, move, alter
mökki mökki- mökin mökkiä, hut, cottage
nauru nauru- naurun naurua, laughter
niinpä = *niin*, so, thus
niitto niitto- niiton niittoa, mowing; *niittokone* (see *kone*),
 mowing-machine, mower
noin, about, such
nurkka nurkka- nurkan nurkkaa, corner
nähtävästi, apparently, obviously
näillä (adessive of *ne*)
näyttele- näyttelen näytteli näytellä, show, exhibit; act
oksa oksa- oksan oksaa, branch, twig
olennainen olennaise- olennaisen olennaista, essential
onki onke- ongen onkea, (fish)hook; fishing
opettaja opettaja- opettajan opettajaa, teacher
osa osa- osan osaa, part, lot, fortune
osoitta- osoitan osoitti osoittaa, show, point out, point at
paha paha- pahan pahaa, bad, wicked
pala pala- palan palaa, piece, lump
parinen parise- parisen parista, about two
perään, after, behind
piirtä- piirrän piirsi piirtää, draw
piirustus piirustukse- piirustuksen piirustusta, drawing
pilvi pilve- pilven pilveä, cloud; *menee pilveen*, it is getting
 cloudy
pois, away, out, off
poistu- poistun poistui poistua, go away
porsas porsaa- porsaan porsasta, piglet
purskahta- purskahdan purskahti purskahtaa, gush, burst
pääse- pääsen pääsi päästä, get, come, get out, get off, reach,
 (but note:) *päästä- päästän päästi päästää*, let (something)
 go, let slip, release
rako rako- raon rakoa, chink; *ovi on raollaan*, the door is
 ajar
rehellinen rehellise- rehellisen rehellistä, honest, upright
rehevä rehevä- rehevän rehevää, flourishing, luxuriant
ruoho ruoho- ruohon ruohoa, grass
ruoalla: *olen ruoalla*, I am at a meal

ruokahalu -halu- -halun -halua, appetite
ruskotta- ruskotan ruskotti ruskottaa, shine redly
saari saare- saaren saarta, island
sakset saksi- saksien saksia (used only in the plural), scissors
samalla (see *sama*), at the same time
samoile- samoilen samoili samoilla, stroll, ramble
seikka seikka- seikan seikkaa, fact, circumstance
seitsemäntoista (see Lesson 13), seventeen
selvästi, clearly, apparently, obviously
seuraava seuraava- seuraavan seuraavaa, following, next
siivota- siivoan siivosi siivota, tidy up, clean
sija sija- sijan sijaa, place, space, position, case (of a noun);
    sen sijaan, in its place, instead
sika sika- sian sikaa, pig
silloin, then, at that time
sivisty- sivistyn sivistyi sivistyä, get educated, become civilised
soma soma- soman somaa, pretty, neat
suinkaan : en suinkaan, et suinkaan, etc., not at all
surise- surisen surisi surista, buzz, hum
suu suu- suun suuta, mouth
suutele- suutelen suuteli suudella, kiss
säilyttä- säilytän säilytti säilyttää, preserve, keep, maintain
taivaanranta (see *ranta*), horizon
takaisin, back, backwards
talonpoika (see *poika*), peasant, farmer
tanssi- tanssin tanssi tanssia, dance
tapata- tapaan tapasi tavata, meet, find, see
tarina tarina- tarinan tarinaa, tale; *tarinahetki,* story-time
tarjoilija tarjoilija- tarjoilijan tarjoilijaa, waiter
tarjoilijatar tarjoilijattare- tarjoilijattaren tarjoilijatarta, waitress
tavata (see *tapata-*)
tavoittele- tavoittelen tavoitteli tavoitella, try to seize
tekohammas (see *hammas*), false tooth
tietysti, of course
todella, really (adessive of *tosi*) (*-kaan* because negative)
toivottavasti, it is to be hoped, I hope, etc.
tuhka tuhka- tuhan or *tuhkan tuhkaa,* ashes
tuossa, there
tuuli (additional to the meaning given in Lesson 1), humour,
    mood
tyhmä tyhmä- tyhmän tyhmää, stupid

tällöin, now ;. *silloin tällöin*, now and then
tämä, the latter
ulkomaa (see *maa*), foreign parts; *ulkomailla*, abroad
vaihta- vaihdan vaihtoi vaihtaa, change, exchange
vapaa vapaa- vapaan vapaata, free
vapaus vapaute- vapauden vapautta, freedom
vauhti vauhti- vauhdin vauhtia, speed, pace
vaunu vaunu- vaunun vaunua, carriage
veto veto- vedon vetoa, pull, draught
vetovoima (see *voima*), attraction
viheltä- vihellän vihelsi viheltää, whistle
viikate viikattee- viikatteen viikatetta, scythe
viimeinen viimeise- viimeisen viimeistä, last
virvoitta- virvoitan virvoitti virvoittaa, refresh
vitsa vitsa- vitsan vitsaa, brushwood, birch, stick
välkky- välkyn välkkyi välkkyä, glimmer, gleam, glisten
värisyttä- värisytän värisytti värisyttää, make (something)
    shake; *minua värisyttää*, makes me shudder, i.e. I
    shudder at . . .
yhteys yhteyte- yhteyden yhteyttä, unity, connection, association;
    ei mitään yhteyttä, nothing (in) common
yhtään : ei yhtään, not one, not at all
ympäri, round, about
äskeinen äskeise- äskeisen äskeistä, recent, former, lately
    happened, etc.
ääneen (illative of *ääni*), aloud
ääreen (illative of *ääri*), close up to

EXERCISE

1. Lintu istuu oksalla. 2. Mies löi hevosta vitsalla.
3. Pojalla on hevonen. 4. Hevosella on pitkä häntä ja
harja. 5. Kissalla on hyvin hyvät silmät. 6. Kalamies on
järvellä. 7. Kyyhkynen istuu katolla. 8. Koira haukkuu
pihalla. 9. Paras oli vielä jäljellä. Myöhäistunneilla
alkoi tarinahetki. 10. He syövät halvalla. 11. Itse hän
ei puhunut aikaisemmasta elämästään milloinkaan. 12.
Matkalla he eivät vaihtaneet montakaan sanaa. 13.
Olette erehtynyt. 14. Lähdimme junalla kaupunkiin.
15. Junamme saapui kaupunkiin aamulla. 16. Kun
astuimme lentokoneesta, hämmästytti meitä ensin hil-

jaisuus, joka vallitsi kentällä. 17. Seinällä oli kaunis kello.
18. Oli heinäkuu, yöt kuumimmillaan. 19. He juoksevat
kadulla. 20. Hänellä oli hyvin kaunis rouva.

READING

Äiti

Mikko istui Helsingin-junassa.
Aamulla hän oli noussut varhain ja mennyt ulos. Täti
söi aamiaisensa aina huoneessaan, ja niinpä Mikko samoili
hiekkapoluilla. Talon ympärillä oli paljon isoja ja pieniä
puita, jotka heittivät vielä pitkiä varjoja, mutta viikatteet
välkkyivät jo rantaniityillä, niittokoneet surisivat heinä-
pelloilla ja autoja liikkui tiellä. Kun hän oli vihdoin
palannut, aurinko oli jo korkealla taivaalla.
Täti oli ollut puheliaalla tuulella ja hän oli jutellut
entisestä elämästään. Hän oli matkustellut paljon ulko-
mailla. Mikko oli kuunnellut vain puolella korvalla,
hajamielisesti. Hän oli ollut omissa ajatuksissaan. Hän
toivoi vain, ettei täti ollut huomannut mitään. Vihdoinkin
oli tullut eron hetki ja Mikko oli sanonut hyvästi. Ja
nyt hän oli matkalla Helsinkiin, missä äiti odotti häntä.
Isä oli näet matkoilla, sen Mikko tiesi, koska hän oli soittanut
jo aamulla.
Juna vihelsi ja jarrut kitisivät. Vauhti hiljeni hiukan.
Mikko oli ostanut toisen luokan lipun, vaikka kolman-
nessakin pääsi itse asiassa aivan yhtä hyvin Helsinkiin.
Mutta kolmannessa luokassa oli aina puheliaita ihmisiä
eikä hän todellakaan ollut puhetuulella.
Junasillalla hän oli auttanut erästä vanhaa herraa,
jolla oli musta hattu päässä. Tuuli oli puhaltanut hatun
hänen päästään. Mikko oli juossut hatun perään ja
tuonut sen takaisin. »Kiitos, kiitos», mies oli sanonut,
»en mielelläni juokse, minulla kun on heikko sydän».
Mikko oli nostanut lakkiaan ja lähtenyt pois.
Juna vihelsi taas. Vaunussa oli kuuma ja Mikon oli
jano. Hän nousi ja meni ravintolavaunuun. Tietysti
ravintolavaunukin oli kuuma eikä siellä ollut nähtävästi
yhtään (Note 5e) vapaata paikkaa. Mutta tarjoilijatar
osoitti paikan nurkkapöydässä, jossa jo entuudestaan istui
äskeinen vanha mies.

D

»Toivottavasti en häiritse» sanoi Mikko.

»Ette suinkaan, kyllä tässä on tilaa. Ja minä poistunkin jo seuraavalla asemalla.»

Mikko samassa jo melkein katui, että oli tullut ravintolavaunuun. Hän ei tosiaankaan ollut puhetuulella. Mutta hänen uusi matkatoverinsa jutteli hänenkin puolestaan, kunnes vihdoin todella poistui.

. . . .

Oli ilta. Äiti istui puutarhassa. Mikko oli ollut kotona selvästi pahalla tuulella ja oli kertonut kirjeestä. Tytöt eivät olleet näytelleet Mikon elämässä mitään olennaista osaa, ja nyt pojan mielestä ei työllä ollut enää vetovoimaa. Lukemisen ilo oli hävinnyt kuin tuhka tuuleen.

Äiti huoahti. Päivän työt olivat päättyneet ja nyt hän istui mukavassa korituolissaan. Mikko oli ostanut sen omilla rahoillaan.

Illallisen jälkeen äiti oli mennyt pikkutytön huoneeseen ja kahdeksanvuotias Ella oli pian vuoteessa.

»Ja nyt», Ella oli sanonut, »minä luen ääneen, mitä olen kirjoittanut: Koiralla on lihapala suussa. Se ui puron poikki. Purossa se näkee lihapalan kuvan. Kas tuossa on lihaa, sen minä otan ja syön. Se tavoittelee kuvaa, mutta samassa se pudottaa lihapalan, ja virta vie sen pois».

»Kuinka hyvin luetkaan, kultaseni!»

»Mutta, äiti, kyllä meidän uusi opettajamme on sitten eri tyhmä. Hän ei ole koskaan nähnyt edes hevosta.»

»Miten niin?»

»No, kun minä piirsin piirustustunnilla hevosen ja näytin sitä, niin hän kysyi, mikä se on. Ja opettajamme on eri tyhmä, kun antaa sata laskua.»

Äiti oli hymyillyt: »Olikohan niitä aivan sataa?»

»Ellei niitä ollut ihan sataa, niin ainakin kaksitoista.»

Sitten äiti oli suudellut pikkutyttöä ja toivottanut hyvää yötä.

Arkihuoneessa Yrjö ja seitsemäntoistavuotias Kaarina olivat vielä puhuneet kirjeestä ja Mikosta.

»Minä en tiedä, mitä kaunista Mikko näkee tuossa tytössä,» Yrjö oli sanonut.

Kaarina oli eri mieltä: »Hänellä on vaaleat kutrit ja kauniit hampaat . . .»

»Hänellä on monta tekohammasta ja . . .»
»Miten sinä sen tiedät?»
». . . ja puhuu aina kovalla äänellä . . .»
»Lapset, lapset» oli äiti keskeyttänyt. Hänellä oli
oma mielipiteensä lapsista, jotka puhuvat kovalla äänellä,
mutta hän oli vain huomauttanut: »Minun mielestäni hän
on hyvin kaunis . . . hänellä on somat kasvot: pieni
suu, siniset silmät, jne. Hän on aina ollut hauska tyttö ja
hän elää kättensä työllä . . . vaikkei näillä kahdella
seikalla, sillä, että hän on kaunis, ja sillä, että hän on
hauska, ole mitään yhteyttä keskenään, ei kerrassaan
mitään.»

Yrjö oli tuijottanut äitiin, suu hiukan raollaan, hymy
kasvoillaan, sitten hän oli purskahtanut nauruun: »Mutta
äiti, et sinä koskaan ole puhunut tuolla tavalla Eevasta.»
Ja se oli ollut totta.

Mikko oli tavannut Eevan laivamatkalla ja myöhemmin
Helsingissä silloin tällöin ensi-illoissa ja joskus kadulla,
ja lopulta tyttö oli ollut heillä melkein jokapäiväinen vieras.
Kuinka usein hän olikaan yhdessä Mikon ja tämän sisaruk-
sien kanssa soudellut Hiekkaharjulla ennen talven tuloa
tai luistellut, kun järvi oli jäässä! Ja keskellä järveä oli
pieni saari. Siellä kasvoi kesällä rehevää ruohoa, ja
heillä oli siellä kesämökki.

Mutta nyt Mikolla ei ollut ruokahalua, Mikolla, joka
oli aina syönyt hyvällä ruokahalulla. Hän oli taas maalla,
Hiekkaharjulla. Hän oli sanonut, että hän lähtee heti
Lontooseen, mutta äiti oli sanonut:

»Suomen talonpojat ovat aina säilyttäneet vapautensa,
ja Eeva on talonpojan tytär. Vapaus ja itsenäisyys ovat
kalliita. Viisainta on, ettet mene Lontooseen . . . Ehkä
Eeva muuttaa mielensä . . .»

Aurinko laski taivaanrannalla. Pilvet ruskottivat. Hyt-
tyset tanssivat ilmassa, linnut lauloivat lehdossa viimeisiä
laulujaan, mehiläiset palasivat kekoihinsa ja viileä tuuli
puhalteli. Häntä värisytti. Äiti huoahti ja meni sitten
hitaasti huoneeseensa.

LESSON EIGHT

GRAMMATICAL NOTES

(*a*) The ABLATIVE CASE has the ending *-lta -ltä*. It expresses:

(i) ' From ' a surface or vicinity: *Lintu lensi katolta*— The bird flew off the roof. ' From ' a person: *Sain kirjeen häneltä*—I had a letter from her. ' From ' a person's house: *He tulivat meiltä*—They were coming from our house. And, less easy to classify, such adverbial expressions as *sattumalta*, by chance.

(ii) ' From ', or ' beginning at ', a time (often simply ' at ' in English): *Kirje kesäkuun toiselta päivältä*, the letter of the 2nd of June; *ensi näkemältä*, at (from) the first sight; *Sammutin valon jo neljältä*, I turned off the light as early as four (at four) (i.e. it was off from four); *ennakolta*, in advance.

(iii) ' After ' in the type: *päivä päivältä*, day after day; *vuosi vuodelta*, year after year.

(iv) ' On ' with verbs of seeking, finding, etc.: *Löysin sormuksen lattialta*—I found the ring on the floor. *Etsin kirjettä kaikkialta*—I looked everywhere for the letter.

(v) A ' loss ': *Häneltä kuoli äiti*—Her mother died.

(vi) Hidden ' from ', forbidden ' to ', lacking ' in ' a person: *Ei Jumala kiellä lapsiltansa iloa*—God does not forbid joy to his children. *Minulta puuttuu jotakin*—Something is lacking in me.

(vii) An ' aspect ' or ' respect ' or an ' impression ': *Hän on ammatiltaan räätäli*—He is a tailor by trade. *Omena maistuu makealta*—The apple tastes sweet. *Kutsun häntä nimeltä*—I call him by name (cf. Note 10*e* iv).

(viii) The unit ' for ' which payment is given, etc.: *Hän saa sataa puntaa kuukaudelta*—He gets £100 a month. *Se maksaa sataa markkaa litralta*—That costs 100 marks a litre.

(ix) The cause ' of ' a hindrance: *En voinut nukkua koiran haukunnalta*—I could not sleep for the barking of the dog.

(*b*) The IMPERATIVE (command form) is made up as follows in the affirmative:

(i) The 2nd person singular has the stem as in the negative indicative (Note 5*b*); the aspiration is represented by a *k* in some dialects, and before a consonant it causes a strengthening of the consonant, so that *Tule tänne!* (Come here) sounds as though it were written *tulettänne*.

(ii) The aspiration is represented in other parts of the imperative by a *-k-*,

(iii) and it is followed by a long vowel (*-aa- -ää-* in the 1st and 2nd persons plural and *-oo- -öö-* in the 3rd person singular and plural) and the personal endings: *-mme* for the 1st person plural, *-tte* (usually omitted) for the 2nd person plural; and for the 3rd person *-n* in the singular and *-t* in the plural.

(iv) Thus stems ending in a long vowel, diphthong or a short vowel other than as in the following sections form the imperative on the model (*syö-*, eat) *syö*, 'eat (thou)', *syököön*, let him (her) eat; *syököämme*, let us eat; *syököä*, eat; *syökööt*, let them eat, they are to eat. And with a stem which softens: (*otta-*, take): *ota, ottakoon, ottakaamme, ottakaa, ottakoot.*

(v) 1. Stems ending in *-e-* elide this before the *-k-*: *mene, menköön, menkäämme, menkää, menkööt; ole, olkoon, olkaamme, olkaa, olkoot* (N.B. *Olkaa hyvä!* Please).

2. But stems with *-ne-* as the third syllable substitute *t* for *n* before the *k*: *pakene-*, flee, has *pakene, paetkoon, paetkaamme, paetkaa, paetkoot.* The reason is that the ending was earlier *-nte-*, and in the 2nd person singular the *t* has been elided by the aspiration closing the syllable, while in the other parts the *n* has dropped out of the cluster *ntk.*

3. Stems left with *ks* elide the *k*, and those left with *ts* elide the *s* before the *k*: *juokse-*, run, has *juokse, juoskoon, juoskaamme, juoskaa, juoskoot,* and *valitse-*, choose, has *valitse, valitkoon, valitkaamme, valitkaa, valitkoot.*

4. The two stems *teke-*, make, do, and *näke-*, see, have *tee, tehköön, tehkäämme, tehkää, tehkööt,* and *näe, nähköön, nähkäämme, nähkää, nähkööt.*

(vi) The amalgamating stems behave similarly, dropping the final vowel before the *-k-*, and eliding the *t* before the aspiration: *lupata-*, promise, has *lupaa, luvatkoon, luvat-kaamme, luvatkaa, luvatkoot* (notice the softened *p*).

(vii) In familiar speech, an -*s* is often attached to the 2nd person singular and plural of the imperative, sometimes preceded by -*pa- -pä-*; it somewhat softens the abruptness of the command: *Odottakaa(pa)s hetkinen!* (see Note *d* below)—Wait a moment. Just wait a moment, will you?

(viii) Naturally, many common expressions are imperatives in form or meaning, such as *Kas!* or *Kas vain!*—Just look! *Auttakaa!*—Help! *Varokaa junaa!*—Beware of the train (see Note 3*b* xvi). *Varokaa koiraa!*—Beware of the dog! *Seis!*—Stop! *Huomio!*—Notice! *(Olkaa) vaiti!*—(Be) quiet!

(*c*) The NEGATIVE IMPERATIVE uses in its construction the imperative of the verb of negation, the stem of the operative verb and a suffix.

(i) The imperative of the verb of negation is formed from a stem *älä-* on the same lines as the verbs dealt with above: *älä*, do not . . .; *älköön*, he, she, it is not to . . .; *älkäämme*, let us not . . .; *älkää*, do not . . .; *älkööt*, they are not to . . .

(ii) The 'optative' form for the 2nd person singular is *ällös*, do not . . . It is found in poetic and archaic language.

(iii) The stem of the operative verb is used (1) for the 2nd person singular closed by an aspiration, which entails the customary softening of consonants, and (2) for the other persons of the imperative in a form constructed by adding to it the suffix -*ko -kö*, which, of course, does not involve softening of consonants in the stem. But the -*k*- of this suffix, like that of the imperative, involves the dropping of the final -*e*- in stems ending in -*se-*, -*le-*, -*ne-* or -*re-* and the final -*a-* -*ä*- of the amalgamating stems: *älköön menkö*, she is not to go, let her not go, etc.; *älkäämme pelätkö*, let us not fear.

(iv) The imperative of the verb of negation is also used occasionally without the stem of the operative verb in much the same way as the English 'don't' for 'don't go' and so on: *Älä nyt sellaista vauhtia!*—Not so fast, now (literally 'Don't (go) at such a speed, now).

(v) To give the full formation we have, taking *anta-*,

give, as an example: *älä anna*, do not give; *älköön antako*,
let him not give, etc.; *älkäämme antako*, let us not give;
älkää antako, do not give; *älkööt antako*, let them not give,
etc.

(vi) The imperative of the verb of negation is, in some
dialects *elä*, *elköön*, etc., and its relation to the indicative
of the verb of negation is then more apparent.

(*d*) The ' TOTAL ' OBJECT of a positive imperative in the
1st or 2nd person is put in the suffixless (short) accusative
case: *Tuo kirja taloon!*—Bring the book into the house.
Lähettäkäämme poika kouluun—Let us send the boy to school.
But: *Hän tuokoon kirjan taloon*—She is to bring the book
into the house.

(*e*) An EXCLAMATION MARK is usually put after a real
imperative in writing, unless another clause follows the one
containing the imperative.

(*f*) The POPULAR FORM of the imperative in the 1st person
plural positive, replacing this for all but formal circum-
stances, is the present passive (see Note 18 g ii).

(*g*) THE INTERROGATIVE PRONOUNS are *kuka* (with the
stem *ku-*), who?; *ken* (the nominative is archaic, but other
cases are current and are based on the stem *kene-*); *mikä*,
what? (with the stem *mi-*), and *kumpi* (stem *kumpa-*) or
kumpainen (stem *kumpaise-*), which (of two)?

(i) The two words for ' who? ' supplement each other
in modern Finnish: *kuka* is used only in the nominative
singular and the nominative and accusative plural, which
are no longer used in the case of *kene-* (but *kenties*, who knows,
perhaps); the plural stem of the latter is *kei-*.

(ii) The syllable *-ka -kä* is suffixed only where the pro-
noun would otherwise be one-syllabled.

(iii) The external cases of *kene-* have colloquially an
alternative shorter form which elides the syllable *-ne-*, leaving
keltä, *kellä*, *kelle*, *kestä* and *kehen*.

(iv) The plural of *mikä* is, with the exception of the
nominative and accusative, *mitkä*, identical in form with
the singular.

(v) The stem *kumpa-* is declined regularly like a comparative, and the stem *kumpaise-*, like any other word with the ending *-ise- -inen*.

(vi) The word *mikä* is also used as an interrogative adjective: *Mikä mies hän on?*—What, which man is he?

(vii) *Millainen* or *minkälainen*: *Millainen mies hän on?*—What sort of man is he?

(viii) The following will make these points clearer:

	singular		plural			singular
nom.	*kuka*	*mikä*	*kutka*	*mitkä*	*kumpi*	*kumpainen*
acc.	*kenet*	*minkä*	*kutka*	*mitkä*	*kumman*	*kumpaisen*
gen.	*kenen*	*minkä*	*keiden* / *keitten*	*minkä*	*kumman*	*kumpaisen*
part.	*ketä*	*mitä*	*keitä*	*mitä*	*kumpaa*	*kumpaista*
iness.	*kenessä*	*missä*	*keissä*	*missä*	*kummassa*	*kumpaisessa*
elat.	*kenestä*	*mistä*	*keistä*	*mistä*	*kummasta*	*kumpaisesta*
illat.	*keneen*	*mihin*	*keihin*	*mihin*	*kumpaan*	*kumpaiseen*
adess.	*ke(ne)llä*	*millä*	*keillä*	*millä*	*kummalla*	*kumpaisella*
ablat.	*ke(ne)ltä*	*miltä*	*keiltä*	*miltä*	*kummalta*	*kumpaiselta*
allat.	*ke(ne)lle*	*mille*	*keille*	*mille*	*kummalle*	*kumpaiselle*

(ix) Some of these provide adverbs, e.g. *missä*, where; *mistä*, whence; *mihin*, whither; *tuolta*, from there.

(x) When the interrogative pronouns are used in negative answers to questions, the suffix *-kaan -kään* or *-an -än* is added, subject to the following restrictions: *-ka- -kä-* is omitted where it already forms part of the pronoun; in any case of *mikä* ending in *-ä*; and after the forms *kellä, keltä*: *ei missään*, nowhere; *ei kukaan*, no one; *ei mihinkään*, (to) nowhere.

(*h*) The RELATIVE PRONOUNS are *joka*, who, which, and *mikä*, what, which.

(i) The latter is declined as shown above (Note 8*g* viii), and *joka* as follows from the stem *jo-* (in the plural *joi-*), with *-ka* added where the pronoun would otherwise be one-syllabled. Nominative *joka* (*jotka*) accusative *jonka* (*jotka*), genitive *jonka* (*joiden* or *joitten*), partitive *jota* (*joita*), inessive *jossa* (*joissa*), illative *johon* (*joihin*), adessive *jolla* (*joilla*), etc.

(ii) The relative pronoun is never omitted as it is in English in, for instance, 'The man I saw is a foreigner'.

It agrees with its antecedent in number, but takes case-endings according to the sense: *Kirjeet, joista kerroin, ovat pöydällä*—The letters I was talking about (about which I was talking) are on the table.

(iii) When the relative pronoun is the subject of its clause, it agrees as to person with its antecedent: *Sinä joka matkustat kotiin jouluksi . . .*—You who are travelling home for Christmas.

(iv) *Mikä* is used instead for things, and *kuka, kene-* and the other interrogative pronouns (Note 8g) for persons when the antecedent is not named; and also when the relative clause precedes the main clause: *Minkä sanoin, on totta*— What I said is the truth. *Kirjoittakaa kenelle tahdotte*— Write to whom you wish.

(v) As an antecedent to a relative pronoun, *se* and *ne* are used instead of *hän* and *he* : *Etkö halua nähdä niitä, jotka ovat tulleet?*—Don't you want to see those (people) who have come?

(*i*) The REFLEXIVE PRONOUN is *itse*, self, oneself, myself, himself, herself, etc. It is used with the personal suffixes except in the nominative, and is the same in the plural as the singular; and the personal suffix follows the case-ending.

It is used as follows:

1. As a true reflexive, where the action carried out by the subject affects the same subject directly or indirectly: *Poika osti itselleen paperia*—The boy bought himself (for himself) some paper. *Tunne itsesi!*—Know thyself. *Hän puhui aina itsestään*—He was always talking about himself.

2. For emphasis: it can precede the word it emphasises and remain undeclined, or follow it and take the same case-ending and the appropriate personal suffix: *Hän on itse hyvyys*—She is goodness itself. *Tämän olen itse tehnyt*—I did this myself, *Minä näin kuninkaan itsensä*—I saw the king himself. *Saanko puhutella johtajaa itseään?*—May I speak to the manager himself?

Where the possessive form is called for, Finnish uses a different word, as English does: *oma*, own. *Poika osti paperia omalla rahallaan*—The boy bought some paper with his own money.

It should be noted that the use of *itse* for a true reflexive object is more commonly replaced by reflexive verbs, that is, verbs which have a syllable *-u- -y-* or *-utu- -yty-*, etc. inserted after the stem and before the tense-sign and personal endings. These are dealt with in Note 20*f* C 2.

In the following tabular exposition its form will be clearer:

	minä	*sinä*	*hän*	*me*	*te*	*he*
nom.	*itse*	*itse*	*itse*	*itse*	*itse*	*itse*
part.	*itseäni*	*itseäsi*	*itseään*	*itseämme*	*itseänne*	*itseään*
			itseänsä			*itseänsa*
adess.	*itselläni*	*itselläsi*	*itsellään*	*itsellämme*	*itsellänne*	*itsellään*
			itsellänsä			*itsellänsä,* etc.

(*j*) The RECIPROCAL PRONOUN is *toinen*, the other, the second, with the stem *toise-*. It can be used in the following ways:

A. repeated, with the first *toinen* in the nominative and the second having the appropriate case-ending and personal suffix: *Rakastakaa toinen toistanne!*—Love one another. Or—

B. Once only, but in the plural in the appropriate case and having the personal ending: *Rakastakaa toisianne!*—Love one another!

This word *toinen* is also used instead of repeating a noun in such expressions as the following: *Hän kulki pitäjästä toiseen*—He walked from parish to parish, from one parish to another.

It also serves as a pronoun ' the one, the other ' in cases where there is no reciprocal action, as in: *Toinen on ranskalainen, toinen saksalainen*—(The) one is French, the other German.

VOCABULARY

ahdas ahtaa- ahtaan ahdasta, narrow, tight
ahven ahvene- ahvenen ahventa, perch (the fish)
aja- ajan ajoi ajaa, drive, ride
aloitta- aloitan aloitti aloittaa, begin (something)
apu apu- avun apua, help, aid
astia astia- astian astiaa, vessel, dish

avuton avuttoma- avottoman avutonta, helpless
ennenkuin, before
esiliina esiliina- esiliinan esiliinaa, apron
etsi- etsin etsi etsiä, seek
filosofia -fia- -fian -fiaa, philosophy
hankki- hankin hankki hankkia, procure, furnish
hanuri hanuri- hanurin hanuria, accordeon
haukunta haukunta- haukunnan haukuntaa, barking
hoita- hoidan hoiti hoitaa, look after, tend
hoitaja hoitaja- hoitajan hoitajaa, tender, attendant, etc.
hoitajatar hoitajattare- hoitajattaren hoitajatarta, nurse
hyvänen aika! good gracious!
hälinä hälinä- hälinän hälinää, noise, bustle
hääri- häärin hääri hääriä, be busy with
ikkunanluukku -luukku- -luukun -luukkua, shutter
iloinen iloise- iloisen iloista, joyful, cheerful, glad
iltapäivä (see *päivä*), afternoon
istahta- istahdan istahti istahtaa, perch, sit down
jalava jalava- jalavan jalavaa, elm
johdatta- johdatan johdatti johdattaa, lead, conduct
jompikumpi (jompa-kumpa-) jommankumman jompaakumpaa, one (of two), either
jäsen jäsene- jäsenen jäsentä, member, limb, joint
kahviastiat (see *astia*), the coffee-things
kaksonen kaksose- kaksosen kaksosta, twin
kalasta- kalastan kalasti kalastaa, fish
kalise- kalisen kalisi kalista, clatter, rattle
kalpea kalpea- kalpean kalpeaa or *kalpeata,* pale
kanta- kannan kantoi kantaa, carry
kauppakoulu (see *koulu*), commercial school
keittiö keittiö- keittiön keittiötä, kitchen
keräyty- keräydyn keräytyi keräytyä, gather, assemble
kesäkuu (see *kuu*), June
kohtaan, towards
kokoontu- kokoonnun kokoontui kokoontua, meet, assemble
konekirjoitus (see *kirjoitus*), typing
korja(t)a- korjaan korjasi korjata, mend, correct
koska, because, when
kuitenkaan, yet, nevertheless
kuiva(t)a- kuivaan kuivasi kuivata, dry, wipe
kukin (ku-kin) kunkin kutakin, each, every one

kumpainen kumpaise- kumpaisen kumpaista, which (of two)
kumpi, which (of two) ; *kumpikin*, either, both (see Note 8*g*)
kurssi kurssi- kurssin kurssia, course
kutsu- kutsun kutsui kutsua, call, name, invite
kuule- kuulen kuuli kuulla, hear
kuulosta- -stan -sti -staa, sound
kuumuus kuumuute- kuumuuden kuumuutta, heat
kyky kyky- kyvyn kykyä, ability
kylpe- kylven kylpi kylpeä, bathe, have a bath
kärsi- kärsin kärsi kärsiä, suffer, sustain
kärsivällinen -llise- -llisen -llistä, patient
kärsivällisyys -syyte- -syyden -syyttä, patience, forbearance
lahjakas lahjakkaa- lahjakkaan lahjakasta, gifted, talented
lakkata- lakkaan lakkasi lakata, cease
lastenhoitajatar (see *hoitajatar*), nanny
lastenkutsut (see *kutsut*), children's party
lehmus lehmukse- lehmuksen lehmusta, lime-tree
leivänmuru (see *muru*), crumb
liina liina- liinan liinaa, linen, kerchief
lohdutta- lohdutan lohdutti lohduttaa, comfort, console
lohdutus lohdutukse- lohdutuksen lohdutusta, comfort, consolation
lopetta- lopetan lopetti lopettaa, finish, end, conclude
luo, to
luonne luontee- luonteen luonnetta, nature, character
luule- luulen luuli luulla, think, consider, believe, suppose
lähetystö -stö- -stön -stöä, mission, legation, embassy
lähettä- lähetän lähetti lähettää, send
lähtö lähtö- lähdön lähtöä, departure, start, origin
läpimärkä (see *märkä*), wet through
lörpöttele- lörpöttelen lörpötteli lörpötellä, chatter
maistu- maistun maistui maistua, taste
maksa- maksan maksoi maksaa, pay, cost
masto masto- maston mastoa, mast
merkki merkki- merkin merkkiä, mark, token, sign
milloin, when; *milloin . . ., milloin . . .*, now . . ., now
    . . ., sometimes . . ., sometimes . . .
minä: also ' ego '
muisto muisto- muiston muistoa, memory, remembrance
muru muru- murun murua, crumb
mustatukkainen -tukkaise- -tukkaisen -tukkaista, black-haired
muutto muutto- muuton muuttoa, move, change, removal

märkä märkä- märän märkää, wet
nenä nenä- nenän nenää, nose; tip
neuvo neuvo- neuvon neuvoa, advice
niemi nieme- niemen nientä or *niemeä*, cape, promontory
numero numero- numeron numeroa, number, figure
näöltä (see *näkö*), by sight, from the appearance
olo olo- olon oloa, being, existence, sojourn
onnellinen -llise- -llisen -llista, happy, fortunate
onneton onnettoma- onnettoman onnetonta, unhappy, unfortunate
outo outo- oudon outoa, strange, odd
painos painokse- painoksen painosta, edition
paiskata- paiskaan paiskasi paiskata, slam
palvele- palvelen palveli palvella, serve
palvelija palvelija- palvelijan palvelijaa, servant
parku parku- parun parkua, screaming
pastori pastori- pastorin pastoria, pastor
pikakirjoitus (see *kirjoitus*), stenography
pikkuleipä (see *leipä*), little cake, bun
poikanen poikase- poikasen poikasta, young
poikkeus poikkeukse- poikkeuksen poikkeusta, exception, de-
    viation; *poikkeuksellinen -ise- -isen -ista*, exceptional
poski poske- posken poskea, cheek; *-poskinen*, -cheeked
pure- puren puri purra, bite
puuttu- puutun puuttui puuttua, be missing, lacking
pyhä pyhä- pyhän pyhää, holy
pyydystä- -stän -sti -stää, catch, hook
pyyheliina (see *liina*), towel (*pyyhinliina* is also used)
päässä (see *pää*) : *vähän matkan päässä*, at a little distance
päällys päällykse- päällyksen päällystä, covering, coat
päällystakki (see *takki*), overcoat
päältä, from above, from the top, from the head; *yltä
    päältä*, from top to toe
raja raja- rajan rajaa, edge, limit
rinta rinta- rinnan rintaa, breast, chest; . . . *n rinnalla*,
    beside, abreast of . . .
ristinmerkki (see *merkki*), sign of the cross
ruohikko ruohikko- ruohikon ruohikkoa, lawn, grass
räätäli räätäli- räätälin räätäliä, tailor
sammutta- sammutan sammutti sammuttaa, put out, extinguish,
    quench
sittenkin, since, still, nevertheless

siunata- siunaan siunasi siunata, bless; give blessing to (acc.), be thankful to (partit.)

sokkonen: (used in the plural): *olen sokkosilla*, I am playing blind man's buff

solakka solakka- solakan solakkaa, slender

sopiva sopiva- sopivan sopivaa, suitable, apt, fitted

souta- soudan souti soutaa, row

suku suku- suvun sukua, family, genus, species; gender

sukulainen sukulaise- sukulaisen sukulaista, relative

suojele- suojelen suojeli suojella, protect

suomentaja suomentaja- suomentajan suomentajaa, translator into Finnish

suru suru- surun surua, sorrow

surullinen surullise- surullisen surullista, sad

suvu- (see *suku*)

syksy syksy- syksyn syksyä, autumn

syli syli- sylin syliä, arms, bosom, lap

synnyinmaa (see *maa*), native country

syöttä- syötän syötti syöttää, feed

sänky sänky- sängyn sänkyä, bed, bedstead

sävel sävele- sävelen säveltä, tone, tune

tahansa, any, every, -soever; *kuka tahansa*, anyone; *miten tahansa*, in any way; *missä tahansa*, anywhere, wheresoever

taito taito- taidon taitoa, skill, faculty

tavalla (adessive of *tapa*): *jollakin tavalla*, in some way, in a way

tavoin (equivalent to *tavalla*): *tällä tavoin*, in this way; *tuolla tavoin*, in that way, like that

tiede tietee- tieteen tiedettä, science

tietenkin, *tietenkään*, certainly, surely, naturally (the form in *-kin* is used in positive sentences and the one in *-kään* in negative sentences)

tikapuut (see *puu*), ladder, stepladder

todellisesti, really, in fact

toki, for all that, by all means

tuhlata- tuhlaan tuhlasi tuhlata, waste

tuoksu- tuoksun tuoksui tuoksua, smell (of something)

tuonne, thither, to that place

tyypillinen tyypillise- tyypillisen tyypillistä, typical

tällä tavoin (see *tavoin*)

ujo ujo- ujon ujoa, shy, bashful

ulkonäkö (see *näkö*), appearance
upseeri upseeri- upseerin upseeria, officer
useimmin or *useimmiten*, oftenest, mostly
vaatekomero -komero- -komeron -komeroa, cloakroom
varjele- varjelen varjeli varjella, protect
varovasti, cautiously
varrella (see *varsi*)
varsi varte- varren vartta, handle, shank, trunk; *-n varrella*,
     beside, along the edge of
vasten, towards, against
viime, last, latest
vika vika- vian vikaa, fault, defect
vuosisata (see *sata*), century
yhä, still, more, further
ylle, on to, on, over
yltä, from above (see *päältä*)
yritteliäisyys -syyte- -syyden -syyttä, enterprise
äänekäs äänekkää- äänekkään äänekästä, noisy, vociferous

EXERCISE

1. Nouse ylös sängystä.   2. Tuntuuko täällä viileältä?
3. Isot ahvenet maistuvat kaikkein parhaimmilta.   4. Katso
tuota hevosta!   5. Älä tuhlaa aikaasi!   6. Tuolta näkyvät
asuntojen katot.   7. Hän sai naapurilta kaksi lehteä.
8. Anna nyt jokin neuvo.   9. Kukin menköön kotiansa.
10. Minä pyydän isältäni vähän rahaa.   11. Istukaamme.
12. Istukoot ne, jotka tahtovat.   13. Souda tuonne niemen
nenään, siinä on hyvä kalapaikka.   14. Hän tuli seitse-
mältä.   15. Palatkaamme ravintolaan.   16. Paljonko se
maksaa metriltä?   17. Olkoon asian laita miten tahansa,
. . .   18. Älä naura!   19. Älkää te vain uskoko noita
tämän kaupungin lehtiä.   20. Eri kielet ovat rakenteel-
tansa ja hengeltänsä erilaisia.   21. Päivä tuntui pitkältä.
22. Moni henkilö on kysynyt meiltä, tunnemmeko hänet.
23. Hän palaa pitkältä maaseutumatkalta.   24. Hän oli
heitä iholtaan valkoisempi.   25. Olette siis ihan sitä mieltä?
26. Hän oli näyttänyt kalpealta ja surulliselta.   27. Kir-
jeitä on saapunut sekä Helsingistä että muualta Suomesta.
28. Huone tuntui miehestä ahtaalta.   29. Minä olen ainoa
kolmesta sisaruksesta, joka en saanut mitään.

READING

Eeva

Kensingtonissa oli muuan kapea, hiljainen katu, nimeltä Dawkins Street, ja tämän kadun varrella oli vanha kivitalo, jonka ovi ja ikkunanluukut olivat siniset väriltään. Talon takana oli vielä hiljaisempi puutarha.

Talossa, Eevan työpaikassa, oli lastenkutsut. Eeva oli solakka ja vaaleatukkainen, ja hänen ympärillään hääri vaaleatukkaisia suomalaisia lapsia, jotka olivat sinne tulleet Lontoon kaikilta kolkilta. Toiset hän tunsi, toisia hän ei ollut ennen nähnyt. Naurun hälinä kasvoi hetki hetkeltä, vaikka pieniä vieraita oli vain noin kuusitoista. Kaikki olivat iloisia, kaikki rakastivat häntä: hän hymyili aina ja lohdutti kaikkia, jotka tarvitsivat lohdutusta.

Talo oli herra Lehtosen, ja hänen vaimonsa Hanna oli Eevan sukulainen. Kun Eevan vanhemmat olivat kuolleet, Lehtoset olivat tarvinneet lastenhoitajatarta, ja niin Eeva oli tullut heidän luoksensa. Herra Lehtonen oli toimessa Suomen lähetystössä.

Mutta nyt oli puhe lastenkutsuista. Eevaa auttoi työssä nuori suomalainen lastenhoitajatar nimeltä Aira. Kun äidit saapuivat, Aira sanoi:»Olkaa hyvä, jättäkää päällystakkinne vaatekomeroon.» Sitten hän johdatti heidät yläkertaan, missä emäntä odotti, kun taas pienet vieraat jäivät lastenkamariin.

Kun jo useita vieraita oli saapunut, Eeva kysyi äkkiä: »Kuka tuolla tulee? . . . no, tiedän jo . . . tunnen hänet näöltä, mutta mikä hänen nimensä on?»

»Hän on pikku Tyyne Kuusinen.»

Tyyne oli pienin pienistä vieraista. Hän oli punaposkinen kuin omena, ja hän tuntui jollakin tavalla ujolta ja avuttomalta iloisten ja äänekkäiden lasten rinnalla.

»Mutta mikä hänellä on käi ssään? . . . Lintu! No, lapset, lakatkaa jo! Kuulkaa! Älkää puhuko niin kovaa!»

Lapset lopettivat sokkosilla olonsa ja keräytyivät heidän ympärilleen. Todella, lapsi kantoi varovasti sylissään lintua.

»Minä löysin sen ruohikosta. Kissakin oli siellä . . . luulen, että kissa oli pyydystänyt sen vedestä, sillä lintu oli läpimärkä. Minä ajoin kissan pois.»

»Se näyttää vielä poikaselta» sanoi Eeva. »Minä kuivaan linnun varovasti. Tule keittiöön! Hyvänen aika! . . . Kuivaa itsesi tällä pyyheliinalla!»
He syöttivät linnulle maitoa ja leivänmuruja ja menivät sitten yhdessä puutarhaan.

»Ja nyt» sanoi Eeva »lentäköön lintu pois, jos tahtoo» ja lintu lensi todella pois. Lapset huusivat ilosta: »Eläköön Eeva! Eläköön lintu!» Sitten muuan pikkupoika kysyi: »Eeva, minkätähden pienet linnut lentävät Afrikkaankin asti?» Ja Eeva sanoi: »Muuttolinnut lähtevät syksyllä pois, koska ne eivät täältä löydä ruokaa . . .»

Lapset kuuntelivat jo tarkasti. »Eeva, kerro!» huusi mustatukkainen pikku tyttö.

»Hyvä on,» sanoi Eeva, »kaikki menkööt lastenkamariin ja istukoot pöytään. Ruoka on jo valmis. Mutta missä ovat kaksoset? Aira, etkö tiedä, missä kaksoset ovat?»

»En tiedä, Eeva, olen etsinyt heitä kaikkialta. Ehkä he ovat puutarhassa?»

Samassa kuului puutarhasta parkua ja naurua, ja kaksoset juoksivat sisään. He kirkuivat vielä ilosta ja he olivat märät ja yltä päältä hiekassa. hampaatkin kalisivat suussa.

»Varjelkoon,» Eeva huudahti, »onko täältä pitkä matka heidän kotiinsa? Tietenkään heidän äitinsä ei ole vieraiden joukossa. Aira, ole hyvä, hae heille kuivat vaatteet. Tai ehkä . . . ei, parempi on . . . älä mene, onhan meillä vaatteita. Minä haen, menen yhdessä molempien kanssa kylpyhuoneeseen . . .»

Kun he olivat palanneet lastenkamariin, Eeva huomautti vain, että kaksoset olivat hakeneet lintuja vedestä ja hiekasta. Nähtävästi heiltä ei puuttunut yritteliäisyyttä. Vaikka heillä oli vikansa, he olivat pohjaltaan hyviä.

Kaksoset asettuivat pöytään: »Kerro, Eeva, muuttolinnuista!»

»Hyvä on. Ennenkuin ne lähtevät, ne kokoontuvat suuriin parviin. Kun lähdön aika on vihdoin tullut, ne aloittavat matkansa, jos tuuli on sopiva.»

»Mikä se sopiva tuuli on?»

»Tuuli puhaltaa milloin maalta, milloin mereltä.»

»Lentävätkö ne sitten Afrikkaan?»

»Muuttolinnut lentävät yli metsien, maiden ja merien ja saapuvat vihdoin Afrikkaan. Kun lintu lentää merten yli, se istahtaa toisinaan laivojen mastoihin. Kaikista muuttolinnuista pääskynen lentää nopeimmin . . .»

Kello puoli kuudelta oli viimeinenkin pieni vieras lähtenyt kotiin. Eeva nousi ja korjasi pöydältä kahviastiat. Tänään oli poikkeuksellinen päivä. Kaksi vuotta hän oli ollut Lehtosten palveluksessa. Päivä päivältä lapset heräsivät aina kello puoli seitsemältä ja Eevan työ alkoi; kello kymmeneltä hän oli jo yliopistossa, missä hän luki filosofiaa. Iltapäivällä hän meni tavallisesti puistoon lasten kanssa ja luki sielläkin; illalla kello viideltä oli hänellä uudestaan vapaata aikaa ja hän kävi kone- ja pikakirjoituskoulua.

Tällä tavoin Lehtoset olivat suojelleet häntä, niinkuin jalavat ja lehmukset, jotka ympäröivät taloa ja puutarhaa, suojelivat heitä talven tuulilta ja kesän kuumuudelta. Hän sai muutaman punnan kuukaudelta ja eli kuin perheenjäsen.

Tänään Eevan työ päättyi kello puoli kuudelta. Rouva Lehtonen tuli sisään. Hän näytti vielä nuorelta, nuoremmalta kuin hän todella oli. Isän puolelta hän oli ranskalainen. Hän katseli kelloa. Se oli kaunis, vanha ranskalainen kello, kallis muisto hänen isältään, joka oli kuollut jo monta vuotta sitten.

Eeva sanoi: »Olen juuri saanut kirjeen Mikolta. Muistatko, olin kirjoittanut . . .»

»Olit kirjoittanut: 'Tule Lontooseen, sinä olet lahjakas mies.' Katso miten hyvin minä muistan . . .»

»Hän ei tule Lontooseen . . . Kulkekoon siis omia teitään!» Eevan ääni kuulosti onnettomalta.

»Eeva rakas, älä sano niin, älä ajattele tuolla tavoin!»

»Mutta olen jo kirjoittanut, etten palaa koskaan.»

»Älkäämme sanoko niin! Kuka tietää, mitä tapahtuu ensi viikolla tai ensi kuussa? Mutta minulla on kova kiire . . . älkäämme lörpötelkö, sillä Eino saapuu pian.»

Hän kiirehti pois.

Eeva lähti kauppakouluun, joka oli vähän matkan päässä. Matkalla han mietiskeli; joskus hänestä tuntui melkein siltä, että Mikko oli oikeassa. Mikko oli näet usein sanonut: »Älköön kukaan lähtekö synnyinmaastaan! Kaikki, joilla on lahjoja, jääkööt Suomeen, auttakoot

Suomea!» Mutta minulla, mietti Eeva, ei ole lahjoja,
enkä kuitenkaan ole sellainen, joka ei lue mitään eikä opi
mitään.

Hänellä ei ollut vielä mitään ammattitaitoa, hänhän
ei ollut tehnyt muuta kuin hoitanut lapsia, sanonut:
»Älkää paiskiko ovia» jne.

Mutta kärsivällisyydelläkin oli toki rajansa. Jääköön
Mikko Suomeen, jos tahtoo! Kukin eläköön oman luon-
teensa mukaan, kuten hänen oma minänsä vaatii. Kaikki
oli pohjaltaan Mikon omaa syytä.

Kahvi tuoksui tänään niin oudolta eikä maistunut
hyvältä. Ei se ennen maistunut tuollaiselta.

LESSON NINE

GRAMMATICAL NOTES

(*a*) The ALLATIVE CASE has the ending -*lle*. It expresses:

(i) ' To ' or ' on to ': *Panen kirjan pöydälle*—I will put the book on to the table; *oikealle*, to the right; *vasemmalle*, to the left.

(ii) ' To ' a person: *Annan kirjan teille*—I will give the book to you.

(iii) ' Towards ': *Olen kiitollinen teille*—I am grateful to you.

(iv) ' For ': *Me hankimme teille uudet sukset*—We will get you some new skis. *Suon muta on hyvä pellolle*—Marsh mud is good for the field.

(v) The allative of an adjective, with the 3rd person singular personal suffix forms an adverb of manner: *uute-*, new; *uudelleen*, anew, over again; *hilja-*, quiet, soft, slow; *hiljalleen*, slowly.

(vi) It is sometimes used like the ablative of aspect (see Note 8*a* vii): *Omena maistuu makealle*—The apple tastes sweet.

(*b*) The CONDITIONAL MOOD of verbs is indicated by the insertion of -*isi*- immediately after the stem.

(i) The personal endings are added after this, the conditional stem: -*n* for ' I ', -*t* for ' thou ', nothing for ' he ', 'she ', ' it ', -*mme* for 'we' -*tte* for 'you', and -*vat* -*vät* for 'they'. Taking *puhu-*, speak, as an example, we find: *puhuisin*, I would or should speak, etc.; *puhuisit*; *hän puhuisi*; *puhuisimme*; *puhuisitte*; *he puhuisivat*.

(ii) The final vowel of stems is lost or altered as follows:

1. Stems ending in a long vowel or one of the diphthongs -*uo*- -*yö*- or -*ie*- lose the first element, as in: *saa-*, receive, *saisin*; *lyö-*, strike, *löisimme*; *tuo-*, bring, *toisivat*; *myy-*, sell, *myisivät* (or *möisivät*).

2. Stems ending in *-e-* preceded by a consonant drop the *-e-* before the *-isi-*: *mene-*, go, *menisin*; *teke-*, do, make, *tekisin.*

3. Stems ending in *-i-* drop this before *-isi-*: *oppi-*, learn, *oppisitte*; *tupakoi-*, smoke (tobacco), *tupakoisin.*

4. Stems ending in *-a- -ä-* do not drop the final vowel as is done in the imperfect, except that if the final *-a- -ä-* is preceded by another vowel (not *-i-*) then it may be dropped: *katkea-*, break, *katkeaisi* or *katkeisi* (but *myöntä-*, admit, *myöntäisimme*).

5. Note that verb-stems ending in *-ise-* have in the imperfect (e.g. *vapise-*, tremble) *vapisin, vapisit, vapisi*, etc.; the conditional is *vapisisin, vapisisit, vapisisi*, etc.

6. The verb *ole-*, be, is quite regular: *olisin, olisit, olisi*, etc. (Poetry sometimes has *oisin*, etc.)

(*c*) The NEGATIVE CONDITIONAL is composed of the verb of negation and the conditional stem, for example: *en puhuisi, et puhuisi, hän ei puhuisi, emme puhuisi, ette puhuisi, he eivät puhuisi.*

(*d*) The USE OF THE CONDITIONAL indicates in general that the action depends on some as yet unfulfilled condition or is only conjectured or desired or hypothetical, and so on:

(i) In a clause representing an action contingent upon a hypothetical action or condition; the clause representing the condition is also in the conditional mood: *Kyllä sanoisin, jos jotakin tietäisin*—I would certainly say, if I knew something.

The hypothesis may be merely implied, or suppressed in favour of a statement of the fact correlative to the hypothesis: *Minä avaisin oven, mutta en jaksa*—I would open the door (understood: if I could) but I can't.

Or the main clause, representing the condition, may be suppressed entirely: *Pekka lukisi mielellään tuota kirjaa*—Pekka would like to read that book.

(ii) In a dependent clause (introduced by *että*, that) for the imperative in a direct order: *Äiti tahtoi, että poika lähtisi*—The mother wanted the boy to go (wished that the boy should go).

(iii) The aim or intention towards which another action is directed: *Äiti laulaa, että lapsi nukkuisi*—The mother is singing the child to sleep (in order that the child may sleep).

(iv) An action which is desired but hypothetical: *Jospa he tulisivat!*—If only they would come!

(v) To soften the force of a request, or, in deference, the bluntness of a statement: *Antaisitteko minulle kirjan?*—Will you please (would you) give me the book? *Nyt olisi päivällinen valmis*—Dinner is ready now (if you please).

(*e*) IMPERSONAL USE OF VERBS:

(i) The 3rd person singular of verbs is used, without a pronoun, in an impersonal sense (cf. Note 1*g*). *Tässä kastuu,*—one will get wet here—you get wet here.

(ii) Certain expressions denoting natural phenomena are used without a subject, that is, in an impersonal sense, e.g. *Sataa*—It is raining. *Myrskyää*—It is stormy (*myrsky*, storm). *Tuulee kylmästi*—It is blowing coldly, there is a cold wind.

(iii) Other expressions which indicate feelings are constructed with verbs ending in *-tta- -ttä-* without a grammatical subject, but the word representing the object of the verb (the person who has the feeling) is put in the partitive, e.g.: *Minua kammottaa*—I shudder (it, something, makes me shudder). *Häntä inhottaa*—She is disgusted.

(iv) Verbs in the Finnish ' passive ' are without subjects. This form of the verb is dealt with in Lessons 18–20.

(v) See also Notes 10*c* iv, 16*c* vii.

(*f*) The PERSONAL PRONOUNS in tabular form:

nominative	*minä*	*sinä*	*hän*	*me*	*te*	*he*
genitive	*minun*	*sinun*	*hänen*	*meidän*	*teidän*	*heidän*
accusative	*minun*	*sinun*	*hänen*	*meidän*	*teidän*	*heidän*
	minut	*sinut*	*hänet*	*meidät*	*teidät*	*heidät*
partitive	*minua*	*sinua*	*häntä*	*meitä*	*teitä*	*heitä*
inessive	*minussa*	*sinussa*	*hänessä*	*meissä*	*teissä*	*heissä*
elative	*minusta*	*sinusta*	*hänestä*	*meistä*	*teistä*	*heistä*
illative	*minuun*	*sinuun*	*häneen*	*meihin*	*teihin*	*heihin*
adessive	*minulla*	*sinulla*	*hänellä*	*meillä*	*teillä*	*heillä*
ablative	*minulta*	*sinulta*	*häneltä*	*meiltä*	*teiltä*	*heiltä*
	etc.					

The second form given for the accusative, ending in -*t*, can be used instead of the first without any change of meaning, and in the plural is preferred.

Occasionally certain abbreviated forms are met with, notably in poetry: *ma* or *mä* for *minä, mun* for *minun, sun* for *sinun, mulla* for *minulla* and so on.

VOCABULARY

aika: *siihen aikaan*, at that time; *aikanaan*, in due course, at the right time; *aikaisemmin*, earlier

ainakaan (in negative sentences), *ainakin* (in positive sentences), at least, at any rate, in any event

ajattele- ajattelen ajatteli ajatella, think

aloite aloittee- aloitteen aloitetta, initiative; *aloitekykyinen -ise- -isen -istä*, capable of (taking the) initiative

asetta- asetan asetti asettaa, place, put

asiallinen -ise- -isen -ista, pertinent, relevant

aste astee- asteen astetta, degree

edelle, into the place before (something), ahead of

edelleen, further

ehdotta- ehdotan ehdotti ehdottaa, propose

erehdys erehdykse- erehdyksen erehdystä, error

erotta- erotan erotti erottaa, separate, discern, distinguish

esittä- esitän esitti esittää, propose; introduce

etu etu- edun etua, advantage

gramofoni -ni- -nin -nia, gramophone

hassu hassu- hassun hassua, foolish

henkäys henkäykse- henkäyksen henkäystä, breath, gasp

hiljaa: *olen hiljaa*, I am quiet

hiukkanen hiukkase- hiukkasen hiukkasta, a little

ikään kuin, just as if, just like

ilmoittautu- ilmoittaudun ilmoittautui ilmoittautua, present oneself, register

inhotta- inhotan inhotti inhottaa, make one abhor, disgust

isäntäväki (see *väki*), host and hostess, hosts

jaksa- jaksan jaksoi jaksaa, be able, bear

janotta- janotan janotti janottaa, make one thirsty

jatka- jatkan jatkoi jatkaa, continue (something)

johtaja johtaja- johtajan johtajaa, leader, conductor, manager *jokainen -ise- -isen -ista*, every(one)

jollen, jollet, jollei, etc. (equivalent to *jos en, jos et, jos ei*, etc.), unless I . . ., unless thou . . ., unless he . . . etc., if I do not . . ., etc.

jonne, where to, whither

jopa, even; already

jotta, in order that

joulu joulu- joulun joulua, Christmas(tide)

Jumalan kiitos!, thank God!

juttu juttu- jutun juttua, tale

juuri juure- juuren juurta, root; . . . *n juurella*, at the foot of; *puun juurella*, under a tree

kaipata- kaipaan kaipasi kaivata, need, miss, want

kakku kakku- kakun kakkua, cake

kammotta- kammotan kammotti kammottaa, make one shudder

kannatta- kannatan kannatti kannattaa, bear, support

karista- karistan karisti karistaa, drop, shake

karva karva- karvan karvaa, pile, fur

kastu- kastun kastui kastua, get wet

katota- katoan katosi kadota, disappear

keskelle, into the middle (of)

keskustele- keskustelen keskusteli keskustella, converse

kiitollinen -ise- -isen -ista, thankful

kikattele- kikattelen kikatteli kikatella, giggle

kohota- kohoan kohosi kohota, rise, ascend

kohta, soon, immediately

kudon (see *kuto-*)

kuljetta- kuljetan kuljetti kuljettaa, carry, transport

kulu- kulun kului kulua, get worn, spent, consumed; elapse

kunpa, if only

kunta kunta- kunnan kuntaa, community, parish

kuto-kudon kutoi kutoa, knit, weave

kykyinen (see *aloitekykyinen*), capable

käly käly- kälyn kälyä, sister-in-law

laakso laakso- laakson laaksoa, valley

laatu laatu- laadun laatua, sort, description; *se käy laatuun*, that will do, be suitable

lanka lanka- langan lankaa, thread, yarn

latva latva- latvan latvaa, top, head

lausu- lausun lausui lausua, utter, declare

levittä- levitän levitti levittää, spread

liki, near; note *likelle, likeltä*, into, from, the vicinity of
likinäköinen -ise- -isen -istä, near-sighted
lisä lisä- lisän lisää, more, additional
loru loru- lorun lorua, idle talk
luista- luistan luisti luistaa, glide, pass
luokse, to (the house of) (takes the personal endings, e.g.
    luokseni, to me, to my house)
läheinen -ise- -isen -istä, nearby
lähelle, (to) near, close by (preposition with partitive)
lähes, nearly
lämmin lämpimä- lämpimän lämmintä, warm, warmth
lämpö lämpö- lämmön lämpöä, warmth, heat, temperature;
    lämpömittari -mittari- -mittarin -mittaria, thermometer
lörpötys lörpötykse- lörpötyksen lörpötystä, chatter
malli malli- mallin mallia, model, form, pattern
matto matto- maton mattoa, mat, carpet, rug
melu melu- melun melua, noise, racket; *meluava -va- -van -vaa*,
    noisy, boisterous
merkille: *panen sen merkille*, I will make a note of that
mielellä (takes the personal endings, thus: *mielelläni*, [I will
    do it] with pleasure)
miltei, almost
mittari (see *lämpömittari*), measuring instrument
muistaa, to remember
muistu- muistun muistui muistua, be remembered
multa multa- mullan multaa, earth, mould, soil
muta muta- mudan mutaa, mud
myrsky myrsky- myrskyn myrskyä, storm; *myrskyää*, it is
    stormy
myöntä- myönnän myönsi myöntää, admit, concede, grant
oikaise- oikaisen oikaisi oikaista, straighten, put right
oikeastaan, really, properly
omainen omaise- omaisen omaista, own
paikkakunta (see *kunta*), place, neighbourhood
painosta- painostan painosti painostaa, accent, emphasise
pakko pakko- pakon pakkoa, compulsion, need
parhaillaan, in the middle of, deep in
perehty- perehdyn perehtyi perehtyä, become familiar with,
    make oneself at home
pese- pesen pesi pestä, wash (something)
piparkakku (see *kakku*), gingerbread

planeetta, planet (but *kiertotähti* is also used)

polkupyörä -pyörä- -pyörän -pyörää, bicycle

puuteri puuteri- puuterin puuteria, powder (but *ihojauhe* is also used)

pyry pyry- pyryn pyryä, snowfall

pyryttä- (pyrytän) pyrytti pyryttää, snow

pysy- pysyn pysyi pysyä, remain, last

pyörä (see *polkupyörä*), wheel

päinsä: *käy päinsä*, will do

päivällinen päivällise- päivällisen päivällistä, dinner; *päivälliset*, dinner-party, luncheon-party

ripusta- ripustan ripusti ripustaa, hang up

rypisty- rypistyn rypistyi rypistyä, get creased

savu savu- savun savua, smoke

savuke savukkee- savukkeen savuketta, cigarette

selittä- selitän selitti selittää, explain

silmälasit (see *lasi*), glasses, spectacles

sipaise- sipaisen sipaisi sipaista, graze, almost touch

sisällys sisällykse- sisällyksen sisällystä, contents

sitten (additionally to the meaning given in Vocabulary 2): *vuosia sitten*, years ago

sitäpaitsi, in addition, besides

suksi sukse- suksen suksea or *susta*, ski

sumu sumu- sumun sumua, mist, fog, haze

suorastaan, simply, absolutely, quite

suostu- suostun suostui suostua, agree, consent

supattele- supattelen supatteli supatella, tattle

takia: . . . *n takia*, for the sake of . . ., because of . . .

tarkoitus tarkoitukse- tarkoituksen tarkoitusta, meaning, intention, purpose

tauko tauko- tauon taukoa, gap, stop

tavara tavara- tavaran tavaraa, goods, article

tehtävä tehtävä- tehtävän tehtävän, task, mission

tilanne tilantee- tilanteen tilannetta, situation

timantti timantti- timantin timanttia, diamond

toimi- toimin toimi toimia, act, be occupied

toimitta- toimitan toimitti toimittaa, carry out, perform

tomu tomu- tomun tomua, dust

tosin, certainly

tulokas tulokkaa- tulokkaan tulokasta, newcomer, arrival

tupakoi- tupakoin tupakoi tupakoida, smoke (tobacco)

tuttava tuttava- tuttavan tuttavaa, acquaintance
tuuhea tuuhea- tuuhean tuuheaa or *tuuheata*, bushy
tuulee, there is a wind, the wind is blowing
täysi täyte- täyden täyttä, full
ukko ukko- ukon ukkoa, old man
ukkonen ukkose- ukkosen ukkosta, thunder (Note 17*d* vii 4)
uteliaasti, curiously
vaan, but
vaikene- vaikenen vaikeni vaieta, keep silent
vapise- vapisen vapisi vapista or *vavista*, tremble, shake
vasemmalle, to the left, on the left
vastaan, against, (opposed) to, (in exchange) for
veny- venyn venyi venyä, extend
verta verta- verran vertaa, measure, degree, proportion
vilkas vilkkaa- vilkkaan vilkasta, brisk
vilkkaasti, briskly
virkistä- virkistän virkisti virkistää, refresh, enliven
virkistävä virkistävä- virkistävän virkistävää, refreshing, etc.
yht'äkkiä, suddenly
yleinen yleise- yleisen yleistä, general
ytimekäs ytimekkää- ytimekkään ytimekästä, vigorous, forceful

EXERCISE

1. Hankkikoon itse itsellensä auton, jos hän sitä tarvitsee.
2. Kuljetan heille maitoa. 3. Kumpaankin paikkaan menen, sekä kirkolle että koululle. 4. He työntävät juuri venettä vesille. 5. Istuuduimme puun juurelle. 6. Kauppiaat levittävät tavaransa pöydille. 7. Hän tunsi minut. 8. Kyllä sanoisin, jos jotakin tietäisin. 9. Kun joulu lähestyy, valmistan lahjoja, joita annan omaisilleni. 10. Vaatteet kuuluvat heille. 11. Nousimme laivan kannelle. 12. Hänen ihonsa nousi kananlihalle. 13. Hän oli muuttanut paikkakunnalle läheisestä kaupungista. 14. Olen iloinen, sanoin Ilmarille illalla, ettei minulla ole yhtään timanttia. 15. Olisit vielä iloisempi, jos sinulla niitä olisi, sanoi siihen Ilmari. 16. He ovat hiljaa, etteivät häiritsisi. 17. Hän kumarsi ensin johtajalle, sitten minulle, sitten tyttärelleni ja sitten meille kaikille. 18. He selittivät meille, että saarella on maan parhaimmat tiet. 19. Onnea nelivuotiaalle! 20. Heidän opettajansa ehdotti, että joku lapsista laulaisi,

esittäisi vieraalle jonkin laulun. 21. Kuka sinulle on laulun opettanut? kysyimme nelivuotiaalta. 22. Tyttö ilmestyi kadulle.

READING

Kahvikutsut

Oli kahvikutsut. Rouva Saarisen kodikkaassa huoneistossa Helsingissä istui seitsemän naista: rouva Saarinen itse ja kuusi hänen tuttavaansa. Rouva Laaksonen kertoi parhaillaan:

». . . he kuuluivat aivan eri planeetalle, sen minä olin ennenkin pannut merkille. He sanoivat: emme olisi menneet, jollet olisi tullut mukaan. Mutta kun ajattelin, miltä he molemmat näyttäisivät, kun kertoisin heille nämä uutiset, niin miltei purskahdin nauruun . . .»

»Tietysti, lausui rouva Lindström, sehän olisi täysi skandaali.»

Ei kellään tosin olisi mitään pientä skandaalia vastaan: sellainen oli niin virkistävää. Mutta mitähän muut sanoisivat, jos tietäisivät?

Rouva Laaksonen ei kertonut sitä muille.

Rouva Saarinen pani silmälasit nenälleen ja kaatoi ensimmäisen kupin, vaikka se olisi kuulunut Ellan tehtäviin. Emäntä hymyili ja viserteli, että ilma on lämmin, suorastaan kuuma. Hänen kätensä vapisi: oliko ukkosta ilmassa? Lämpömittari näytti kahtakymmentä astetta lämmintä. Kunpa tulisi edes pieni tuulenhenkäys, joka virvoittaisi!

Ovi avautui ja palvelustyttö toi sisään toisen kahvitarjottimen. Häntä seurasi rouva Kylänpää, Mikko-ystävämme äiti. Hän astui keskelle huonetta ja sanoi rouva Saariselle:

»Pyydän anteeksi, Anna rakas. Olisin tullut aikaisemmin, jos vain olisin päässyt . . . minulla oli niin paljon työtä: tyttö ei saapunut aikanaan ja sitä paitsi minulla oli piparkakut uunissa.» Hän huoahti. »Kuinka usein olenkaan lukenut lakia palvelustytöille! Ja Kaarina oli näyttänyt minulle uusia pukujaan ja hävinnyt taas jonnekin, eikä hän edes ripustanut uusia pukuja naulaan, jotteivät ne rypistyisi . . .»

Kun hän oli tullut sisään, hän oli tuntenut, miten kaikki katsoivat häneen: seitsemän uteliasta silmäparia oli

naulautunut uuteen tulokkaaseen. Mutta nyt nuo seitsemän
naista puhuivat jo yht'aikaa.

Muuan mustatukkainen nuori rouva huomautti naapuril-
leen, ettei hänellä, Jumalan kiitos, ole lapsia. Hän ei
kaivannut sellaisia, jotka jättäisivät sukkansa ja pukunsa
tuoleille, kutsuisivat meluavia poikia luokseen ja supatteli-
sivat eteisessä, karistaisivat savukkeentuhkaa karvalan-
kamatolle ja soittaisivat gramofonia ja kikattelisivat
puhelimessa . . .

Kahvi on tuonut lohdutusta moneen ikävään tilanteeseen.
Kahvilla on se suuri etu, että se irroittaa kielet. Painostavat
tauot katoavat ja puhe luistaa vilkkaasti. Niin tapahtui
nytkin. Ensimmäisen kupin jälkeen rouva Kylänpää tuskin
erotti omaa ääntään. Hän jatkoi: »Oikeastaan on ihan
hassua, että juttelen tätä sinulle, eikö totta? . . . mutta
jatkaakseni juttuani, puutarhaan ilmestyi erään naapurin
pikkupoika polkupyörällä: kirje oli saapunut erehdyk-
sessä heille. Annoin kirjeen veljelleni, jotta hän antaisi
sen Mikolle, mutta sitten huomasin, kun hän oli jo matkalla
maalle, että hän oli unohtanut sen kirjoituspöydälle.
Annoin kirjeen kälylleni. Hän lupasi muistaa asian;
hän soittaisi ja sanoisi, että Mikko menisi heti Mustasiltaan.
Pitkään aikaan he eivät olleet nähneet toisiaan. Enkö
saisi lisää kahvia?»

Nurkassa pieni nainen sipaisi hiukkasen puuteria
nenälleen ja sanoi naapurilleen:

»Jos pysyisit minuutin verran samassa asiassa, ymmär-
täisin sinua joskus . . . Minä puhuisin rouva Ilvalle tai
kirjoittaisin hänelle, että hän toimittaisi asian . . . Mitähän
mieheni sanoisi, jos eläisi vielä ja tietäisi? . . . Rauha
hänen tomulleen.»

»Hän tahtoi, että me lähtisimme nyt heti,» toinen
rouva sanoi »mutta minä en ainakaan lähtisi niin äkkiä,
jollei olisi pakko. Olisin suostunut, jos olisin· voinut. Se
olisi tehnyt niin hyvää sydämelle . . .»

Ikkunan vierestä kuului naurua ja ääni lausui: »Asian
laita on niin, että jokainen äiti toivoo, että hänen tyttärensä
saisi paremman miehen kuin hän itse on saanut ja on
varma siitä, ettei hänen poikansa koskaan saa niin hyvää
vaimoa kuin tämän isä on saanut.»

Oli varmasti ennenkin sattunut, että kahvihetki venyi

lähelle päivällisaikaa ja niin tapahtui tälläkin kertaa. Yleisestä lörpötyksestä kuului vain:

». . . minkä sille voi, jos oli likinäköinen?» ja

». . . mitä minä sanoin?» ja

». . . Siitä muistuu mieleeni, että . . .»

». . . Minä olisin sanonut, jos olisin tietänyt . . .»

». . . ei ollut paikkaa, mihin asettuisi . . .»

». . . Jos varani myöntäisivät, niin matkustaisin minäkin . . .»

Rouva Kylänpää vaikeni ja katseli ulos ikkunasta. Sitten hän jatkoi:

»Poikani esitti asiansa lyhyesti ja ytimekkäästi: hän matkustaisi heti Lontooseen . . . Hän puhui ikäänkuin olisi suurikin herra . . . hän on aina ollut aloitekykyinen. Aivan kuin isänsä. Hän palaisi pian; hän kirjoittaisi joka tapauksessa heti, kun olisi saapunut. Kävisikö se päinsä? Suostuisinko minä? . . . Mutta en suostunut, vaan selitin, ettei se auttaisi ja että parasta olisi, että hän jatkaisi lukujansa . . .»

.   .   .   .

Samaan aikaan kun hänen äitinsä keskusteli muiden naisten kanssa, Mikko makasi hiekalla järven rannalla. Hän oli noussut taaskin varhain ja soudellut ja kävellyt sitten harjupolkua, jossa pihka ja metsä tuoksui. Hän oli vihdoin pysähtynyt tuuhean puun alle ja lukenut jonkin aikaa ja oikaissut sitten itsensä rantahiekalle. Olisi luullut, että hän nukkui: hänen silmänsä olivat kiinni. Mutta hän ajatteli. Luulivatko he, että hän pysyisi koko pitkän ikänsä lastenkamariasteella? . . . Haluaisiko Eeva aina toimia itsenäisesti? . . . Jospa hän olisi tietänyt, ettei Eeva enää palaisi! . . . Hän myönsi itselleen, että työ oli hänelle aina ollut kaikki kaikessa. Se oli hänelle tärkeämpi kuin tytön onni, jopa hänen oma onnensa. Mitäpä jos hän kirjoittaisi isoäidille, että tämä muuttaisi Lontooseen, hänhän oli jo aikaisemmin elänyt Lontoossa . . . Sehän olisi mukavaa; isoäiti laittaisi ruokaa, isoäiti siivoisi, istuisi mukavassa tuolissa ja kutoisi hänelle harmaata sukkaa . . . ei, loruja.

Hän avasi silmänsä ja tuijotti kirkkaalle taivaalle.

LESSON TEN

GRAMMATICAL NOTES

(*a*) INFINITIVES in Finnish are four in number, though some count a fifth; this can, however, be regarded as a derivative of one of the others. It is traditional to number them I, II, III, IV and V. They perform the functions of such English forms as the italicised words in the following: I must *roll* the lawn, I like *to roll* the lawn, *rolling* is good for lawns, this is the part I *rolled*, while *rolling* the lawn, and so on.

(*b*) INFINITIVE I is the form found as the heading in most Finnish dictionaries. It is formed from the stem by the addition of the suffix *-ta- -tä-*, subject to certain modifications:

(i) It is closed by an aspiration, representing a sound which was stronger in the earlier periods of the language. The syllable being closed, the *-t-* is reduced to *-d-*, giving us *-da' -dä'*, represented as *-da -dä* in the everyday spelling of the language.

This form of the ending is found attached to stems ending in a long vowel or a diphthong: *saa-*, receive, *saada*, to receive; *syö*, eat, *syödä*, to eat.

(ii) After a stem ending in a short vowel (except as below), the *-d-* is elided: *luke-*, read, *lukea*; *pitä-*, hold, *pitää*; *asu-*, dwell, *asua*.

In other words, the *-d-* is elided between two short vowels, as is *-t-* in the partitive singular.

(iii) After stems ending in *-le-*, *-ne-*, except as in (vi) below, or *-re-* the *-e-* is elided and the *-d-* is assimilated to the *-l-*, *-n-* or *-r-*, giving *-ll-*, *-nn-* or *-rr-*, as in: *tule-*, come, *tulla*; *ole-*, be, *olla*; *pure-*, bite, *purra*; *mene-*, go, *mennä*; and so on.

(iv) Stems ending in *-se-* drop the *-e-*, and under the influence of the *-s-* the *-t-* is not softened: *pese-*, wash, *pestä*. If a *-k-* precedes the *-s-* it is dropped in the infinitive, for Finnish will not tolerate *-kst-*: *juokse-*, run, *juosta*; but if *-t-* precedes the *-s-*, then the *-s-* is dropped, leaving *-tt-*, which is softened by the aspiration to *-t-*: *valitse-*, choose, *valita*.

(v) The (theoretical) 'amalgamating' stems (those ending in *-ta- -tä-* preceded by a short vowel) drop the final *-a- -ä-* before *-t-*, (cf. Note 8*b* vi), leaving *-t-* closing the syllable and therefore softening a *k*, *p* or *t* which begins it, and the aspiration softens the *tt* to *t*: *vastata-*, reply, *vastata*; *kerätä-*, gather, *kerätä*; but *makata-*, lie, *maata*; *rupeta-*, begin, *ruveta*; *putota-*, fall, *pudota* (Note 17*d* viii 3).

(vi) Stems having *-ne-* (earlier *-nte-*) as the third syllable behave in a similar way: *-n-* and the final *-e-* are dropped before the infinitive, ending, leaving a consonant closing the syllable and softening a *k*, *p* or *t* beginning it; and the resulting *-tt-* is softened by the aspiration: *rohkene-*, dare, *rohjeta*; *vaikene-*, be silent, *vaieta* (cf. Note 8*b* viii).

(vii) The stems *teke-*, make, do, and *näke-*, see, have the infinitives *tehdä, nähdä*: the *k* and the *h* are the modern representatives of a sound now lost, which has developed into them according to what followed it in the two cases.

(*c*) USES OF THE INFINITIVE I: (i) With an auxiliary verb: *Panen maata*, I am going to bed. *Osaatko uida?*—Can you swim?

(ii) As an apposition: *Kirja on hyvä lukea*—The book is good to read.

(iii) As a subject: *Parempi katsoa kuin katua*—It is better to look than to regret, look before you leap.

For the negative 'not to say', etc., see Note 12*b* vi.

(iv) The first infinitive can also stand in apposition to certain impersonal verbs translating 'must' with a 'logical subject' (that is, the word denoting the person or thing which is to perform the action), indicated by a case-ending *-n*, for example: *Hänen täytyy mennä*—She must go (see Note 16*c* vii).

(v) There is also an inflected form of the first infinitive (sometimes called the 'longer form'), consisting of this infinitive with a suffix *-kse-* (see Note 10*e*) and an indispensable personal suffix. It expresses a positive object or aim of the main verb, and the personal suffix corresponds to the subject in number and person: *Poika lukee oppiak-sensa*—The boy is reading (in order) to learn. Here *oppia* is the infinitive 'to learn', *-kse-* represents 'in order to' or 'for', and the personal suffix *-nsa* relates the action to *poika*.

Common expressions which use this inflected first infinitive are: *niin sanoakseni*, so to speak; *tietääkseni*, so far as I know, to the best of my knowledge; *muistaakseni*, if I remember aright, so far as I remember; *luullakseni*, to the best of my belief, so I believe, etc.

(*d*) The OBJECT OF INFINITIVE I, where it is positive and in the singular, is put in the short accusative (i.e. the suffixless form like the nominative) if:

(i) It forms with the infinitive the object of an imperative in the 1st or 2nd person: *Käske pojan tuoda hevonen talliin*—Tell the boy to bring the horse into the stable.

(ii) It forms with the infinitive he predicate of an impersonal verb: *On hyvä tehdä se*—It is good to do that.

(*e*) The TRANSLATIVE CASE has the suffix *-ksi -kse-* added to the stem. It indicates:

(i) With appropriate verbs, a change into a new state: *Talo paloi tuhaksi*—The house burned to ashes. *Lumi muuttui vedeksi*—The snow turned to water. *Hän rupesi talonpojaksi*—He became (started working as) a farmer.

(ii) The purpose, use, final result, etc., of actions or developments: *Miksi?*—What for? Why? *Terveydeksenne!*—(I drink to) your health! *Hän ei sovi talonpojaksi*—He is not suited to (being) a farmer. *Sain kirjan lahjaksi*—I got the book as a present.

Note that the suffix has the form *-kse-* when anything has to be added to it, as in the example *Terveydeksenne*.

(iii) 'For' a length of time or the terminal date of an action: *Lähetät molemmat tytöt kuukaudeksi lomalle*— You are sending both the girls on leave for a month. *Kirje tuli jouluksi*—The letter came at Christmas.

(iv) The transfer of an object from one category to another in the mind of the speaker in phrases involving such verbs as *luulla*, think; *nimittää*, name, etc.: *Kutsuin*

E

häntä hyväksi pojaksi—I called him a good boy. With languages the translative represents both 'in' and 'into': *Sanokaa tämä suomeksi*—Say this in Finnish. *Käännän tämän kirjan suomeksi*—I am translating this book into Finnish.

(v) The items of a list, expressed by ordinal numerals (see Note 13c): *Ensiksi oli jo kesä, toiseksi päivällinen oli ollut hyvä, kolmanneksi Hanna oli vielä kotona*—In the first place it was now Summer, in the second place the dinner had been good, in the third place Hanna was still at home.

(*f*) The ESSIVE CASE has the ending *-na -nä* added to the stem, but an alternative formation is also found in which the final vowel of the stem is elided and a *-t-* assimilated to the *-n-*, and some stems which have a nominative singular ending in *-t* likewise, assimilate, while those which have a nominative singular in *-s* sometimes keep this when adding the essive ending. Examples are *koto-kotona*; *taka- takana*; *täysi täyte- täytenä* or *täynnä*; *kevät kevää-kevännä* (rare, for) *keväänä*; *vieras vieraa- vierasna* (rare, for) *vieraana*.

The essive expresses:

(i) Originally the site of an action: *kotona*, at home; *takana*, at the back; *kaukana*, afar; *luona*, at the house of.

(ii) 'During' a named and particularised period of time: *tänä päivänä*, this day, to-day; *tänä vuonna*, this year.

Note especially that the essive is used for 'on' or 'at' with the Feasts and the days of the week: *jouluna*, at Christmas-time; *sunnuntaina*, on Sunday (cf. Note 11c iv).

Most terms denoting historical periods and the words *hetki*, moment, *tunti*, hour; and *viikko*, week; as well as compounds with the word *-kausi* as the second element are used in the adessive in the singular, even with a qualifying word; in the plural they behave according to the main rule (ii) stated above: *viime vuosisadalla*, in, during the last century; but *viime vuosisatoina*, during the last centuries.

'Ago' is translated by the postposition *sitten* with the nominative singular or the partitive plural: *vuosi sitten*, a year ago; *vuosia sitten*, years ago.

(iii) The state or temporary character of something or someone: *Poikana minä en tuntenut häntä*—As a boy I did not know him. *Lato on heiniä täynnä*—The barn is full of hay.

(g) The DEMONSTRATIVE PRONOUNS have the stems *tä-*, this, *tuo-*, that, changing the initial *t-* to *n-* for the plural: *nä-*, these, and *nuo-*, those; and the singular *se-*, it, that, has the plural *ne-*, they, those things.

A point which must be noted is that where the stems *tä-* and *nä-* would otherwise be of only one syllable in any case form, they are lengthened to *tämä-* and *nämä-*, except in the instructive.

From the stem *nuo-*, which is also the nominative and accusative of this plural pronoun, a stem for the other cases is formed by eliding the *-u-* and adding the plural *-i-* to give us *noi-* as the stem. (Compare Notes 2*f* 1 and 6*c* iii 3).

The stem *se-* or *si-*, however, shows some irregularity: the nominative is *se*, the genitive (and accusative) *sen*; the inner cases have a stem *sii-*: inessive *siinä*, elative *siitä* and illative *siihen*, and the other cases the stem *si-*: partitive *sitä*, adessive *sillä*, ablative *siltä*, translative *siksi*, essive *sinä* and so on.

The plural *ne-* has the nominative and accusative *ne*, while the other cases are all formed on the stem *nii-*: genitive *niiden* or *niitten*, partitive *niitä*, inessive *niissä* and so on.

The following table will make these similarities and distinctions clear.

	sing.	plur.	sing.	plur.	sing.	plur.
nominative	*tämä*	*nämä* (*nämät*)	*tuo*	*nuo* (*nuot*)	*se*	*ne*
accusative	*tämän*	*nämä*	*tuon*	*nuo*	*sen*	*ne*
genitive	*tämän*	*näiden* *näitten*	*tuon*	*noiden* *noitten*	*sen*	*niiden* *niitten*
partitive	*tätä*	*näitä*	*tuota*	*noita*	*sitä*	*niitä*
inessive	*tässä*	*näissä*	*tuossa*	*noissa*	*siinä*	*niissä*
elative	*tästä*	*näistä*	*tuosta*	*noista*	*siitä*	*niistä*
illative	*tähän*	*näihin*	*tuohon*	*noihin*	*siihen*	*niihin*
adessive	*tällä*	*näillä*	*tuolla*	*noilla*	*sillä*	*niillä*
ablative	*tältä*	*näiltä*	*tuolta*	*noilta*	*siltä*	*niiltä*
allative	*tälle*	*näille*	*tuolle*	*noille*	*sille*	*niille*
translative	*täksi*	*näiksi*	*tuoksi*	*noiksi*	*siksi*	*niiksi*
essive	*tänä*	*näinä*	*tuona*	*noina*	*sinä*	*niinä*
instructive	—	*näin*	—	*noin*	—	*niin*

Colloquially *se*, *ne* are sometimes used for *hän* and *he* in a slightly derogatory sense. The final *-a*, *-ä* are dropped in rapid speech, especially when followed by a word beginning with a vowel, as in *Täss'on* (for *tässä on*), here you are, here it is (*tässä*, in this, i.e. here).

Many of the forms given above are commonly used as adverbs, such as the *tässä* just mentioned: we have similarly *tästä*, from here (out of this), and *tähän*, (to) here (into this); *siinä*, (in) there, *siitä*, from there, out of there, out of that, *siihen*, (into) there, and so on. With the external cases, however, the stem *tä-* as adverb has a long vowel: *täällä*, here, *täältä*, from here, while for *täälle* the form *tänne* is used 'hither'. Similarly, in place of the stem *se- si-* a longer stem *sie-* is used in *siellä*, there, and *sieltä*, from there, while instead of *sielle* the form *sinne*, thither, to there, is used.

In these adverbs the interior cases are used where the areas indicated by 'here' and 'there' are smaller, and the exterior cases where they are larger.

Certain cases of the demonstrative pronouns are also found for instance in *sillä*, because, for; *niin*, so, thus; *noin*, so, in that way; *näin*, in this way; and *siksi*, so, on that account; and in *silloin*, then; *tällöin*, at present (*silloin tällöin*, now and then); and *tuolloin*, then; the second part of these adverbs is a reduced or shortened version of *ajoin*, the instrumental or instructive case (see Note 11*c*) of *aika*, time.

The suffixes *-lainen* (stem *laise-*) and *-moinen* (stem *-moise-*) *-möinen* (stem *-möise-*) added to the pronouns give us such pronoun-adjectives as *sellainen* or *semmoinen*, such, of this sort; *tällainen* or *tämmöinen*, such, of this sort; and *tuollainen* or *tuommoinen*, such, of that sort. The origin of the suffix *-lainen* is *laji*, sort.

Se is used in compound sentences in appropriate cases as an antecedent of a clause: *Lohdutin itseäni sillä, että . . .* —I consoled myself with (the thought) that . . . *Hän valitti erikoisesti sitä, ettei ollut enempää kuin yksi*—He regretted especially (that,) that there was no more than one. *Mitä Siamissa oli eurooppalaista, se oli yleensä tanskalaista*—What was European in Siam (,that) was generally Danish. The antecedent may not be left out as it often is in English.

VOCABULARY

aalto aalto- aallon aaltoa, wave
aapiskirja (see *kirja*), abc-book, spelling book
aarre aartee- aarteen aarretta, treasure
aiko- aion aikoi aikoa, intend, be going to do
alkuperäinen -ise- -isen -istä, original, primitive
alun perin, at first, originally
apulainen -ise- -isen -ista, assistant
arvata- arvaan arvasi arvata, estimate, conjecture, guess
arvaile- arvailen arvaili arvailla, guess
arvelutta- arvelutan arvelutti arveluttaa, make one hesitate
arvoitus -tukse- -tuksen -tusta, riddle, mystery
aukaise- aukaisen aukaisi aukaista, open
erinomaisesti, excellently, especially
este estee- esteen estettä, obstacle
estä- estän esti estää, hinder, prevent
etelä etelä- etelän etelää, south
evankeliumi -mi- -min -mia, gospel
halu(t)a- haluan halusi haluta, wish for, desire
huomen huomene- huomenen huomenta, morrow, to-morrow;
    huomenna, to-morrow
huominen -ise- -isen -ista, morrow; of the morrow, of to-
    morrow; *huomispäivä* (see *päivä*), morrow
hyödytön hyödyttömä- hyödyttömän hyödytöntä, useless
hälvene- hälvenen hälveni hälvetä, disappear
iljettä- iljetän iljetti iljettää, nauseate
ilmiliekissä, ablaze
innokas innokkaa- innokkaan innokasta, eager, fervent
itke- itken itki itkeä, weep
joutu- joudun joutui joutua, fall into, become, arrive in time,
    hasten
järkevä järkevä- järkevän järkevää, reasonable, sensible
kaatu- kaadun kaatui kaatua, fall, be overturned
kaksikymmentä (see *kymmenen*), twenty
kalastaja -ja- -jan -jaa, fisherman
keittä- keitän keitti keittää, cook, boil; make (coffee)
kerjäläinen -ise- -isen -istä, beggar
kerä(t)ä- kerään keräsi kerätä, collect (things)
keskeyttä- keskeytän keskeytti keskeyttää, interrupt

kide kitee- kiteen kidettä, crystal
kierros kierrokse- kierroksen kierrosta, turn, revolution; round-
　about way
kiinni: (additional to Vocabulary 3) *otan . . . kiinni,* I
　seize . . .; *pidän kiinni,* I hold tight
kirjailija -ja- -jan -jaa, author, writer
kirjallisuus -suute- -suuden -suutta, literature
kirjapaino -paino- -painon -painoa, printing press
kiteyty- kiteydyn kiteytyi kiteytyä, crystallise
koetta- koetan koetti koettaa, try, attempt
kotiopettaja (see *opettaja*), tutor; *kotiapulainen* (see *apulainen*),
　home help, maid
kotoisin, born in (takes the elative or ablative of place)
koukista- koukistan koukisti koukistaa, bend
koulunkäynti -käynti- -käynnin -käyntiä, going to school
kuolema kuolema- kuoleman kuolemaa, death
kuta: *kuta . . . sitä . . .,* the . . . er the . . . er; *kuta
　pikemmin sitä parempi,* the sooner the better
kuvakirja (see *kirja*), picture-book
kysymysmerkki (see *merkki*), question-mark
käske- käsken käski käskeä, command, bid, ask
käynti käynti- käynnin käyntiä, going, walk, gait, visit
käännähtä- käännähdän käännähti käännähtää, turn, deviate,
　swerve
kääntä- käännän käänsi kääntää, turn (something), translate
käännös käännökse- käännöksen käännöstä, turn, translation
lahti lahte- lahden lahtea, bay, gulf
lato lato- ladon latoa, barn
laululintu (see *lintu*), songbird
lempeä lempeä- lempeän lempeää (or *lempeätä*), mild, gentle
lempeästi, mildly, gently, kindly
lepo lepo- levon lepoa, rest, repose; *menen levolle,* I am going to bed
lepotuoli (see *tuoli*), deck-chair
liekki liekki- liekin liekkiä, flame, blaze
loma loma- loman lomaa, space, interval, vacation
lueskele- lueskelen lueskeli lueskella, study
luo (takes the genitive indicating the) place to which,
　person to whose house movement takes place
luona, at, near, by, at the house of
lupa(t)a- lupaan lupasi luvata, promise
lykkä(t)ä- lykkään lykkäsi lykätä, postpone; push

läjä läjä- läjän läjää, heap, bundle

maata: panen maata, I am going to bed, I am going to lie down

matkustele- matkustelen matkusteli matkustella, travel (about)

merkillinen -ise- -isen -istä, remarkable, notable

mieluummin, rather, preferably

miksi, why, what for, for what

mikäli, as far as, according to what

muuten, otherwise, else

muuttu- muutun muuttui muuttua, change (oneself)

neula neula- neulan neulaa, needle; *nuppineula,* pin

nimittä- nimitän nimitti nimittää, name, nominate

nuppineula (see *neula*), pin

odottamaton odottamattoma- odottamattoman odottamatonta, un-
   expected

opetus opetukse- opetuksen opetusta, instruction, lessons

opetuslapsi (see *lapsi*), disciple, pupil

osaksi (see *osa*), in part, partly, to some extent

osa(t)a- osaan osasi osata, be able, know how to

palava palava- palavan palavaa, burning

paljas paljaa- paljaan paljasta, bare, empty, bald

paljain päin, bare-headed; *paljain jaloin,* bare-footed

paperi paperi- paperin paperia, paper

pelko pelko- pelon pelkoa, fear; . . . *n pelosta,* for fear of . . .

perjantai -tai- -tain -taita, Friday

perusta- perustan perusti perustaa, found, establish

perustaja -ja- -jan -jaa, founder

piispa piispa- piispan piispaa, bishop

pikemmin, sooner

pirteä pirteä- pirteän pirteää (or *pirteätä*), brisk, lively

Pohjanmeri (see *meri*), North Sea

poikamies (see *mies*), bachelor, single man

purjehti- purjehdin purjehti purjehtia, sail

pyöreä pyöreä- pyöreän pyöreää (or *pyöreätä*), round

rinnan, side by side

rohkene- rohkenen rohkeni rohjeta, dare, be bold

rukous rukoukse- rukouksen rukousta, prayer; *rukouskirja,*
   prayer-book

Ruotsi Ruotsi- Ruotsin Ruotsia, Sweden; *ruotsi,* Swedish

ruskea ruskea- ruskean ruskeaa (or *ruskeata*), brown

saa- (see Vocabulary 2) with infinitive I ' may, must '

saakka, up to, till; *tähän saakka,* up to now, so far

saalis saalii- saaliin saalista, booty, prey
sade satee- sateen sadetta, rain
sairastu- sairastun sairastui sairastua, fall ill
salaisuus salaisuute- salaisuuden salaisuutta, secrecy, mystery
samaten, in the same way, likewise
satee- (see *sade*)
selkene- selkenen selkeni seljetä, clear up, get clear(er), brighten
seuraus seurakse- seurauksen seurausta, consequence, effect
sielu sielu- sielun sielua, soul; *sielunpaimen* (see *paimen*),
    pastor, curator of souls
siksi, therefore; *siksi kun*, as long as, until
silloinen silloise- silloisen silloista, of that time
sisältö sisältö- sisällön sisältöä, content(s)
sivu sivu- sivun sivua, side, page
suloinen suloise- suloisen suloista, charming, lovely
sunnuntai sunnuntai- sunnuntain sunnuntaita, Sunday
Suomenlahti (see *lahti*), Gulf of Finland; *suomenkielinen*
    -ise- -isen -istä, in the Finnish language
suorana (see *suora*), upright(ly)
suurene- suurenen suureni suureta, grow larger
talli talli- tallin tallia, stable
taloudellinen taloudellise- taloudellisen taloudellista, economic(al) ;
    taloudellisesti, economically
teos teokse- teoksen teosta, work, book, product
toimeen: (see *toimi*), *tulen toimeen*, I shall get on (all right), I
    shall manage
toive toivee- toiveen toivetta, hope, expectation
tosiseikka (see *seikka*), (matter of) fact
toteutu- toteudun toteutui toteutua, come true, be realised
tottu- totun tottui tottua, get used (to something)
Tukholma -ma- -man -maa, Stockholm
työskentele- työskentelen työskenteli työskennellä, work, toil
täysin, completely, entirely
ulkona, outside
vaiva vaiva- vaivan vaivaa, trouble, pains, hardship
vaivalloinen -ise- -isen -ista, troublesome, arduous
vakavasti, earnestly, seriously
vastapäätä, opposite
vastaus vastaukse- vastauksen vastausta, reply
velka velka- velan velkaa, debt
vuoksi, for (the sake of)

vähitellen, little by little
väli väli- välin väliä, space between, difference, distance
välin : *sillä välin*, meanwhile
yksin, alone
yksinäni, *yksinäsi*, *yksinänsä* (or *yksinään*), I alone, thou alone,
he, she alone
yleensä, in general
yleisö yleisö- yleisön yleisöä, public, audience
ylioppilas ylioppilaa- ylioppilaan ylioppilasta, undergraduate,
university student

EXERCISE

1. Hän ei osaa kävellä. 2. Talven tuuli tekee posket
punaisiksi. 3. Vuorilta näkee kauas. 4. Minä kirjoitan
huomenna. 5. Yrjö sai joululahjaksi kauniin kuvakirjan.
6. Jos hevonen saa hiukan heiniä ja kauroja syödäksensä,
niin se on tyytyväinen. 7. Kello on kymmenen, on siis jo
aika panna levolle. 8. Jo on aika lähteä työhön. 9.
Syksyllä muuttuvat lehdet keltaisiksi, punaisiksi, ruskeiksi
ja harmaiksi. 10. Tuota miestä en tunne. 11. Tahtoisin
antaa jotakin tuolle kerjäläiselle. 12. Minä tahdon
lähteä kylään. 13. Sinun pitää antaa kirja minulle.
14. Veljenne voi tulla mukaan. 15. Teidän täytyy pitää
kiinni, muuten kaadumme. 16. Ellin tulee keittää ruoka
valmiiksi, kunnes tulemme. 17. Sinä saat itse sen keittää.
18. Täällä ei saa laulaa. 19. Lapsi alkoi itkeä. 20. Minä
tahtoisin syödä. 21. Kevät alkaa tulla. 22. Huoneessa
oli kalustona vain pöytä, kaksi tuolia ja vuode. 23. Me
istuimme yleisönä heitä vastapäätä. 24. Hän oli silloin
Tampereen teatterin johtajana. 25. Tuo teidän täytyy
tehdä itse. 26. Se oli taloudellisesti teatterin paras
näytelmä sinä vuonna. 27. Kalle kultaseni, ajattelehan,
että tänään on kulunut täsmälleen vuosi siitä, kun viimeksi
annoit minulle syntymäpäivälahjan . . . 28. On vaikeata
sanoa, hänen elämänsäkö vai kuolemansa oli merkillisempi.

READING

Laivalla

Eräänä kauniina aamuna purjehti Pohjanmerellä laiva.
Ihmisiä oli kannella vähän, sillä oli vielä varhaista. Muuan

harmaatukkainen herra istui mukavassa lepotuolissa, papereita sylissään, eräs poika katseli aaltoja ja kaksi lasta leikki. Herran silmät olivat kiinni ja hän hymyili itsekseen, ja lapset leikkivät hänen ympärillään. Mikä iloinen hälinä! Yht'äkkiä ilmestyi kannelle solakka ja vaaleatukkainen tyttö—Eeva.

»Lapset, lapset, koettakaa nyt kerrankin olla hiljaa! Ettekö huomaa tuota herraa? Hän nukkuu. Ettehän suinkaan tahtoisi häntä herättää.»

Herra aukaisi silmänsä ja nousi. »Anteeksi, en nukkunut. Suljin vain silmäni . . .»

Eeva keskeytti hänet hätäisesti: »Pyydän anteeksi. Emme tahdo häiritä teitä enempää. Tulkaa, lapset.»

»Ette suinkaan häiritse. Aioin sanoa, että suljin silmäni vain voidakseni kirjoittaa paremmin . . .»

Pienimmän lapsen, kuusivuotiaan Hilkan silmät kävivät pyöreiksi ja hän siirtyi lähemmäksi vanhaa herraa. »Setä siis osaa kirjoittaa silmät kiinni?»

Herra hymyili lempeästi: »En, lapseni, en suinkaan. Mutta ennenkuin kirjoitan, minun täytyy miettiä.»

»Olette siis kirjailija?» kysyi Eeva.

Herra kumarsi vastaukseksi. »Olen kirjoittanut pari romaania, mutta tällä hetkellä teen vain käännöstyötä. Käännän näet tätä kirjaa suomeksi. Tapanani on työskennellä joka aamu. Voidakseni tehdä työni hyvin tarvitsen miettimisaikaa. Aamulla olen ensiksikin pirteä ja toiseksi on tavallisesti hiljaista . . . anteeksi, en sillä tahdo sanoa, että lapset häiritsevät minua—rakastan lapsia. Mutta sallikaa minun esittää itseni: pastori Aarno Niemi. Olen työskennellyt osaksi Yhdysvalloissa ja Kanadassa, osaksi Englannissa. Olen ollut jo kaksikymmentä vuotta suomalaisten sielunpaimenena Lontoossa. Minun on täytynyt samaten kuin opetuslapsienkin mennä maailman ääriin.»

»Onko Lontoossa paljon suomalaisia?»

»On. Ja sitten merimiehiä on paljon. He ovat ja pysyvät suomalaisina, ja se tekee työni helpommaksi—ja työ antaa elämälleni sisältöä . . .»

»Alkaa sataa.»

»Menkäämme katon alle, siksi kunnes sade on ohi. Jätän tämän mielelläni huomiseksi—työskentelen mieluummin ulkona.»

»Nimeni on Eeva Koski. Minäkin asun Lontoossa, lastenhoitajattarena suomalaisessa perheessä. Kuinka alun perin jouduitte Lontooseen?»

»Muuan nuori mies, voin sanoa häntä parhaaksi ystäväkseni Lontoossa, matkusti sinne monta vuotta sitten suomalaisen perheen kotiopettajaksi, ja hänestä tuli myöhemmin kieltenopettaja. Matkustin kerran hänen luokseen kesäksi ja päätinkin jäädä Lontooseen varmana siitä, että minua odotti siellä jokin tehtävä, ja toivoni toteutui. Ystäväni on vieläkin Lontoossa saksan-, ruotsin- ja, valitettavasti harvoin, myös suomenkielen opettajana. Hän kelpaa erinomaisesti kieltenopettajaksi, hän harrastaa kieliä ja matkustelua. Minä olen, kuten jo sanoin, siellä pappina. Hän on jäänyt poikamieheksi ja minä menin naimisiin.»

»Entä perheenne?»

»Se jäi Lontooseen. Minä lähdin kotiin äitiä katsomaan. Vuosi vuodelta lykkäsin matkani aina seuraavaksi vuodeksi, sillä varani eivät riittäneet.»

»Ja lopulta teidän täytyi matkustaa yksin.»

»Niin.» Pappi oli vaiti pitkän aikaa ja sanoi sitten: »Sää ei selkene.»

»Saammepa nähdä; luullakseni iltapäivällä paistaa aurinko.»

»Tämän romaanin pitää ilmestyä jouluksi. Ensimmäisen osan olin jo saanut valmiiksi, kun muutamat sivut joutuivat tulen saaliiksi. Miten tämä tapahtui, on arvoitus. Kirjoituspöytä oli täynnä papereita ja kirjoja ja menin huoneesta pois vain hetkeksi. Ikkuna oli auki, mutta tuuli ei ollut kova. Kun palasin huoneeseen, oli noin kaksikymmentäviisi sivua takan edessä lattialla ilmiliekissä. Seurauksena oli, että minun täytyi lähteä, ennen kuin olin saanut työni valmiiksi.» Hän hymyili: »Mutta kertokaa, neiti Koski, omasta elämästänne!»

Eeva kertoi lyhyesti. Sitten hän selitti, miten rouva Lehtosen äiti, joka asui Etelä-Ranskassa, oli sairastunut vakavasti ja miten rouva Lehtonen oli lähettänyt molemmat kotiapulaisensa kuukaudeksi lomalle ja sanonut, että Eeva voisi matkustaa Helsinkiin lasten kanssa; hän itse oli lentänyt äitinsä luo.

Sitten pastori sanoi: »Saanko kutsua teidät päivälliselle pöytääni?»

Helsinkiin saakka he istuivat aterioilla pastorin pöydässä. Kerran kahdeksanvuotias Lauri, joka söi aina hyvällä ruokahalulla, oli kertonut, mitä hän oli syönyt. Pastori hymyili ja huomautti: »Emme elä syödäksemme, vaan syömme elääksemme.»

Lauri tuijotti häneen ja sanoi sitten: »Mutta jos en syö, niin en elä syödäkseni!»

Lauri lueskeli paljon ja kerran pastori kysyi: »Tiedätkö, kuka on suomalaisen kirjallisuuden isä?»

»Mikael Agricola, herra pastori.»

»Aivan oikein. Hän ei ollut suurta sukua: kalastajan poika vain, kotoisin Suomenlahden rannalta. Palavan opinhalunsa vuoksi hän pääsi kouluun, ja kun hän oli ahkera, innokas oppilas, niin hän edistyi hyvin. Hän aloitti koulunkäyntinsä Viipurissa, mutta sai sitten jatkaa Turussa, Suomen silloisessa pääkaupungissa, ja vihdoin Wittenbergissä. Jo Wittenbergissä hän alkoi kääntää suomeksi Uutta testamenttia. Kun hän palasi kotiin, hän halusi painattaa suomenkielisen Uuden testamentin ja osia Vanhasta testamentistakin. Se oli suuri ja vaivalloinen työ: eikä kirjapainoa ollut lähempänä kuin Tukholmassa, Ruotsin pääkaupungissa. Silloin Mikael arveli, että olisi hyvä saada sillä välin pienempiä kirjoja valmiiksi. Sentähden hän kirjoitti ensiksi suomalaisen aapiskirjan. Hän toimitti lisäksi toisen teoksen: laajan suomenkielisen rukouskirjan.

Tämän jälkeen ilmestyi sitten Uusi testamentti, joka on kallein aarre tässä maailmassa, sekä muita pieniä suomalaisia kirjoja. Lopulta hänestä tuli Turun piispa . . . Jos joku kysyy, kuka on toimittanut ensimmäisen suomalaisen kirjan, niin pitää jokaisen Suomen pojan ja tytön osata vastata: sen toimitti piispa Mikael Agricola, köyhän kalastajan poika.»

Poika tarttui pastorin käteen: »Minäkin tulen kirjailijaksi tai ehkä ylioppilaaksi kuten Eeva.»

»Te olette siis ylioppilas. Saanko kysyä, opiskeletteko jotakin?»

Eeva kertoi, kuinka hän työskentelee osaksi lastenkamarissa, osaksi yliopistossa ja kauppakoulussa ja kuinka hän ei aikonut matkustaa Suomeen. Hän kertoi myös Mikosta: »Mitäpä osaisin vastata rouva Lehtoselle?

En halunnut palata Helsinkiin. Olisin mieluummin istunut kotona ja parsinut sukkia. On hauska olla lasten kanssa, arvailla heidän toiveitaan, lukea ääneen, kaataa maitoa lasiin, kävellä puistossa. Minun oli aluksi vaikea uskoa, että tulisin koskaan toimeen: vähitellen kuitenkin aloin tottua olooni. Mutta nyt työ Lontoossa on päättynyt . . .»

Tauko. Pastori sanoi vain »Vai niin.»

Lopulta Eeva sanoi, yleensä vain jotakin sanoakseen: »Ei Mikkoa suinkaan voi sanoa puheliaaksi mieheksi, mutta tiedän, että olisi täysin hyödytöntä asettaa esteitä hänen tielleen . . . Enhän minä tahdo olla hänelle esteenä, tietäähän hän sen . . .»

»Sallikaa minun sanoa, että kuta vähemmän odottaa, sitä enemmän voi saada odottamatonta iloa. Mielestäni teidän pitää jatkaa opintojanne.»

»Juuri niin aionkin, herra pastori, mikäli ei Mikko näe hyväksi estää minua.»

LESSON ELEVEN

GRAMMATICAL NOTES

(*a*) INFINITIVE II has the stem ending (it does not occur in the nominative) -*te*', closed by the aspiration, added to the stem of the verb, with modifications of the latter occurring just as in Infinitive I. In other words, the final -*a* -*ä* of Infinitive I are replaced by -*e*-.

Stems ending in a vowel other than -*i*- sometimes add -*i*- instead of -*e*-; and the ending -*e*- becomes either -*ie*- or -*ei*-. Thus we find:

olla, to be	inessive *ollessa*	instructive	*ollen* (Note 11*c*)
juoda, to drink	*juodessa*		*juoden*
repiä, to tear	*repiessä*		*repien*
sanoa, to say	*sanoessa* (or *sanoissa*)		*sanoen* (or *sanoin*)
lukea, to read	*lukiessa* (or *lukeissa*)		*lukien* (or *lukein*)

Only these two cases are used.

(*b*) USES OF THE INFINITIVE II (chiefly a literary form):

(i) The inessive indicates the simultaneity of an action with another. The subject of the Infinitive II is indicated as follows:

1. Where it is identical with the subject of the main verb the infinitive has the corresponding personal suffix after the case-ending: *Tule, sanoi täti kahvia kuppeihin kaataessaan*— Come, said (her) aunt as she poured coffee into the cups.

2. A. where the two verbs have different subjects the subject of the infinitive (no personal ending) is put in the genitive case: *Tädin kaataessa kahvia kuppeihin tuijotti Eeva ikkunasta ulos*—While (her) aunt was pouring (poured) coffee into the cups Eeva stared out of the window.

B. Where, however, the subject of the infinitive is represented by a pronoun, the corresponding personal suffix must in addition be attached to the infinitive: *Hänen kirjoittaessaan kirjettä luin sanomalehteä*—while she wrote a letter (the letter) I read the newspaper. But if the pronoun is of the 1st or 2nd person it is sometimes omitted: (*Meidän*) *kirjoittaessamme hän luki sanomalehteä*—While we wrote (were writing) he read the paper.

These constructions are commonly replaced by temporal clauses such as *kun me kirjoitimme*, when, while we wrote, and so on.

(ii) The instructive generally indicates the manner of the main action (for the instructive case, see below, Note 11*c*). The subject of the infinitive is indicated, as with the inessive, by a genitive if it is different from the subject of the main verb: *Pullo lensi suhisten halki ilman*—The bottle flew whistling through the air; *Minä sanoin sen kaikkien kuullen*—I said that in the hearing of everyone (all hearing), and with a pronoun the personal ending: *Sanoin sen heidän kuultensa*—I said it in their hearing.

A number of common expressions use the instructive of Infinitive II, among them the following: *ohimennen*, by the way, in passing; *näin ollen*, such being the case, as things are; *mennen tullen*, (on the way) there and back; *kaikesta päättäen*, to judge by everything, judging by all the signs; . . . *sta lähtien*, beginning from . . .; *suoraan sanoen*, speaking frankly, putting it bluntly.

(*c*) THE INSTRUCTIVE OR INSTRUMENTAL CASE has the ending *-n*, and is used (except as above, Note 11*b* ii) almost always in the plural, even when referring to one object. Uses of this case are as follows:

(i) To indicate the manner of an action: *hän tuli paljain päin*, she came with bare head, bareheaded.

(ii) To indicate the allied concept of ' means ': *Hän oli omin avuin päässyt päämääräänsä*—He had reached his goal by his own abilities. Sometimes the adessive can be used alternatively.

(iii) Adjectives in the instructive case serve as adverbial

expressions: *pitkin tietä*, along the road; *hyvin*, well, very; *yksin*, alone.

(iv) Recurring time is expressed by plural instructives: *aamuin*, in the mornings; *päivin*, daily. A commoner form, however, is the instructive of an adjectival form with the ending *-inen* (stem *-ise-*): *aamuisin*, *päivisin*; *Hän ei syö perjantaisin lihaa*—She eats no meat on Fridays.

(*d*) The COMITATIVE CASE has the suffix *-ne*, which is attached only to the plural stem, and nouns have in addition the personal ending, while adjectives or numerals qualifying such nouns do not require this. Since the noun appears in the plural, the context has to show whether the meaning is singular or plural.

The comitative expresses a close relationship with, ' in the company of ' or ' belonging to ' a person or thing: *Se oli iso rakennus monine huoneineen*—It was a big house with many rooms.

If, however, the possession is not a part, then ' with ' can be expressed by *kanssa* and the genitive relationship for living creatures: *pojan kanssa*, with the boy; *kanssamme*, with us; in other cases *ja* is used.

(*e*) INDEFINITE PRONOUNS, classified according to the way they are declined, are:

(i) *Joku*, someone; *jompikumpi*, one (of two). In these both parts are declined thus: (gen. sing.) *jonkun*, *jomman-kumman*, (plural) *joidenkuiden*; (partit. sing.) *jotakuta*, *jompaakumpaa*, (plural) *joitakuita*; (iness. sing.) *jossakussa*, *jommassakummassa*, (plural) *joissakuissa*; (allat. sing.) *jolle-kulle*, *jommallekummalle*, (plural) *joillekuille*, etc.

(ii) *Jokin*, something, some; *kukin*, each (one); *mikin*, any (one); *kumpikin* or *kumpainenkin*, both. In these only the first part (that is, what is left when the strengthening particle *-kin* is taken away) is declined and the particle is added throughout: (genitive) *jonkin*, *kunkin*, *kummankin*, (inessive) *jossakin*, *kussakin*, *kummassakin*, (partitive) *jotakin* (or *jotain*), *kutakin*, *kumpaakin*, etc.

(iii) *Kukaan*, *kenkään*, *mikään*, *kumpikaan* or *kumpainen-kaan*, no one, nothing, neither, etc., are used only in negative sentences, the *-kaan* *-kään* remaining undeclined, but

after *kuta*, *mitä*, and sometimes *missä*, it loses the *-ka-*
-kä-. Examples of these indefinite pronouns are: *Sitä ei
kukaan tiedä*—No one knows that. *Älä sano tätä kenellekään*—
Do not say this to anyone, don't tell anyone. *Etkö osaa
sanoa mitään?*—Can't you say anything? *Etkö tunne
ketään näistä miehistä?*—Don't you know any of these men?
Etkö tunne kumpaakaan näistä kahdesta miehestä?—Don't you
know either of these two men?

(iv) *Jokainen*, every (one), has the stem *jokaise-* and
hence the genitive *jokaisen*, partitive *jokaista*, allative, *jokai-*
selle, adessive *jokaisella*, etc.

(v) *Eräs* with the stem *erää-*, (a) certain, has in the
singular, the genitive *erään*, partitive *erästä*, adessive
eräällä, elative *eräästä*, etc., and in the plural the nominative
eräät, genitive *eräiden* or *eräitten*, partitive *eräitä*, allative
eräille, etc. In the singular this word often corresponds to
the English ' a ' or ' an ': *eräs herra*, a gentleman or a
certain gentleman.

(vi) *Muutama*, some, is used more in the plural than the
singular: *muutamat*, several, a number (of them).

(vii) *Moni*, with the stem *mone-*, corresponds broadly
to the English ' many a . . .' when used in the singular,
and to ' many ' in the plural. The partitive singular is
monta.

(viii) *Molemmat*, a plural form, is ' both '.

(ix) *Kaikki* is the nominative of the stem *kaikke-*, all
(of a number of things).

(x) *Koko* is ' all ' of one thing.

(xi) *Muu*, another, *sama*, the same, and *oma*, (one's)
own, conclude our list, which is not exhaustive. It
should be remembered that such words can mostly be used
as independent pronouns or as adjectives.

(*f*) The ACCUSATIVE CASE, which, it will be remembered,
has, in the singular, the same form as the genitive (that is,
the suffix is *-n*, but see Note 9*f*) and, in the plural, the same
as the nominative (that is, the suffix is *-t*), is used in the
following ways:

(i) As the ' total ' object of a finite active verb: *Poika
osti kirjan*—The boy bought a book. A predicate-comple-
ment referring to such a total object agrees with it in

number and case: *Puuseppä teki pöydän liian matalan*—The cabinetmaker made the table too low. In a case such as: *Hän veisti puikon liian lyhyeksi*, he cut the stick too short, there is a change involved: the adjective does not, therefore, exactly tally with the whole object. But in the sentence *Hän veisti puikon liian lyhyen* the adjective agrees with the object, and the implication is that the stick was too short as soon as it was cut from the hedgerow, i.e. it was not a stick until he cut it, and when he had cut it it was too short, while the first sentence implies that he took an already existing stick and made it into something different: a shorter stick.

(ii) Nouns expressing distance covered, time passed or occupied, how many times or the —th time are put, even with intransitive verbs, in the accusative case: *Olimme kulkeneet kilometrin*—We had walked a kilometre. *Viivyn muutaman kuukauden*—I shall stay some months. *Minä kysyin häneltä kolmannen kerran*—I asked him for the third time. But expressions involving *joka*, every, which is not declinable, use the nominative: *Hän käy täällä joka viides päivä*—He comes here every fifth day. And *kerran*, *kerta*, both meaning 'once', without an attribute, are used impartially in the sense of 'already', 'once' or 'just': *Tulepas kerrankin meille!* Just come to us (for once). *Kun sen kerta tein, niin se on tehty*—Once I've done that it's done.

VOCABULARY

aamunkoitto -koitto- -koiton -koittoa, dawn(ing)
ala- (in compounds), below, lower
alene- alenen aleni aleta, go down, sink
auringonsäde -sätee- säteen sädettä, sunbeam
enimmäkseen, for the most part
epätoivoinen -ise- -isen -ista, hopeless, desperate
Espanja Espanja- Espanjan Espanjaa, Spain
espanjalainen -ise- -isen -ista, Spanish, Spaniard; *espanjankieli*, Spanish (language)
etäällä, at a distance, far away
harva harva- harvan harvaa, sparse, thin, rare; *harvat*, few
harvinainen -ise- -isen -ista, rare, uncommon
hehku- hehun hehkui hehkua, glow

herttainen -ise- -isen -ista, charming
hieno hieno- hienon hienoa, fine, delicate
hiipi- hiivin hiipi hiipiä, slip, slink
hoidokki, -kki-, -kin -kkia, charge, ward
hoitele- hoitelen hoiteli hoidella, tend, look after
huolehti- huolehdin huolehti huolehtia, provide for, take care of
hupsu hupsu- hupsun hupsua, silly
hurja hurja- hurjan hurjaa, wild, impetuous
huuli huule- huulen huulta, lip; *huulipuikko -puikko- -puikon -puikkoa*, lipstick
huvitta- huvitan huvitti huvittaa, amuse, divert
hyppä(t)ä- hyppään hyppäsi hypätä, leap
hyräile- hyräilen hyräili hyräillä, hum
höyry höyry- höyryn höyryä, steam, vapour; *höyrylaiva* (see *laiva*), steamship
ilmoitta- ilmoitan ilmoitti ilmoittaa, notify, inform
itku itku- itkun itkua, weeping
jyskyttä- jyskytän jyskytti jyskyttää, roar, pound
jäsentely jäsentely- jäsentelyn jäsentelyä, analysis
kahdenkesken, between two people, confidential
kalastele- kalastelen kalasteli kalastella, fish
kannatin kannattime- kannattimen kannatinta, support, prop
kengittä- kengitän kengitti kengittää, shoe (a horse)
kilometri kilometri- kilometrin kilometriä, kilometre
kohotta- kohotan kohotti kohottaa, raise
koitta- koitan koitti koittaa, dawn
komea komea- komean komeaa (or *komeata*), splendid
korjaile- korjailen korjaili korjailla, mend
kuljeksi- kuljeksin kuljeksi kuljeksia, wander
kulku kulku- kulun kulkua, going, passage, motion, speed
kummallinen -ise- -isen -ista, wonderful, strange
kumpainenkin (equivalent to *kumpikin*), either, both
kyynärpää (see *pää*), elbow
käsivarsi (see *varsi*), arm
käyttäyty- käyttäydyn käyttäytyi käyttäytyä, behave
laaha(t)a- laahaan laahasi laahata, drag
laite laittee- laitteen laitetta, arrangement, contrivance, apparatus
laittautu- laittaudun laittautui laittautua, get (oneself) ready
lapsellinen, childlike, childish
liioin: ei liioin, neither (from *liika*, too much)

lähene- lähenen läheni lähetä, approach, get near

maakunta (see *kunta*), region, district

mahta- mahdan mahtoi mahtaa, be able, can

maisema maisema- maiseman maisemaa, landscape

metsästäjä metsästäjä- metsästäjän metsästäjää, hunter, hunts-
man

minkälainen, of what kind (made up of *minkä*, of what, and
-lainen, of . . . sort; the latter is an adjectival forma-
tion from *laji*, sort)

moitti- moitin moitti moittia, blame, censure, reprove

mukana, along with

noja(t)a- nojaan nojasi nojata, lean, rest upon, stay

nytkähtele- nytkähtelen nytkähteli nytkähdellä, jerk, be moving
in a jerky fashion

näkyvä näkyvä- näkyvän näkyvää, visible

ollenkaan : *ei ollenkaan*, not at all

paneutu- paneudun paneutui paneutua, lie down; *paneudun
maata*, I am going to lie down (going to bed)

paranta- parannan paransi parantaa, heal improve

peilikuva (see *kuva*), reflection

petty- petyn pettyi pettyä, be deceived, disappointed

piippu piippu- piipun piippua, pipe

pirtti pirtti- pirtin pirttiä, cabin, living-room (in the country)

poikke(t)a- poikkean poikkesi poiketa, digress, turn off, vary

polvi polve- polven polvea, knee

puikko (see *huulipuikko*), stick

pyyhki- pyyhin pyyhki pyyhkiä, wipe, dry

päiväjuna (see *juna*), day-train, daily train

pöly pöly- pölyn pölyä, dust

rajamaa (see *maa*), borderland

rasia rasia- rasian rasiaa, box

raskaasti, heavily, hardly, severely

renki renki- rengin renkiä, farm-hand, manservant

reunusta- reunustan reunusti reunustaa, edge, border

ripa ripa- rivan ripaa, handle, grip

riutu- riudun riutui riutua, grow weak, pine away, decline

rukoile- rukoilen rukoili rukoilla, pray, beseech

rypistä- rypistän rypisti rypistää, crease, crumple

sadetakki (see *takki*), raincoat

salamoi- salamoin salamoi salamoida, lighten, flash

savupiippu (see *piippu*), chimney

senvuoksi, on that account, therefore
seula seula- seulan seulaa, sieve
seulo- seulon seuloi seuloa, sieve
sinertä- sinerrän sinersi sinertää, be blue, gleam blue, make
    blue
sinne, thither, (to) there
sointu sointu- soinnun sointua, sounding, sonorousness
suoraan sanoen, speaking candidly, to tell the truth
surina surina- surinan surinaa, buzzing, humming
syyttä- syytän syytti syyttää, blame, accuse, charge
sähkösanoma (see *sanoma*), telegram
sääli- säälin sääli sääliä, pity
taiteilija -ja- -jan -jaa, artist
taivutta- taivutan taivutti taivuttaa, bend, induce
tarjo(t)a- tarjoan tarjosi tarjota, offer, bid, give
tiedottomuus -muute- -muuden -muutta, unconsciousness, sense-
    lessness
tiedustele- tiedustelen tiedusteli tiedustella, enquire
tietoisuus -suute- -suuden -suutta, consciousness
tuhat (see Lesson 13), a thousand
tuntematon tuntemattoma- tuntemattoman tuntematonta, unknown,
    ignorant
tutki- tutkin tutki tutkia, examine, investigate, study
urheile- urheilen urheili urheilla, practise sports
vaihe vaihee- vaiheen vaihetta, change, spell, phase
vajota- vajoan vajosi vajota, sink; *vajonneena* (see Lesson 16),
    sunken
valaise- valaisen valaisi valaista, shine, illuminate
valkene- valkenen valkeni valjeta, grow light, pale
varovaisesti, carefully
veistä- veistän veisti veistää, cut, carve
vihainen, angry
vihellys vihellykse- vihellyksen vihellystä, whistle, whistling
viitta(t)a- viittaan viittasi viitata, point to, indicate
vuosituhat (see *tuhat*), millennium, thousand years
vähiten, little by little
värähtä- värähdän värähti värähtää, thrill, quiver
väsyttä- väsytän väsytti väsyttää, tire, tire of
ääneti, soundlessly
äänetön äänettömä- äänettömän äänetöntä, soundless

EXERCISE

1. Talvi on tullut pitkine öinensä. 2. Mies veti kahden käden. 3. Lapset juoksivat kaikin voimin metsään. 4. Toinen oli valkoinen ja toinen harmaa. 5. Lapsi tuli itkien kotiin. 6. Aika kului laulaessa ja leikkiessä. 7. Aion poiketa teillä mennessä ja tullessa. 8. Auringon aletessa saavuimme kotiin. 9. Hän oli kotoisin Helsingistä. 10. Itse vanha pirtti oli muuttunut juhlahuoneeksi kuusineen ja kynttilöineen. 11. Kummallinen juttu, hän sanoi mietiskellen. 12. Olette erehtynyt, tyttö vastasi, ja kääntäen heille selkänsä hän astui ovesta sisään. 13. Johtaja tarjosi nojatuolia tiedustellen aluksi: »Minkälaista autoa olette ajatellut?» 14. Illan lähetessä hän istui taas hanureineen puun juurella. 15. Seistessään ikkunan ääressä katsellen katua hän sanoi: Anna minun jatkaa. 16 Hän oli hiukan pettynyt, kun tyttö hänet jättäessään oli ilmoittanut, ettei hän voinut sunnuntaiaamuna tulla aamukahville. 17. Jo pari kolme vuotta hän oli kuljeksinut pitäjästä toiseen korjaillen kaikenlaisia laitteita. 18. Hän jäi vieraaseensa selin. 19. Ville istuu kyynärpäät polvilla, leukaansa käsiin nojaten. 20. Se ei kuulunut kenellekään. 21. Kumpainenkin oli aina käyttäytynyt hyvin. 22. En ole ollenkaan samaa mieltä.

READING

Järven rannalla

Vihdoin Eeva saapui Helsinkiin pienine hoidokkeineen ja monine matkalaukkuineen ja lähti autolla kotiin, lasten sedän luo. Täti huolehtisi Eevasta ja lapsista kunnes äiti saapuisi. Tämä oli näet sanonut, että hän tulisi Helsinkiin niin pian kuin mahdollista.

Kun lapset olivat jo vuoteessa, Eeva ajoi autolla Petsamonkadulle. Auto pysähtyi komean talon, Mikon kodin eteen. Eevan sydän jyskytti hurjasti kun hän nousi viidet kiviportaat. Hän soitti.

Tauko. Mitään vastausta ei kuulunut, vaikka hän soitti toisen ja kolmannenkin kerran . . .

Kuinka typerä hän olikaan! Koko perhe oli tietysti nyt maalla.

Oli jo myöhäistä. Hän palasi kotiin ja meni rauhallisesti huoneeseensa. Hän tuijotti peiliin kuin uusin silmin. Miksi hän oli mennyt sinne niin hätäisesti? Hän meni pian vuoteeseen, mutta ei voinut nukkua. Hän makasi tuijottaen suoraan eteensä. Ehkä hän tarvitsisi jotakin, minkä vuoksi elää . . . ei, sehän on lapsellista, hänhän on itsenäinen ihminen . . .

Mutta kun Eeva oli vajonnut tietoisuuden ja tiedottomuuden rajamaille, hän oli jo päättänyt käydä Mikon luona. Kuinka tämä ottaisi hänet vastaan?

Seuraavana aamuna hän heräsi jo aamun koittaessa, nautti aamiaisensa ja oli matkalla asemalle jo ennen kello kahdeksaa. Hän hyräili iloista säveltä asemalle mennessään.

. . . .

Hiekkaharjulla oli aamu. Mikko heräsi. Hänen tapanaan oli laulaa aamuisin rannalle mennessään, mutta nyt hän paneutui jälleen pitkäkseen ja makasi tuijottaen ikkunasta ulos. Perhe oli muuttanut maalle. Joka vuosi samaan aikaan he viettivät siellä pari viikkoa kalastellen, uiden, urheillen ja soudellen. Mikko nousi joskus aamun valjetessa ja lähti järvelle, mutta ei vain uidakseen eikä soudellakseen: hänen täytyi tehdä työtä. Aika kului siis osaksi leikkiessä, mutta enimmäkseen lukiessa.

Talossa olivat vielä kaikki vuoteessa. Hän hiipi hiljaa keittiöön ja toi aamiaistarjottimen. Syödessään hän katseli ympärilleen. Tämä oli hänen oma pieni huoneensa. Sen ikkunat avautuivat etelään päin. Aurinko paistoi valaisten äänetöntä maisemaa. Hän seurasi ihmetellen auringonsäteitten leikkiä veden pinnassa. Jostakin kaukaa kuului junan vihellys.

Tarttuen oven ripaan ja avaten varovaisesti oven hän hiipi ääneti ulos, ja pikemmin juosten kuin kävellen hän saapui järvelle. Vedet välkkyivät, minne hän silmänsä käänsikin, metsät sinersivät etäällä, valkovartiset koivut reunustivat tietä kuvastuen tyyneen veteen. Oli täysi kesä.

Laulaen ja soutaen hän tuli saarelle, veti airot veneeseen ja hyppäsi hiekalle. Istuen joskus tuntikausia hiekalla tai veneessä hänellä oli tapana tehdä jäsentely kaikesta siitä, mitä hän edellisenä päivänä oli lukenut. Ja niin tapahtui tänäänkin: hän nouti mökistä kirjoja ja papereita ja souti pian järven keskelle. Siellä, tyynellä järvellä oli hiljaista ja rauhallista, mutta Mikko tuskin huomasi sitä tänään ajatellessaan työtään. Kuta kauemmin hän mietti ja seuloi ajatuksia mielessään, sitä selvemmin alkoi asia hänelle kiteytyä: hän pääsee yksin ja omin avuin päämääräänsä, aivan niin kuin tyttökin, tyttö, jota hän ehkä ei enää koskaan saa nähdä.

Aika kului . . .

Puiden takaa nousi pölypilvi ja kuului surinaa. Bussi matkustajineen oli saapunut päiväjunalta. Uusi pölypilvi nousi ja bussi katosi nytkähdellen tienkäänteeseen. Maantiellä kulki nainen. Tyytymättömänä otsaansa rypistäen ja ajatuksiinsa vajonneena Mikko katsoi tielle. Oliko se mahdollista? Eeva se oli sadetakki käsivarrella. Tyttö oli kaikesta päättäen huomannut Mikon; ilosta huudahtaen hän joudutti kulkuaan ja juosten pitkin askelin häntä vastaan huusi: »Mikko, Mikko!»

He kohtasivat toisensa hiekkarannalla. Eeva selitti, mitä oli tapahtunut niiden monien kuukausien aikana, joiden kuluessa he eivät olleet toisiaan nähneet ja kuinka päivät kuluivat Lehtosten luona ja lopuksi kuinka hänen oli vihdoin täytynyt palata Helsinkiin.

»Mutta eikö ollut vaikeata olla aina lasten kanssa, joita täytyi laahata mukanaan kaiken aikaa joka päivä sekä Lontoossa että Helsingissä?»

»Ei suinkaan . . . ja tänään esimerkiksi minulla on vapaata. Tulin tänne, koska halusin puhua kanssasi kahden kesken. Kuule, etkö sinäkin tulisi Lontooseen? Siellä voisit jatkaa opintojasi . . . Minä olen saanut sieltä työpaikan, vaikk'en olekaan lahjakas. Kyllä sinäkin löydät varmasti työtä.» Tyttö puhui pehmeällä äänellä ja rukoillen.

»En minä halua hakea työpaikkaa, en ainakaan Lontoosta, enkä vielä.» Mikko viittasi hymyillen vihreisiin metsiin. »Tämä on minun maani, täällä minun täytyy jatkaa opintojani, täällä tehdä ahkerasti työtä.»

»Tule Lontooseen, rakkaani! Olet lahjakas, kyllä sinä tulet siellä toimeen.»

»Jos minulla on lahjoja, niin juuri sen vuoksi minun pitää jäädä Suomeen, omaan maahani. Joka tapauksessa minun täytyy jatkaa opintojani. En lähde. Älkäämme puhuko enää siitä. En lähde.»

Tyttö värähti kuullessaan hänen äänensä soinnun.
Hän tiesi, että Mikko oli aina ollut itsepäinen. Eeva
koetti kuitenkin vielä kauan taivuttaa häntä ja katseli
puhuessaan tutkivasti Mikkoa. Sitten hän sanoi yht'äkkiä
silmät salamoiden »Hyvä on. Meillä ei suoraan sanoen
ole mitään yhteistä. Jos aiot parantaa maailmaa vain
Suomessa, niin saat jatkaa tietäsi yksin», ja hän purskahti
hiljaa itkuun.
Mutta Mikko ei sanonut mitään.
Äkkiä Eeva nousi, pyyhki kyynelensä ja otti käsilaukus-
taan puuterirasian ja huulipuikon. Lähtiessään hän
ojensi Mikolle kuitenkin kätensä: »Hyvästi, me emme
tapaa enää toisiamme.»
»Hyvästi, Eeva,» vastasi Mikko. »Oletko vihainen
minulle?»
»Minulla ei ole mitään syytä olla sinulle vihainen . . .
eikä liioin sinulla minulle.»
»Enkä minä olekaan, Eeva!» Mikko tarttui molemmin
käsin Eevan käteen »Sinä palaat etelään, harmaan suur-
kaupungin hälinään; minä jään pohjoiseen tehdäkseni
työtä. Emme ehkä enää koskaan tapaa toisiamme.»
»Hyvästi!» Eeva kääntyi lähteäkseen »Olet tyhmä
itsepintaisuudessasi.» Hän poistui ja katosi Mikon näky-
vistä.

. . . .

Äiti istuutui raskaasti penkille puutarhapöydän ääreen
ilta-auringon säteitten valaistessa hänen riutuneita kasvo-
jaan. Järvi hehkui kuparinpunaisena auringon laskiessa.
Hän huoahti ja sanoi sitten kahvia kuppeihin kaataessaan:
»Meidän kesken puhuen, Mikko, säälin tuota tyttöä.
Hän on harvinaisen hieno ja älykäs nuori nainen, kaunis
ja herttainen.» Mikko kohotti katseensa, mutta ei sanonut
mitään. »Hänen isänsä» jatkoi äiti, »kaatui sodassa;
äiti oli jo aikaisemmin kuollut, ja Eeva oli yksin, lapsi
parka . . . kuinka hän on mahtanutkaan kärsiä . . .
hän menetti kaiken.»
»Mutta siitä hän ei ole koskaan kertonut mitään»
huudahti Mikko.

LESSON TWELVE

GRAMMATICAL NOTES

(*a*) INFINITIVE III has the suffix *-ma- -mä-* added to the stem of the verb: *sano- sanoma-, elä- elämä-*; amalgamating verbs elide the *-t-*: *huoma(t)a- huomaama-*.

(*b*) USES include service as verbal noun and as verbal adjectives in various cases, singular and plural: (i) Indicating the result of an action: *elä-*, live; *elämä*, life; *sano-*, say; *sanoma*, message, news, report; and adjectivally with roughly the same force as 'made', 'written', 'painted', 'lived', 'said' and so on. The agent, that is, the person or thing performing the action denoted by this infinitive, is expressed by a personal relationship as in Note 11*b* i (the infinitive agreeing as an adjective with any object of the infinitive): *Isä lukee kirjoittamaansa kirjettä*—Father is reading the letter he wrote (has written). *Kyllä tahdon lopettaa aloittamani työn*—Of course I want to finish the work I have begun (literally the begun-by-me work). *Luen isän kirjoittamaa kirjettä*—I am reading the letter Father wrote. *Tämä pöytä on puusepän tekemä*—This table is the carpenter's work (made by the carpenter). *Isä lukee hänen kirjoittamaansa kirjettä*—Father is reading the letter which he (i.e. some other person) wrote. *Tässä on luettelo meidän lahjoittamistamme kirjoista*—Here is a list of the books we have given away. (Note the plural stem of the infinitive *-mi-*.)

(ii) The inessive indicates a current action: *Hän on työhuoneessaan kirjoittamassa kirjettä*—He is in his study writing a letter. The inessive of Infinitive III of *ole-* is used with other parts of the same verb *ole-* to express 'exist': *Onko tällaisia vielä olemassa?*—Are such things still in existence? Do such things still happen? The Infinitive III of other verbs is used with *käy-* as a kind of object or aim of the latter in somewhat the same way as the 'long form' of Infinitive I: *Käyn teitä katsomassa*—I shall call on you; I am coming to see you.

154

(iii) The elative indicates an action from which the subject comes, ceases or is hindered, or against which he is warned or counselled, or which he refuses or is forbidden to do; an object of the action is, of course, since the sense is negative, in the partitive. Verbs which call for this elative include: *estä-*, hinder, prevent; *esty-*, be hindered or prevented; *kieltä-*, forbid; *kieltäyty-*, forbid oneself, i.e. refuse; *lakka(t)a-*, cease; *varo-*, take care not to; and *varoitta-*, warn. *Pojat tulevat kalastamasta*—The boys are coming from fishing. *On lakannut satamasta*—It has stopped raining. *Kieltäydyin myymästä taloa sellaisilla ehdoilla*—I refused to sell the house on such conditions. *Kielsin lapsia sinne menemästä*—I forbade the children to go there.

(iv) The illative has its usual force of an aim or destination, and expresses an action which is to be done or for which one is prepared, suited, unfit, etc., or represents the object of another verb, the beginning of an action, etc.: *Kuinka hän on oppinut tuntemaan vaimonsa?*—How did he get to know his wife? *Pyydän teitä kuuntelemaan minua*—I beg you to listen to me. *Riittäisikö se yksin täyttämään ihmisen elämän?*—Would that alone be enough to fill a person's life? *Eikä hän olisi ollut valmis tunnustamaan sellaista todeksi*—And she would not have been ready to admit such to be true, to admit the truth of that. *Kehoitan heitä menemään heti sinne*—I will urge them to go there at once. *Auttakaa minua viemään tavarat veneeseen!*—Help me to carry the goods into the boat. *Hän sattui kuulemaan, että . . .* —He happened to hear that . . .

An example of the illative plural is the common expression; *Näkemiin!*—Au revoir, see you again, till we meet again. Note that *tule-* with this illative is the equivalent of a future tense in the same way as the English expression 'come to do something'. *Kukaan ei tule huomaamaan mitään*—Nobody will notice anything, I don't imagine anyone will notice anything. And *lähte-* with a verb of movement means 'begin': *Hän läksi juoksemaan*—She began running, set off at a run.

It should be noted that, while *ryhty-* and *rupeta-*, both meaning 'begin', require this illative of the third infinitive to denote an action to be begun, *alka-*, begin, requires the first infinitive, while *aloitta-*, begin, requires a noun as its object. Thus 'The man began to work (the work)' can be translated: *Mies rupesi tekemään työtä*, or *Mies alkoi tehdä työtä*, or *Mies aloitti työn*. Similarly, *käske-*, command, can be treated either as an impersonal verb, with the agent of the infinitive in the genitive and with a first infinitive, or with a personal object and the illative of the third infinitive: *Käskin poikien mennä*, or *Käskin poikia* (or *pojat*) *menemään*—I told (commanded) the boys to go. The verbs *anta-* and *salli-*, permit, let, allow, however, are constructed with the Infinitive I only: *Emäntä ei antanut palvelijainsa laiskotella*—The mistress did not let her servants laze.

(v) The adessive expresses the action by which something is done, the means or instrument: *Sanomalla sen ilmaisi hän koko salaisuuden*—By saying that he gave away the whole secret. It is also sometimes found in archaic Finnish expressing an imminent action, the subject being expressed by the personal suffix: *Olin lähtemälläni*—I was about to set out. But a commoner way of expressing this is by means of the adessive of a derivative of the third infinitive, usually called the fifth infinitive, to which is added the personal suffix. The derivative is constructed by adding the suffix *-ise-* in its plural form to the third infinitive: *Olin lähtemäisilläni*—I was about to set out. This so-called fifth infinitive has no other use.

(vi) The abessive (see Note 12*c*) expresses an action not performed, the absence of an action, and thus supplies a kind of negative of parts of the verb which have no personal pronoun and cannot therefore be constructed with the verb of negation: *Hän koetti olla ymmärtämättä*—He tried not to understand. In other words, the Finnish equivalent to 'not to . . .' corresponds to 'to be without . . . ing': 'not to be' is *olla olematta* and so on. Other examples are: *Olisi parempi olla kirjoittamatta*—It would be better not to write. *Kehoitan teitä olemaan menemättä*—I urge you not to go (to be without going). And, an example with an object: *Sanaakaan sanomatta hän lähti pois*—Without saying a word he went away. The subject of the omitted action, the third infinitive, if different from that of the main verb, is expressed according to Note 11*b* i 2–3: *(Sinun) sanaakaan sanomattasi hän lähti pois*—Without your saying a word he went away. *Astuin huoneeseen heidän huomaamattaan*—

I stepped into the room without their noticing (it). *Äidin sanaakaan sanomatta hän lähti pois*—Without (the) mother's saying a word he went away. Note that the abessive is sometimes used in an apparently passive sense: *Hän tuli kutsumatta häihin*—He came uninvited to the wedding *or* He came without-inviting to the wedding.

(vii) The instructive of the third infinitive is found in archaic Finnish expressing, with the impersonal verb *pitää*, a necessity; the construction is otherwise the same as with the first infinitive.

(c) The ABESSIVE CASE has the ending *-tta -ttä*, and expresses the absence of what is denoted by the stem to which it is added: *Joka syyttä suuttuu, se lahjatta leppyy* (proverb)—He who is angry without a cause is pacified without a present. Except as in Note 12*b* vi, this case is now generally replaced by *ilman*, without, and the partitive: *Rahatta ei pitkälle matkusta* (or *Ilman rahoja ei pitkälle matkusta*) —One cannot travel far without money (see Notes 9*e* i, 18*f* 2).

(d) The PROLATIVE CASE has the ending *-tse*, usually added to the plural stem. It denotes the way 'along which' movement takes place. It is little used, and some grammarians do not count it among the cases. It is accounted closed by an aspiration.

While it is usually replaced by some equivalent construction such as *tietä pitkin*, along the road; *rautatiellä*, by rail; *laivalla*, by boat, a few stems are to some extent current in the written language, such as *puhelimitse*, by telephone (but also *puhelimella*); *postitse*, by post; *maitse*, by land; *meritse*, by sea; *sähköteitse*, by telegraph; and a number of postpositions preserve this ending, for instance *ohitse*, by, past; *ylitse*, over; *paitsi* or *paitse*, besides; *sitä paitsi*, in addition (to that), etc.

(e) APPOSITION AND ATTRIBUTES. Two or more words may be associated together to form a single concept in relation to the rest of the sentence; one part of the group may then be regarded as an amplification or re-statement, an afterthought. In the sentence: *Helsinki, Suomen pääkaupunki, on myös satamakaupunki*—' Helsinki, the capital of Finland, is also a port', the phrase *Suomen pääkaupunki* stands in apposition to *Helsinki*; *Suomen* is a 'genitive-attribute' of *pääkaupunki*, and *pää* is a 'noun-attribute' of *kaupunki*.

(i) In simple apposition the apposition naturally follows the word it modifies, and is in the same case, because it stands in the same relation to the rest of the sentence: *Oletteko käynyt Helsingissä, Suomen pääkaupungissa?*—Have you been to Helsinki, the capital of Finland?

(ii) Attributes are words or expressions which modify the meaning of the words to which they refer. The following should be noted:

1. Where a noun serves as an attribute of another noun, one more specific than the other, if the arrangement is general-particular, the two parts are separate, if the reverse they are often either joined by a hyphen or written as one word. In either case only the particular is inflected, and since, in the second case, the two form one particularised compound, the inflection is added at the end of the group. Examples will make this clearer: *Tuo talo on herra Lauri Kettusen*—That house is Mr. Lauri Kettunen's (similarly *Talo on herra Kettusen*, or *Talo on Lauri Kettusen*). *Kirjoitin Kalle-sedälle*—I wrote to Uncle Charles.

2. Most Finnish names of rivers, hills and so on, that is, natural places, belong to the second type and are written together as one word: *Kemijoen pituus*, the length of R. Kemi.

3. The names and attributes of God and the two parts of the appellation *Jeesus Kristus*, all being particular, are all inflected as equivalents, or as words in apposition *Luottakaa Herraan Jumalaan!*—Trust in God the Lord!

4. If it is necessary to add a descriptive word to the un-inflected part of the group, then this becomes particular and the arrangement becomes one of simple apposition: *Kaupunki on perustettu Ruotsin kuninkaan Kustaa Vaasan aikana*—The town was founded in the time of Gustav Vasa, King of Sweden.

5. A place-name referring to a man-made place, if of two parts, usually has the first part in the genitive—

Turun kaupunki, the town of Turku—and some natural places also follow this scheme, either as two words or as a compound, e.g. *Kreetan saari*, the island of Crete; *Pohjanmeri*, the North Sea.

6. A quoted title of a book, play, piece of music and so on, since this often has its own case-ending according to its meaning, is a special problem, and as one cannot add an inflection to an already inflected word either the name or an appropriate generic word is put in apposition: *Näytelmissään, jotka ilmestyivät sarjassa* Naamioita . . .—In his plays, which appeared in the series *Naamioita* . . .

Where, however, the name is in the nominative or in a foreign language, the inflections can be added: *Eliotin ' Cocktail Partyssa '*—In Eliot's ' Cocktail Party ', *F. E. Sillanpään ' Hiltun ja Ragnarin ' alkusanoista*—from the opening lines of F. E. Sillanpää's ' Hiltu ja Ragnar '.

7. An ordinal number or a nickname forming the last element of a historical name is inflected in the same way as a part of the name: *Kuningas Kaarle XII:n kuolema*, The death of King Charles the Twelfth (the numeral is, in full, *kahdennentoista*, see Lesson 13); *Kaarle Kaljupään poika*, the son of Charles the Bald.

8. *Kello*, *puoli* and *numero* remain uninflected before a numeral: *kello kahdelta*, at (from) two o'clock; *puoli neljältä*, at (from) half past three: *menen numero viiteen*, I am going to No. 5.

9. Where a title or a professional designation refers to a number of names following it, it must be put in the plural, and hence it cannot form with any of them a compound noun, and the construction used is an apposition: *herroille Aaltoselle ja Kekkoselle*, to Mr. Aaltonen and Mr. Kekkonen, to Messrs. A. and K.

10. Note that the common nouns *herra*, *piispa*, *kuningas*, *setä*, *saari* and so on are throughout written with a small initial, except of course when they begin a sentence.

(iii) The attribute can also be in the genitive case, preceding the word it belongs to: *herran poika*, the gentleman's son, and or in the partitive or elative cases, following the word: *saat palasen juustoa*, you shall have some cheese; *saat palasen juustosta*, you shall have some of the cheese.

(*f*) ADVERBS can be classified in two main groups: those in which no separable element can be distinguished, e.g. *aina*, always; *heti*, at once, soon; *koska*, when; *nyt*, now; *pian*, soon; and *vielä*, yet; and a second group, far larger, many clearly recognisable as cases of nouns, for instance: (accusative) *kauan*, long; *paljon*, much; (genitive) *kaikkein*, most, most of all; (partitive) *kotoa*, from home; *ulkoa*, from outside; *kaukaa*, from afar; *salaa*, secretly; *hiljaa*, softly, slowly; (inessive) *tässä*, here; *missä*, where; *yhdessä*, together; (illative) *suoraan*, directly; *yhteen*, together; (adessive) *tuolla*, there; *siellä*, there; (ablative) *muualta*, from elsewhere; (translative) *kauaksi*, (to) far; *edemmäksi*, farther in front; the suffix is, in the commoner examples, often reduced to -*s*: *alas* down; *ylös*, up; *ulos*, out; (essive) *huomenna*, to-morrow; *kotona*, at home; (instructive) *jalan*, on foot; *yksin*, alone; *niin*, *noin*, thus; *kuin*, as; *hyvin*, well; *pahoin*, badly.

Certain other endings are added to stems to make adverbs, and examples will be found in Lesson 20.

Some of the case-endings listed above are found with the addition of personal suffixes, e.g. *ainoastaan*, only; *yhtenään*, continuously; *suorastaan*, simply, absolutely; *vähintään*, at the least; *uudelleen*, anew.

VOCABULARY

aamiaispuuro -*puuro*- -*puuron* -*puuroa*, breakfast porridge

ainakaan (in negative sentences), *ainakin* (in positive sentences) in any case, at least.

ainoa ainoa- *ainoan ainoaa*, only; *ainoastaan*, only, merely, solely

alitse, under

apulainen, helper, assistant; *apulaistyttö*, girl helper, servant, maid

arvo arvo- *arvon arvoa*, value, worth; significance

arvoinen -*ise*- -*isen* -*ista*, of value, deserving

asemasilta (see *silta*), station platform

aurinkoinen, sunny

edellä, before, in front of

edemmäksi, farther to the front of, ahead of

ehti- ehdin ehti ehtiä, have time for, arrive in time
ehto ehto- ehdon ehtoa, condition, term
eniten, mostly
ennakolta, in advance
ensinnäkin, in the first place, first of all
epävarma (see *varma*), uncertain, unsure
etukäteen in advance
etäisyys -syyte- -syyden -syyttä, distance
fysiikka fysiikka- fysiikan fysiikkaa, physics (but *luonnonoppi* is also used)
haihtu- haihdun haihtui haihtua, disperse, evaporate, vanish
halke(t)a- halkean halkesi haljeta, crack, split; *halkeile- halkeilen halkeili halkeilla*, split, be splitting
harkitse- harkitsen harkitsi harkita, deliberate, consider
harmitta- harmitan harmitti harmittaa, vex, irritate
havaitse- havaitsen havaitsi havaita, perceive, notice
hetkinen, moment, little while
hieman, slightly
historia historia- historian historiaa, history, story
huoka(t)a- huokaan huokasi huoata, sigh
hypähtä- hypähdän hypähti hypähtää, jump up
hävittä- hävitän hävitti hävittää, destroy, lay waste
häät häi- häiden (or *häitten*) *häitä* (plural noun), wedding
ihana ihana- ihanan ihanaa, splendid, fine
ihastu- ihastun ihastui ihastua, be delighted, pleased, etc.
ikivanha (see *vanha*), age-old, primeval
ilmaise- ilmaisen ilmaisi ilmaista, disclose, discover
jäljempänä or *jäljempää*, afterwards, later
kahvipannu -pannu- -pannun -pannua, coffee-pot
kaikenkokoinen, of all sizes
kaikenmuotoinen, of all shapes
kangas kankaa- kankaan kangasta, cloth
kansa kansa- kansan kansaa, people, nation
kasvatus kasvatukse- kasvatuksen kasvatusta, education, cultivation
katta- katan kattoi kattaa, cover; *katan pöydän*, I will lay the table
katkera katkera- katkeran katkeraa, bitter
kehitys kehitykse- kehityksen kehitystä, development
kehoitta- kehoitan kehoitti kehoittaa, urge, encourage
kemia kemia- kemian kemiaa, chemistry

F

-kerroksinen, of . . . storeys, . . . -storied
keskeytys keskeytykse- keskeytyksen keskeytystä, interruption;
   keskeytyksettä, without interruption, uninterruptedly
kettu kettu- ketun kettua, fox
kieltä- kiellän kielsi kieltää, forbid, refuse, deny
kieltäyty- kieltäydyn kieltäytyi kieltäytyä, refuse
kiipe(t)ä- kiipeän kiipesi kiivetä, climb
kirjeenkantaja -ja- -jan -jaa, postman, letter-carrier
kohina kohina- kohinan kohinaa, roaring, rushing
koko(t)a- kokoan kokosi koota, gather
-kokoinen, of the size of
koota (see *kokota-*)
korotus korotukse- korotuksen korotusta, raising, rise
koske- kosken koski koskea, touch, concern, refer to
kostea kostea- kostean kosteaa (or *kosteata*), damp
kuiva- kuivan kuivi kuivaa, get dry
kulta(t)a- kultaan kultasi kullata, gild
kultainen, golden
kuningas kuninkaa- kuninkaan kuningasta, king
kuvittelu kuvittelu- kuvittelun kuvittelua, imagination
käsine käsinee- käsineen käsinettä, glove
lahjoitta- lahjoitan lahjoitti lahjoittaa, give, bestow
laiska laiska- laiskan laiskaa, lazy
leppy- lepyn leppyi leppyä, be appeased
levy levy- levyn levyä, sheet, slice, disc, gramophone-record
liike liikkee- liikkeen liikettä, movement, traffic, shop
logaritmi -mi- -min -mia, logarithm
luettelo luettelo- luettelon luetteloa, list, catalogue
luonnoton luonnottoma- luonnottoman luonnotonta, unnatural
madonsyömä, worm-eaten
mahdollisesti, possibly
mahdollisuus mahdollisuute- mahdollisuuden mahdollisuutta, possi-
      bility
malja malja- maljan maljaa, bowl, basin
mato mato- madon matoa, worm
mieluimmin, preferably to anything else
muinainen, ancient, of former times;   *muinaisruno*, ancient
      poem, traditional verses
mukautu- mukaudun mukautui mukautua, adapt oneself, con-
      form
-muotoinen, -shaped, resembling

muuttumaton muuttumattoma- muuttumattoman muuttumatonta, unchanged

naamio naamio- naamion naamiota, mask

neuvoton neuvottoma- neuvottoman neuvotonta, not knowing what to do, at a loss

nurinkurinen, preposterous, irrational, perverse

näkemiin! au revoir, till we meet again

ohitse (prolative of *ohi*), by, past

oivallinen, excellent, first-rate

olento olento- olennon olentoa, being, person

ominainen, proper, special, characteristic

ominaisuus ominaisuute- ominaisuuden ominaisuutta, quality, nature, property

omista- omistan omisti omistaa, possess

osu- osun osui osua, happen, chance; hit, strike

paino paino- painon painoa, pressure, force, emphasis

palkka palkka- palkan palkkaa, wages, salary

pannu (see *kahvipannu*), pot, pan, boiler

parantumaton parantumattoma- parantumattoman parantumatonta, incorrigible, incurable

peite peittee- peitteen peitettä, cover, blanket

perille, to the destination

perintö perintö- perinnön perintöä, inheritance

pikari pikari- pikarin pikaria, beaker, goblet

pistäyty- pistäydyn pistäytyi pistäytyä, drop in, visit

poltta- poltan poltti polttaa, burn; smoke (tobacco, etc.)

puhele- puhelen puheli puhella, chat, talk

puunilaissodat, Punic Wars

puuro (see *aamiaispuuro*), porridge

rautatie (see *tie*), railway

riita riita- riidan riitaa, dispute, quarrel

ruokki- ruokin ruokki ruokkia, feed

rupe(t)a- rupean rupesi ruveta, begin

ruveta (see *rupe(t)a-*)

ryhty- ryhdyn ryhtyi ryhtyä, begin, enter into

sarja sarja- sarjan sarjaa, series

sateenvarjo (see *varjo*), umbrella

selittämätön selittämättömä- selittämättömän selittämätöntä, inexplicable

sensijaan, instead (of that)

sentään, yet, nevertheless, however

siisti- siistin siisti siistiä, tidy up, clean
sopeutu- -udun -utui -utua, conform
sovittamaton   sovittamattoma-   sovittamattoman   sovittamatonta,
    irreconcilable, unreconciled
sukupolvi (see *polvi*), generation
sure- suren suri surra, sorrow, grieve
suutari suutari- suutarin suutaria, cobbler
suuttu- suutun suuttui suuttua, be angry
synkkä synkkä- synkän synkkää, gloomy, sombre
synkästi, gloomily
sähkö sähkö- sähkön sähköä, electricity; *sähköteitse*, by telegraph
säily- säilyn säilyi säilyä, remain, be kept, be preserved
tako- taon takoi takoa, beat, forge, hammer
tao- (see *tako-*)
tapaaminen -ise- -isen -ista, meeting
tarkoin, strictly
taulu taulu- taulun taulua, picture, board, mathematical table
tomutta- tomutan tomutti tomuttaa, dust
tukahdutta- tukahdutan tukahdutti tukahduttaa, stifle, repress
tunnusta- tunnustan tunnusti tunnustaa, confess, admit
tuomari tuomari- tuomarin tuomaria, judge
tyynnyttä- tyynnytän tyynnytti tyynnyttää, still, pacify
täpötäysi (see *täysi*), crammed, chock-full
uinti uinti- uinnin uintia, swimming
ulkoasu -asu- -asun -asua, exterior, appearance
upporikas (see *rikas*), extremely rich
ura ura- uran uraa, course, way
uudelleen, anew, again
uupu- uuvun uupui uupua, grow tired, sink, droop
vaitelias vaiteliaa- vaiteliaan vaiteliasta, taciturn, reticent
valmistu- valmistun valmistui valmistua, get ready
valvo- valvon valvoi valvoa, be awake, watch
varsin, varsinkin, very, especially
vastaanotto -otto- -oton -ottoa, reception
vastakkain, face to face, opposite each other
vauraus vauraute- vaurauden vaurautta, prosperity
verkalleen, slowly
vialla (see *vika*), faulty, wrong
vieri- vierin vieri vieriä, roll, slide, fall
välillä, between (in the space between); *välitse*, between
    (with movement though the space between)

väsymys väsymykse- väsymyksen väsymystä, tiredness
väsymätön väsymättömä- väsymättömän väsymätöntä, indefatigable
yhtenään, continuously
yksinäinen, alone, single, only
yksinäisyys yksinäisyyte- yksinäisyyden yksinäisyyttä, solitude,
    singleness
ylitse, over
yllätys yllätykse- yllätyksen yllätystä, surprise
älyllinen, intellectual, mental
äänettömyys äänettömyyte- äänettömyyden äänettömyyttä, silence,
    soundlessness

EXERCISE

1. Panen paidan kuivamaan aidalle. 2. Sain kirjeen
pastori Ahoselta. 3. Sain kirjeen pitäjän pastorilta
Ahoselta. 4. Lukematta ei opi. 5. Poika tuli uimasta.
6. Olin juuri putoamaisillani, kun apua tuli. 7. Hän
lähtee ostamaan lippua. 8. Minulle tuntemattomista
syistä he eivät olleet siellä. 9. Luuletteko te, että olen
tullut tänne työskentelemään sellaisten kanssa? 10.
Suutari tuli meitä vastaanottamaan. 11. Hän on parantu-
maton optimisti. 12. Kiipeämme muurin yli katsomaan.
13. Vaikka hän mieluimmin oli juomatta, niin kykeni
hän juomaan meidät jokaisen pöydän alle. 14. Äänettö-
minä he palasivat kylään. 15. Yksi sellainen timantti
riitti tekemään miehen upporikkaaksi. 16. Hän oli
väsynyt ja menikin heti huoneeseensa nukkumaan. 17.
Kansan ominaisuudet ovat säilyneet muuttumattomina.
18. Kaiken taustalla oli auringonlaskun kultaama Välimeri.
19. He jäivät katselemaan autoa. 20. Hän oli avannut
ikkunan hetkeksi jokaisen polttamansa savukkeen jälkeen.

READING

Riita Helsingissä

Eräänä sumuisena aamuna Mikko tuli uimasta. Sumu
esti häntä näkemästä taivasta, mutta hän tiesi, että päivä
muuttuisi pian aurinkoiseksi, sillä aurinko kultasi jo sumu-
peitteen. Ilma oli vielä viileä, ja hän lähti juoksemaan
kostean hiekan yli. Perhe oli vielä Hiekkaharjulla, ja
Kaarina ja Yrjö, jotka aikoivat mennä järvelle soutamaan,

tulivat häntä vastaan. Kirjeenkantaja oli tuonut kirjeen tädiltä Mustasillasta.

Mikko meni sisään ja luki kirjeen. Täti pyysi häntä lähtemään Hiekkaharjulta ja tulemaan luokseen muutaman viikon ajaksi. Jos Mikko ei voisi viipyä, toivoisi täti hänen edes käyvän katsomassa (that he would at least go to see her).

Jo samana päivänä Mikko oli tädin luona. He istuivat puutarhassa. Täti oli kertonut kaikesta. Hän oli juuri antamaisillaan apulaiselleen palkankorotuksen, kun tämä odottamatta sanoi, että hän menee naimisiin. Vaikka täti oli kehoittanut häntä jäämään, tyttö ei voinut tai ehkä ei tahtonutkaan. Joka tapauksessa hän oli kieltäytynyt jäämästä . . . Hän oli ollut väsymätön työssä, mutta hän ei ollut koskaan oppinut antamaan arvoa vieraille ja meni aina heitä vastaan ulkoasuaan siistimättä, eikä koskaan huomannut siinä mitään nurinkurista. Hän ei ollut koskaan oppinut sopeutumaan ja mukautumaan. Täti oli kertonut omenapuusta, joka oli ruvennut viime vuonna hedelmien painosta halkeilemaan ja eräästä vanhasta naisesta, joka laulaa muinaisrunoja. Ihmiset tulivat pitkien matkojen takaa häntä kuulemaan ja ostamaan kangasta, hänen kutomaansa kaunista kangasta; hän oli kertonut myös eräästä pojasta, joka ei ollut oppinut tuntemaan kirjaimia eikä laskemaan kymmeneen, mutta josta oli tullut oivallinen puuseppä . . .

Täti nousi ja pyysi Mikkoa astumaan sisään.

Talo oli iso, isompi kuin vanha talo oli ollut. Se oli kaksikerroksinen. Mikko seurasi tätiään huoneesta toiseen. Täti kulki hitaasti edellä, Mikko hieman jäljempänä, ihastuen yhä enemmän tämän kodin vaurauteen. Hänen näkemänsä esineet olivat kulkeneet perintönä sukupolvelta toiselle. Talossa oli myöskin hopeaa, ikivanhaa perintöhopeaa arkuissa ja kaapeissa, maljoja ja kannuja, mutta varsinkin kaikenkokoisia ja -muotoisia pikareita.

Kun he molemmat olivat jälleen keittiössä, täti sanoi kahvia kuppeihin kaataessaan: »Mitä sinä, Mikko, kaikesta tästä arvelet?»

»Kaikesta näkemästänikö? Ihmettelen vain, täti.»

Sitten täti sanoi odottamatta: »Olen jo vanha,»—hän vaipui raskaasti istumaan ja oli kauan vaiti ja tuijotti

eteisyyteen—»Kuulehan, Mikko, kuka ottaa talon haltuunsa minun jälkeeni?»
Mikko ei osannut vastata mitään.
»Tiedätkö, lapsi hyvä, mitä eniten pelkään? Sinä, joka olet nuori, voit ehkä hymyillä minulle, mutta»—hän veti Mikon viereensä istumaan—»minä rakastan Mustasiltaa . . . kuinka hirveätä olisikaan, jos joku sellainen, joka ei näe kauneutta talossa eikä sen ympäristössä, omistaisi Mustasillan ja viljelisi sitä.» Isot kyynelet alkoivat vieriä hänen poskilleen.
»Rakas täti,» sanoi Mikko tyynnyttäen, »älä nyt sitä sure!»
»En voi olla sitä ajattelematta. Joskus valvon öisin ja näen siitä toisinaan untakin. Olkoonpa vain, että se on kuvittelua, mutta se voi muuttua todeksi.» Sitten hän pyyhki kyynelensä ja hymyili: »Anteeksi, Mikko, olen typerä vanha nainen . . . mutta pitääkö tämän kaiken joutua pois suvulta, vieraalle, haihtua maailman tuuliin?»
Mikko ei osannut vastata kysymykseen mitään.
»Ei, poikani, se ei saa tapahtua! . . . Yksi mahdollisuus on olemassa: ota sinä tämä kaikki! Annan sinulle Mustasillan kaikkineen . . . mutta lupaa minulle yksi asia: älä hävitä mitään. Rupea talonpojaksi! Se ei totisesti ole sen huonompi ura kuin ylioppilaankaan.»
»En voi, täti» sanoi Mikko. Hän huokasi neuvottomana ja rupesi sitten selittämään, kuinka asian laita oli ja kuinka hän oli pyytänyt Eevaa jäämään Suomeen ja tämä oli pyytänyt häntä lähtemään Lontooseen. »Kaiken, minkä olen tehnyt,» hän sanoi lopuksi, »olen tehnyt hänen tähtensä.»
Tauko.
»Mitä sinä sanoisit, Mikko, jos pyytäisin häntä muuttamaan tänne?»
»Se olisi ihanaa, täti.»
»Ja luuletko, että Eeva olisi valmis asumaan Mustasillassa?»
»En todellakaan tiedä, täti, mutta joka tapauksessa kysyn sitä häneltä.»

.   .   .   .   .   .

Mikko seisoi asemasillalla Helsingissä ja oli juuri kutsumaisillaan auton, kun hän havaitsi Eevan. Hän ei voinut olla tuijottamatta: miksi Eeva oli siellä ja miten hän oli sinne tullut juuri silloin? Oliko ehkä täti ilmoittanut hänelle puhelimitse, että Mikko saapuu? Mahdotonta: jos Eeva olisi tietänyt, niin hän ei olisi ollut asemalla.

Eeva keskusteli jonkun miehen kanssa ja näytti maailman suloisimmalta olennolta seistessään täpötäyden asemasillan melussa ja kohinassa. Kävellen epävarmana edelleen Mikko kuuli miten tyttö sanoi ojentaessaan kätensä miehelle: ».. . ja nyt minun todellakin täytyy sanoa hyvästi. Kiitän teitä vielä kerran. Näkemiin!»

Mies hävisi väkijoukkoon ja tyttö kääntyi Mikkoon päin:

»Mikä odottamaton yllätys, tämähän on hirveän hauskaa! Mitä sinä täällä teet?»

»Entä mitä sinä teet täällä? . . . Kuka tuo mies oli?»

»Kauppias Piiroinen.»

»Haluaisin puhua kanssasi.» Mikko kutsui auton ja he ajoivat lasten tädin luo.

Autossa Eeva jatkoi: »Herra Piiroinen on pyytänyt minua antamaan hänelle englanninkielen tunteja . . . se tapahtui kuukausia sitten, kun olin täällä, ja hän pyysi minua kirjoittamaan hänelle, jos tulen uudelleen Helsinkiin. En ole ehtinyt kirjoittaa hänelle . . . olen laiska kirjoittamaan.»

»Sen kyllä tiedän» vastasi Mikko synkästi.

Tauko.

Tyttö huoahti. »Eikö sinun pitänyt sanoa minulle jotakin? Maalaiselämä on tehnyt sinut vaiteliaaksi.»

»Mahdollisesti. Autossa tuskin voi puhua.»

Syntyi uudelleen pitkä äänettömyys.

Kun he olivat tulleet perille, Eeva sanoi: »Huomenna palaamme Lontooseen. Rouva Lehtonen menee lentoteitse, mutta me matkustamme laivalla . . . Mikko, täällä pohjoisessa sinusta ei koskaan tule mitään. Englannissa sen sijaan. . .»

Mikko keskeytti hänet: »Etkö sinä voi jäädä Helsinkiin tai ainakin Suomeen?»

»Olen jo sanonut, etten voi. Minun täytyy jatkaa lukujani keskeytyksettä. Kuinka se olisi mahdollista täällä, koska minulla ei ole työpaikkaa Helsingissä?»

Mikko selitti, mitä täti oli ehdottanut.

Mutta Eeva pudisti päätään. »Kieltäydyn jäämästä Suomeen sellaisilla ehdoilla. Et saa tuolla tavoin häiritä naisen elämäntehtävää . . .»

Ennenkuin Mikko oikein huomasi, mitä hän teki, hän rupesi katkerana puhumaan:

»Suurin vika on naisen kasvatuksessa. Jos hän ottaa huomioon vain älyllisen puolen lukien matematiikkaa, fysiikkaa, kemiaa, filosofiaa ja historiaa . . . ja joutuu sitten kahvipannun ääreen, hän ei osaa keittää kahvia, vaikka hän osaakin käyttää logaritmitauluja, ja kun hän saa lapsen, hän ei osaa kylvettää sitä, vaikka hän tietää, minä vuosina olivat puunilaissodat . . .»

»Kas mikä suuri kaunopuhuja sinä olet! Parasta on olla vain ajattelematta mitään, niinkö? Minä siis kelpaan vain auttamaan sinua, tomuttamaan madonsyömät kirjasi? Riittäisikö se yksin täyttämään ihmisen elämän? Onko se ihmisen arvoista elämää? Mies saa aikaa ja varoja huolehtiakseen kehityksestään, vaimo ei. Mies käskee vaimoansa nousemaan vuoteesta ja menemään keittiöön . . . Ellen suostu asumaan tädin luona tekemättä mitään, saan lähteä tieheni, vai mitä?»

He seisoivat hetkisen vastakkain sanomatta mitään. Sitten Eeva huoahti, kääntyi ja kattoi yksinkertaisen aterian ja sanoi: »Tule syömään!»

Mikko laittoi itselleen voileivän ja rupesi äänettömänä syömään.

»Joka tahtoo puhua, puhukoon,» huomautti Eeva hiukan hymyillen, » . . . joka tahtoo olla vaiti, saa olla vaiti.» Hän nousi ja pani gramofonin soimaan. Hänellä oli hyviä levyjä, mutta tästä huolimatta musiikki harmitti Mikkoa. Hän hypähti seisomaan: »Oli kerran perhetyttö, joka oli aina tottunut saamaan kaiken haluamansa, hän jopa kirjoitti päiväkirjansakin kaksi viikkoa ennakolta . . .»

»Sinä olet päästäsi vialla. Olet lukenut liikaa . . . ja olet syyttä vihainen, sinä kaikkine rahoinesi.» Eeva rupesi hiljaa itkemään.

»No, itkemällä ei pitkälle pääse.» Mikko ei ollut koskenut kahvikuppiinsa ja nyt hän kääntyi lähteäkseen: »Mutta ennenkuin lähdet Helsingistä, täytyy minun vielä kerran pyytää sinua tarkoin harkitsemaan askelta, jonka aiot ottaa, tai oikeammin, jota et aio ottaa . . .»

»Niinkö, herra pastori? Valitsemani tie on ainoa oikea.»

Tapaaminen oli päättynyt. Sanaakaan sanomatta Mikko lähti pois.

Eeva jäi huoneeseen ja laski käden kaulalleen tukahduttaakseen itkun.

LESSON THIRTEEN

GRAMMATICAL NOTES

(*a*) The FOURTH INFINITIVE of verbs is formed by adding a suffix, *-mise-* in stem form, *-minen* in the nominative singular, to the stem of the verb (amalgamating verbs drop *-t-*). It is predominantly a verbal noun and as such can be fully inflected: *-minen, -misen, -mista -mistä, -misessa -misessä* and so on. It is used:

(i) As a noun: *syöminen on sairaalle aivan mahdotonta*, eating is quite impossible to (for) the invalid; *heidän ensitapaamisestaan lähtien*, from their first meeting onwards.

An object of this verbal noun is put in the genitive: *talon ostaminen*, the purchase (buying) of the house.

(ii) The partitive with the 3rd person singular of *ole-* expresses, in negative and interrogative sentences, advice against a course of action: *sinne ei ole menemistä*, you shouldn't go there.

(iii) A rarer use is the partitive singular of the main verb with the personal suffix appropriate to the subject to express a continuous action: *kuljin kulkemistani, kunnes saavuin kylään*, I walked and walked, till I reached the village.

(iv) Two obsolete constructions are the nominative singular used impersonally with a genitive (an old dative) of the logical subject to express 'must', and the nominative singular with *käy-* expressing the seemliness of a course of action.

(*b*) The CARDINAL NUMERALS are declined in the same way as nouns. (i) In the following list are the basic forms for making up numbers:

nom.	stem	part.	gen.	part. plur
0 *nolla*	*nolla-*	*nollaa*	*nollan*	*nollia*
1 *yksi*	*yhte-*	*yhtä*	*yhden*	*yksiä*
2 *kaksi*	*kahte-*	*kahta*	*kahden*	*kaksia*

	nom.	stem	part.	gen.	part. plur.
3	*kolme*	*kolme-*	*kolmea*	*kolmen*	*kolmia*
4	*neljä*	*neljä-*	*neljää*	*neljän*	*neljiä*
5	*viisi*	*viite-*	*viittä*	*viiden*	*viisiä*
6	*kuusi*	*kuute-*	*kuutta*	*kuuden*	*kuusia*
7	*seitsemän*	*seitsemä-*	*seitsemää* (*seitsentä*)	*seitsemän*	*seitsemiä*
8	*kahdeksan*	*kahdeksa-*	*kahdeksaa*	*kahdeksan*	*kahdeksia*
9	*yhdeksän*	*yhdeksä-*	*yhdeksää*	*yhdeksän*	*yhdeksiä*
10	*kymmenen*	*kymmene-*	*kymmentä*	*kymmenen*	*kymmeniä*
100	*sata*	*sata-*	*sataa*	*sadan*	*satoja*
1000	*tuhat* (*tuhannen*)	*tuhante-*	*tuhatta*	*tuhannen*	*tuhansia*
1 m.	*miljoona*	*miljoona-*	*miljoonaa*	*miljoonan*	*miljoonia*

N.B. Accusative forms are *yhden, miljoonan,* otherwise as nom. sing.

The other cases are formed on the stem in the usual way: essive *yhtenä,* inessive *yhdessä,* translative *yhdeksi* and so on.

In popular speech, a final *-i,* and the *-ä* of *kymmentä* are omitted.

(ii) The numerals from eleven to nineteen are a compound of the numerals one to nine and *-toista: yksitoista,* eleven; *kaksitoista,* twelve, and so on. This *-toista* is the partitive of *toinen,* second, and the whole compound therefore means ' one of the second (ten) ', etc. Only the first part is declined. The final *-a* is omitted colloquially.

A similar construction is the type *toista sataa ihmistä,* ' between one and two hundred people ', in which the sense is ' (a hundred and) some of the second (hundred) '.

(iii) The numerals denoting the tens are compounds of the numerals one to ten with *-kymmentä,* the partitive of *kymmenen* (Note 3*b* iii): *kaksikymmentä,* twenty; *kolmekymmentä,* thirty; *neljäkymmentä,* forty, and so on.

In cases other than the nominative or accusative singular both parts of the compound are declined and agree in case with the noun: *Nuorin veljeni on kahdenkymmenen vuoden vanha*—My youngest brother is twenty years old (see viii 3 below).

(iv) The numbers between the tens are expressed by simply suffixing the units to the tens: *Mikä olisi vähin määrä ahvenia, joista saisi soppaa kahdellekymmenelle viidelle nälkäiselle ihmiselle?*—What would be the smallest quantity of perch from which one would get soup for twenty-five hungry people?

(v) ' One hundred ' is *sata* (*yksi* is not necessary); similarly, *tuhat* is ' one thousand ' and *miljoona*, ' one million '. Three hundred is *kolmesataa*, 500 in the adessive is *viidelläsadalla* and so on.

In writing numbers nowadays, units, tens, hundreds, etc., are each written as one word. Thus one writes 6321 in words *kuusituhatta kolmesataa kaksikymmentä yksi*, and similarly in the other cases: the same number in the inessive is *kuudessatuhannessa kolmessasadassa kahdessakymmenessä yhdessä*; the larger numbers, too, take the case-endings in all their elements. But because the numbers are so cumbrous, in large numbers it is the common practice to inflect only the last member. After *vuosi*, year, numbers do not inflect.

(vi) In all numbers except *yksi* and the foreign words for ' million ' and ' billion ' the accusative singular has the same form as the nominative: *Sain kolme kirjettä*—I received three letters. But *Sain vain yhden kirjeen*—I received only one letter.

(vii) The plural of the numbers is used with those nouns which occur only in the plural, and, of the cases, the comitative and instructive: *huone kolmine ikkunoineen*, a room with (its) three windows; *kaksin käsin*, with two hands; *kahdet sakset*, two pairs of scissors; *kahdet kasvot*, two faces (it behaves like an adjective in agreeing with the noun) and also to translate ' tens, hundreds, thousands (of) ': *tuhannet muut*, thousands of others.

In addition, the plural stem is used in forming distributive adverbs by the addition of the suffix *-ttain -ttäin*: *kolmittain*, by threes, in threes.

(viii) In using the cardinal numerals with nouns the following points have to be borne in mind:

1. If the numeral (except as in *b* vii above) is in the nominative, the noun is in the partitive singular; the verb is in the singular with an indefinite subject: *Kaksi miestä on tullut*—Two men have come, but in the plural with a

definite subject; the definiteness may be expressed by, e.g. a demonstrative plural pronoun: *Nuo kaksi miestä ovat tulleet*—Those two men have come. *Te kaksi istukaa tuonne!*—You two sit there! (But *Teistä istukoon kaksi tuonne!*—Two of you sit there!) Or it may be understood: *Neljä evankeliumia täydentävät toisiansa*—The four Gospels supplement one another.

2. If the numeral is in the accusative (see Note vi above) the noun is in the partitive singular; if it is made definite by an adjective or pronoun this will be in the plural accusative: *Annan teille kolme kirjettä*—I will give you three (or the three) letters. *Annan teille nämä kolme kirjettä*—I will give you these three letters.

3. Otherwise numeral and noun are put in the singular and any defining word in the plural, while all three agree in case: *Annan kirjeen näille viidelle miehelle*—I will give the letter to these five men.

(ix) Certain group-words may be dealt with here:

1. *Pari*, a couple, acts like a numeral: *Pari ihmistä on tullut*—Two people have come. *Sen sanoin parille ihmiselle*, I told that to a couple of people; *parikymmentä*, about twenty.

2. Words like *joukko*, crowd; *parvi*, flock (of birds); *lauma*, flock (of sheep), herd (of cattle), are used as subject or object with the partitive plural: *joukko ihmisiä*, a crowd of people. *Näin joukon ihmisiä*—I saw a crowd of people. Otherwise a compound is formed with the individual name in the nominative and the group-word in the appropriate case: *Lintu lensi pois (lintu)parvesta*—A (the) bird flew out of the flock.

3. *Kymmenkunta*, about ten; *satakunta*, about 100; and *tuhatkunta*, about 1000, behave like numerals; in other numbers a form ending in *-ise- -inen* is used to give approximate numbers: *kolmisen vuotta*, about three years; *viitisensataa kanaa*, about 500 hens.

(x) Age is expressed with the cardinal numerals as follows:

A. Of things: the nominative with *-vuotise-*, years old, e.g. *Tämä kirkko on satavuotinen*—This church is a hundred years old.

B. Of people: The nominative of the numeral with -*vuotiaa- -vuotias*, e.g. *Poika on kuusivuotias*—The boy is six years old; or the genitive of both numeral and *vuotevuosi*, year, followed by *vanha*, old: *Hän on kuuden vuoden vanha*—He is six years old; or the nominative of the numeral followed by the partitive *vuotta* and *vanha*: *Hän on kuusi vuotta vanha*.

It is worth noting here that broad periods of a person's life are denoted by the word *ikä*, age: *minun iälläni*, at my age.

(c) The ORDINAL NUMERALS

(i) with the exception of *ensimmäinen ensimmäise-*, first; *toinen toise-*, second; and *kolmas kolmante-*, third, are based on the stem of the cardinal numeral; to this is added -*nte-* to make the stem of the ordinal.

(ii) this stem is modified as follows:

1. In the nominative singular the ending -*nte-* is reduced to -*s* as in *kolmas*: *neljäs*, fourth; *viides*, fifth, etc. (cf. 4 below).

2. The -*t*- is softened according to rule, e.g.: *neljännellä*, but the essive is *neljäntenä* and the illative *neljänteen*, etc.

3. The partitive singular elides the -*n*- and -*e*- and adds the normal -*ta- -tä-* to the resulting ending -*t-: neljättä, viidettä* (cf. Note 8*b* v 2).

4. The plural stem is -*nsi-* (cf. *käte- käsi-*), giving the partitive plural *neljänsiä, viidensiä*, the inessive *viidensissä* and so on.

(iii) The compound ordinal numerals are declined in the same way, and each part takes the ordinal and case suffixes: nom. *kahdeskymmenes*, 20th; gen. *kahdennenkymmenennen*, of the twentieth; *neljästuhannes viidessadas kuudeskymmenes yhdeksäs*, the 4569th, which is, in the partitive and adessive, *neljättätuhannetta viidettäsadatta kuudettakymmenettä yhdeksättä* and *neljännellätuhannennella viidennelläsadannella kuudennellakymmenennellä yhdeksännellä*.

(iv) In the compound numerals, *yhdes* and *kahdes* are used for *ensimmäinen* and *toinen*: *sadasyhdes*, the 101st; *kahdeskymmeneskahdes*, the 22nd. In the ordinals from eleven to nineteen the partitive *-toista* remains unaltered *kolmas-toista*, the 13th, in the adessive *kolmannellatoista*.

(v) Because of the length of these forms, as with the cardinals, where the numeral is to be written it is permissible to inflect only the last member.

For the same reason, in dealing with the days of the month in dates, a construction analogous to the numerals 11–19 is used for the ordinals 21st–29th, using the suffix *-kolmatta* with the ordinals for 1–9. Thus the essive, for instance, of 25th is *viidentenäkolmatta* instead of *kahdentena-kymmenentenä viidentenä*.

(vi) In writing the ordinals are abbreviated thus *5:nnessä*, in the 5th, although these endings are not always used where there is no possibility of misunderstanding.

(vii) Note *1800-luvulla*, in the 1800s, (read as *tuhat kahdek-sansataa-luvulla*).

(*d*) FRACTIONS are expressed as follows:

(i) 'One half': *puoli*; and note *puolitoista*, one-and-a-half (literally half the second); *puolikolmatta*, two-and-a-half (half the third); but these can also be expressed by *yksi ja puoli* and *kaksi ja puoli*.

(ii) Other fractions are formed by adding to the stem of the ordinal number the suffix *-kse-*, which, in the nominative singular is *-s:* *kolmannes*, genitive *kolmanneksen*, partitive *kolmannesta*, etc.; *neljännes*, genitive *neljänneksen*, partitive *neljännestä*, etc.; and 'two-thirds' is *kaksi kolmannesta*, 'two-fifths' *kaksi viidennestä*, genitive *kahden kolmanneksen*, and so on.

(iii) An alternative method of forming these is by adding *osa*, part, to the ordinal number: *kolmasosa*, third part; *kaksi viidesosaa*, partitive *kahta kolmasosaa* and so on.

Note: *kaksoset*, twins; *kolmoset*, triplets, with nominative singular *kaksonen*, *kolmonen*.

(*e*) CLOCK TIMES use the fractions for the half and quarter-hours: *puoli viisi*, half past *four* (N.B.: literally half *five*); *neljännestä vailla kahdeksan*, a quarter to eight; *neljänneksen yli kolme*, a quarter past three; *viisitoista minuuttia yli seitsemän*, fifteen minutes past seven; *kymmenen minuuttia vailla kaksi*, ten minutes to two.

Kello remains invariable when it means ' the time ', similarly *puoli: puoli kuudesta asti*, from 5.30. The 24-hour system is used: *kello seitsemäntoista* at 5 p.m.

(*f*) The DAYS OF THE WEEK have the following names: *maanantai*, Monday; *tiistai*, Tuesday; *keskiviikko*, Wednesday; *torstai*, Thursday; *perjantai*, Friday; *lauantai*, Saturday; *sunnuntai*, Sunday. Note that they are written with small initial letters.

(*g*) The MONTHS are named:

tammikuu, January	*toukokuu*, May	*syyskuu*, September
helmikuu, February	*kesäkuu*, June	*lokakuu*, October
maaliskuu, March	*heinäkuu*, July	*marraskuu*, November
huhtikuu, April	*elokuu*, August	*joulukuu*, December

These, too, are written with small initials.

(*h*) DATES are expressed as follows:

1. The year alone by *vuonna*, the essive of *vuosi*, year, followed by the cardinal number in the nominative, for example: *vuonna tuhat kahdeksansataa kaksikymmentä yksi*, in 1821.

2. The day of the month either by the genitive of the name of the month followed by the ordinal number and *päivä*, both in the essive, for example: *maaliskuun kolmantena päivänä*, on the 3rd of March, or by the same essives followed by the name of the month in the partitive: *kolmantena päivänä maaliskuuta*.

3. The abbreviated forms use *v.* for *vuonna*, for example *v.* 1821, in 1821, and *p.* for *päivänä*, for example *3 p. maaliskuuta*, on the 3rd of March.

(i) The SEASONS are *kevät*, Spring; *kesä*, Summer; *syksy*, Autumn; and *talvi*, Winter, written without capitals.

VOCABULARY

aikuinen, adult
arvokas arvokkaa- arvokkaan arvokasta, valuable; worthy; dignified
diplomaatti -aatti- -aatin -aattia, diplomat

elo elo- elon eloa, grain corn; living, life

elokuu (see *kuu*), August

ero(t)a- eroan erosi erota, separate oneself, part from something, resign from a position

erämaa (see *maa*), wilderness

harjoitta- harjoitan harjoitti harjoittaa, practise, carry on, pursue an activity

harvene- harvenen harveni harveta, become thinned, thin out

helmi helme- helmen helmeä, pearl; *helmikuu* (see *kuu*), February

hio- hion hioi hioa, sharpen, whet

housut housui- housujen housuja (plural noun), trousers

huhtikuu (see *kuu*), April

hupene- hupenen hupeni huveta, decrease, be reduced

hyödyttä- hyödytän hyödytti hyödyttää, benefit, be of use

isku isku- iskun iskua, blow

joulukuu (see *kuu*), December

juhannus juhannukse- juhannuksen juhannusta, Midsummer Day

kehittä- kehitän kehitti kehittää, develop

keski keske- kesken keskeä, middle; *kesken*, between, among; *keskellä*, in the middle; *keskelle*, into the middle; *keskeltä*, from the middle, etc.

keskiviikko (see *viikko*), Wednesday

kestä- kestän kesti kestää, endure, last; . . . *n kestäessä*, during . . .

kieltämätön kieltämättömä- kieltämättömän kieltämätöntä, undeniable; *kieltäytyminen*, self-denial, refusal

kiihty- kiihdyn kiihtyi kiihtyä, get excited, stronger, faster

kiihtymys -mykse- -myksen -mystä, excitement

kilometripylväs -pylvää- -pylvään -pylvästä, kilometre-post (corresponding to milestone)

kokonaan, entirely, altogether, absolutely

korva(t)a- korvaan korvasi korvata, restore, make amends for, compensate

kuori- kuorin kuori kuoria, peel, pare, shell, skim

kuulosta- kuulostan kuulosti kuulostaa, sound

lahjoitus lahjoitukse- lahjoituksen lahjoitusta, gift, donation, bequest

laivasto laivasto- laivaston laivastoa, fleet

lasimaalaus -maalaukse- -maalauksen -maalausta, glass-painting, stained glass *lauantai -tai- -tain -taita,* Saturday

lepuutta- lepuutan lepuutti lepuuttaa, give (something) a rest, let something rest

lepä(t)ä- lepään lepäsi levätä, rest

liho- lihon lihoi lihoa, put on weight, get fatter

loka loka- loan lokaa, mud, dirt; . . . *on loassa,* . . . is muddy

lokakuu (see *kuu*), October

lukuhalu (see *halu*), desire to study

luotta- luotan luotti luottaa, rely on, trust in

lyhene- lyhenen lyheni lyhetä, grow shorter

lähtien: . . . *sta lähtien,* from the time of . . ., since . . .

maalaus (see *lasimaalaus*), painting

maaliskuu (see *kuu*), March

maanantai -tai- -tain -taita, Monday

mahdoton mahdottoma- mahdottoman mahdotonta, impossible

markkinat markkinoi- markkinoiden markkinoita (plural noun), market, fair; *markkinaväki,* market-folk

marraskuu (see *kuu*), November

miljoona -na- -nan -naa, a million

määrä määrä- määrän määrää, amount, extent, quantity; end, aim

nykyaikainen, modern, present-day

ohjelma ohjelma- ohjelman ohjelmaa, programme

ovikello (see *kello*), doorbell

paahta- paahdan paahtoi paahtaa, burn, heat, roast

peruna peruna- perunan perunaa, potato

pituinen (requires the genitive), in length

puolikolmatta, two and a half; *puolitoista,* one and a half

puukko puukko- puukon puukkoa, sheath-knife

pylväs (see *kilometripylväs*), pillar, post

päinvastoin, on the contrary, vice-versa

päätös päätökse- päätöksen päätöstä, conclusion, decision, resolution

rohkea rohkea- rohkean rohkeaa (or *rohkeata*), bold

ruokalaji (see *laji*), dish, course

side sitee- siteen sidettä, tie, tape, string

soppa soppa- sopan soppaa, soup

suhtautu- suhtaudun suhtautui suhtautua, bear a relation to something

sukelta- sukellan sukelsi sukeltaa, dive, rush

suunnitelma suunnitelma- suunnitelman suunnitelmaa, plan, project
synti synti- synnin syntiä, sin
syyskuu (see *kuu*), September
tammikuu (see *kuu*), January
torstai torstai- torstain torstaita, Thursday
tosin, certainly, surely
tulos tulokse- tuloksen tulosta, outcome, result
turvallisuus -suute- -suuden -suutta, security, safety
työnteko (see *teko*), working, work
uhrautu- -udun -utui -utua, sacrifice oneself
vaikutus vaikutukse- vaikutuksen vaikutusta, effect, activity
vailla, without, lacking
valta valta- vallan valtaa, power, dominion, authority
vastapaino (see *paino*), counterbalance
ventovieras (see *vieras*), complete stranger
viisitoista (see *viisi*), fifteen
vähene- vähenen väheni vähetä, grow less, diminish
vähintään, at least
yrittä- yritän yritti yrittää, attempt

EXERCISE

1. Vuodessa on kaksitoista kuukautta. 2. Siinä on myös neljä vuodenaikaa. 3. Ensimmäinen vuodenaika on kevät. 4. Juhannus on neljäntenäkolmatta päivänä kesäkuuta. 5. Talvi alkaa usein jo marraskuussa, joka on vuoden yhdestoista kuukausi. 6. Joulu on joulukuun kahdentenakymmenentenäviidentenä päivänä. 7. Kaikki ihmiset toivovat kevättä ja kesää. 8. Olen kolmen lapsen isä. 9. Tämä kangas maksaa vain vähän päälle kahdeksan sataa metriltä. 10. Se kestää vähintään pari vuotta. 11. New Orleans pitäisi nähdä helmi- tai maaliskuussa, kuuluisien karnevaalien aikana. 12. Heistä yli viisisataa oli amerikkalaisia. 13. Marraskuun seitsemäs päivä koitti kirkkaana ja aurinkoisena. 14. Kaikesta huolimatta laivaston kehittäminen edistyi. 15. Lasimaalausten korvaaminen on mahdotonta. 16. Vuosien kuluessa hän lihoi lihomistaan. 17. Tiemme erosivat jo kaksikymmentä vuotta sitten. 18. Perheen kolme lasta ymmärtävät, että isän pitää maalla saada olla aivan rauhassa. 19. Rahaa ei Kivellä ollut talon ostamiseen omiin nimiinsä. 20. Kymmenet

kaivot olen katsonut, eikä niistä ole vesi loppunut. 21.
Hän jatkoi hiomistaan. 22. Tällainen oli tuo tapaaminen.
23. Kirjeitä on saapunut monia kymmeniä. 24. Kallen
piti olla junalla kymmenen kaksikymmentä.

READING

Lontoossa

Muutamia viikkoja myöhemmin, kun Eevan elämä
Lontoossa perheen luona oli taas hiljaista ja tasaista, tuli
isku. Herra Lehtosen täytyi siirtyä Etelä-Amerikkaan,
eikä voinut tulla kysymykseenkään, että rouva Lehtonen
ja lapset olisivat jääneet Lontooseen.

»Minä en ole vapaa toimimaan oman mieleni mukaan»
rouva oli sanonut Eevalle. »Me diplomaatit!» hän
sanoi hymyillen. »Meidän täytyy lähteä sinne heti ja
tietysti otan lapset mukaani, vaikka olisin mielelläni
jäänytkin Lontooseen.»

Eeva ei halunnut eikä aikonut mennä Etelä-Amerikkaan.
Hän olisi tuskin voinut selittää itselleenkään, minkävuoksi
hän ei halunnut: maa on kaukana, hän ei osaa puhua
espanjaa, hänen täytyy jatkaa opintojaan, hän ei matkusta
mielellään jne. Mutta ellei hän lähde Lehtosten mukana,
hänen täytyy tietysti löytää uusi toimi.

Lehtoset kehoittivat häntä lähtemään, mutta hän
yksinkertaisesti ei voinut. Ei hän voisi siellä lukea, hän ei
pitänyt kalpeaihoisista ja mustatukkaisista espanjalaisista.
Lehtosille hän oli suuressa kiitollisuudenvelassa, mutta hän
tiesi, että hänelle alkoi nyt uusi elämä, ehkä hyödyllisempi
kuin tähän saakka. Sen, mitä tapahtui, täytyi tapahtua.
»Aloitan nyt uuden elämän; luen ahkerasti, kunnes
valmistun joksikin. Puhuminen ei hyödytä mitään. Tulee
vielä päivä, jolloin myönnätte, että valitsemani tie on
ainoa oikea.»

Puhe toisten hyväksi uhrautumisesta ja toisten palvele-
misesta kuulostaa kieltämättä kauniilta, mutta opinnoissa
tulee aina eteen päivä, jolloin huomaa, että vain ahkera
lukeminen vie päämäärään . . . Sitä mieltä oli ainakin
Eeva. Hänestä jopa tuntui, että leikkiminen ja lepääminen

oli jollakin tavalla syntiä. Hänen täytyi näet käyttää kaikki vapaa-aikansa varojen hankkimiseen opintoihinsa. »Kieltäytyminen on nyt sinun osasi» hän oli sanonut itselleen.

Hänellä oli nyt oma pieni huoneensa, hän oli vihdoinkin itsenäinen nainen. Hänen työnään oli lattioiden lakaiseminen aamuisin eräässä suuressa talossa, tomun pyyhkiminen, peseminen jne., ja hän auttoi aina perunankuorimisessa. Hän ei voinut sanoa, että hän olisi koskaan pitänyt tällaisesta työstä, vaikka hän myönsi itselleen, että käveleminen ja työnteko on terveellistä vastapainoa paikallaan istumiselle. Mutta joka tapauksessa kotiin jääminen ei voinut tulla kysymykseenkään.

Yliopistossa hänen· lukuhalunsa kasvoi kasvamistaan, vaikka hänen vapaa-aikansa lyheni lyhenemistään. Kuitenkin lukiessakin ehtii ajatella, ja ajatteleminen on joskus kaikkein vaarallisinta. Vaikka hän ei ollut kirjoittanut Mikolle, kuten hän oli luvannut itselleen eron hetkellä, unohtaminen oli mahdotonta. Viimeinen tapaaminen oli ollut unohtumaton. Nuori mies ei tosin pyytänyt mitään, vaan päinvastoin oli tarjonnut sitä, mitä Eeva juuri nyt tarvitsisi. Mutta entä itsenäisyys . . .? Toiselta puolen koti ja turvallisuus olisivat arvokkaita : olisiko hänen suhtautumisensa niihin nyt muuttunut?

Joka tapauksessa kotiin jääminen ei voisi tulla kysymykseenkään, ei Suomessa, eikä täällä Lontoossa, ja hänellä oli nyt erikoisen paljon tekemistä. Mikolle hän oli sanonut, mitä hänellä oli sanomista, ja vaitiolo oli nyt parasta. Eeva oli aivan varma siitä, että hän oli oikeassa, ja tämän kieltäminen oli hänen mielestään hyödytöntä. Hän oli heidän ensi tapaamisestaan lähtien aina sanonut, ettei nykyaikaisen naisen pidä luottaa vain mieheen . . . toiseen ihmiseen ei ole aina luottamista.

. . . . . .

Eeva tiesi, että hänen täytyi jatkaa kulkuaan, kunnes hän saapuisi kylään. Aurinko paahtoi paahtamistaan niin, että hengittäminen tuntui vaikealta. Tie vei metsän halki. Tuuli kiihtyi kiihtymistään. Ventovieras mies, joka seurasi häntä, vain hymyili rohkeasti, mutta ei sanonut mitään. Sitten metsä, Jumalan kiitos, harveni mitä pitemmälle hän kulki, ja vihdoin se loppui kokonaan ja hän näki Mikon talon. Hän soitti ovikelloa. Kiihtymyksen vallassa hän soitti vielä uudelleen, soitti soittamistaan . . . Hän heräsi. Mikä ääni oli hänet herättänyt? Hän oli nukkunut äänen kuulumiseen saakka. Oliko puutarhassa joku mies? Hän kuunteli tarkasti istuen vuoteessa, mutta kaikki oli hiljaista. Hän kävi uudelleen pitkäkseen, mutta ei enää saanut unta. Hän yritti, mutta tulos oli aina sama; nukkumisesta ei nähtävästi tänä yönä enää voinut olla puhettakaan. Hän makasi tuijottaen suoraan eteensä . . .

LESSON FOURTEEN

GRAMMATICAL NOTES

(a) The PRESENT PARTICIPLE ACTIVE (called, in many grammars, Participle I Active) has the suffix *-va -vä*, the softened form of an older *-pa- -pä-*, cf. Note 2*a* ii, still found in isolated words such as *hyvinvoipa*, well-to-do, well-fed, and in *epä-*, un- (Vocabulary 4), added to the stem of the verb (amalgamating verbs drop *-t-*): *menevä-*, *saava-*, *tekevä-huomaava-*, and so on.

(b) USES of the present participle active are as follows:

(i) As an adjective indicating present, future, or general action: *Hän on Jumalaa pelkäävä mies*—He is a God-fearing man. *Tapasin siellä paljon saksaa puhuvia suomalaisia*—I met there many German-speaking Finns.

Note that there is a class of adjectives with the ending *-va -vä* which are not participles, and the ending usually expresses 'fullness', 'plenty' of the idea denoted by the stem: *jänne*, sinew (stem *jäntee-*), *jäntevä*, sinewy, supple; *liha*, flesh, *lihava*, fleshy, plump; *terä*, edge, blade, *terävä*, sharp.

There are also a few nouns with the same ending, e.g. *orava*, squirrel; *otava*, Charles's Wain; *ystävä*, friend.

(ii) As a predicate: *Helle oli tukahduttava*—The heat was stifling. *Se on kuvaavaa*—That is typical.

There is also an archaic use of the participle with *ole-* which has the force of a future tense: *Hän on tuomitseva eläviä ja kuolleita*—He will judge the living and the dead. (For the form *kuolleita* see Notes 16*a*, *b*.)

(iii) In the essive case, usually in the plural, with the appropriate personal suffix agreeing with the subject this participle expresses something pretended or imagined by the subject: *Hän on olevinansa* (or *olevinaan*) *taiteilija*. He imagines (or: he pretends) he is an artist.

(iv) In what is usually called the participial construction this participle serves with transitive verbs expressing opinions, beliefs, thoughts, observations and so on about an object, or intransitive verbs expressing the appearing, seeming and so on of a subject, to indicate that the subject or object is doing at the time of the observation, or is going to do in the future, what is expressed by the participle.

This construction, which is commoner in the written than in the spoken language, corresponds to a subordinate clause beginning with *että*, and slightly shortens a sentence when it replaces this.

The following gives details of the behaviour of the construction:

1. In the participial construction with the present participle active the participle becomes the object of the transitive verb or the complement of the intransitive verb, and appears in the singular -*n* accusative.

2. The object of the action denoted by the participle is indicated by a noun or pronoun taking the same form as it would in the corresponding *että*-clause.

3. The subject of the action denoted by the participle is represented by a noun or pronoun in, according to the circumstances as shown below, a possessive relationship to it, or the partitive, or, when it is also the subject of the main (intransitive) verb, the nominative.

4. Where the subject of the main verb (whether noun or pronoun, cf. Note 11*b*) is not the same as that of the participle the 'total' subject of the participle is put in the genitive, but whether it is in the singular or plural, the participle remains in the singular. Thus *Luulen, että hän tulee*—I think that he is coming, will come, becomes *Luulen hänen tulevan*. Other examples of this type are: *Luulen miesten tulevan*—I think the men are coming. *Hän sanoo heidän tulevan*—He says they are coming. *Sanoimme hänen tulevan*—We said he was coming.

5. The 'partial' subject of the participle is sometimes put in the partitive if its partial nature is not clear from the context (see Note 19*e* iii 3).

6. Where the subject of the participle is a cardinal number with a noun, if it does not include the sense of the English definite article 'the', then the number is sometimes put in the nominative-like accusative; but the

numeral in the genitive is used for both the definite and the indefinite senses, and the noun will then also be in the genitive: *Näin viiden vangin karkaavan*—I saw five prisoners (or: the five prisoners) escape.

7. As in Note 11*b* i 1 with a transitive verb: *Hän sanoo tulevansa*—He says he is coming. *Sanoimme tulevamme*—We said we were coming. *Uskon tuntevani hänet*—I believe I know her.

8. Where the subjects of the main verb and the participle are not identical and the latter is of the 1st or 2nd person, a construction is permissible, in addition to that given in section 4, which uses the personal endings attached to the participle *instead of* the genitive of the pronoun. It is, however, less common: *Hän sanoo tulevamme (Hän sanoo meidän tulevan)*—He says we are coming. *Tiesitkö olevamme täällä? (Tiesitkö meidän olevan täällä?)*—Did you know we were here?

9. With intransitive verbs expressing appearances, impressions, seeming, and so on, a construction is used in which the participle appears in the accusative case, but there is no genitive; instead, the subject which gives the impression, or is understood, heard, and so on, to be performing the action indicated by the participle appears in the nominative case: *Näkyy tulevan sade*—It looks like rain. *Ilma tuntuu kylmenevän*—The weather (air) seems (feels) to be getting colder. *Minä näyn olevan täällä liikaa*—I seem to be superfluous, in the way here (see 11, 12, below). Where the subject is a pronoun, the corresponding personal ending is sometimes found attached to the participle (cf. 8 above).

10. The participial construction cannot, in modern Finnish, be made negative. But the main verb can: *Hän ei sanonut tulevansa*—She said she was not coming. This construction, however, can obviously also mean 'She did not say she was coming', and for clarity the meaning can be expressed in some other way, for instance, in the simple *että*-clause construction *Hän sanoi, ettei hän tule*, or by using altogether different words, e.g. *Hän sanoi jäävänsä kotiin*—She said she was staying (would stay, was going to stay) at home.

11. The 'total' predicate of a participial construction

is put in the nominative (singular or plural) where the subject of main verb and participle is the same: *Huomasin olevani ensimmäinen*—I observed that I was the first. *He näyttävät olevan hyvät ystävykset*—They appear to be good friends.

12. The ' partial ' predicate appears, where there is only one subject, in the partitive: *Ruoka täällä tuntuu olevan maukasta*—The food here appears to be tasty.

13. Where the main verb and the participle have different subjects, however, the predicate of the participle, if total, is put in the *-n* accusative in the older language, but nowadays the nominative is used: *Luulin hänen olevan terve* (or *terveen*)—I thought she was well. Such constructions are commonly replaced by the *että*-clause construction.

(c) CONJUNCTIONS (words which join statements) are numerous, and many are found in the readings: *ja*, and; *sekä . . . että*, both . . . and; *mutta*, but; *eli*, or; *sentähden*, therefore; *näet*, that is to say; *että*, (in order) that; *kun*, when; *vaikka*, though; *jos*, if; *ellen, ellet*, etc., if I do not, if you do not, etc.

(d) USES: some of the conjunctions need care in use:

(i) *eli, tai* and *vai* all mean 'or'. *Eli* joins equivalents, as in: *Tärkeän sanaluokan muodostavat verbit eli teonsanat*—The verbs or action-words form an important class of words. *Tai* connects differing concepts: *Verbit ilmaisevat tekemistä tai olemista*—Verbs express doing or being, while *vai* joins contrasting ideas: *Ilmaiseeko verbi »nukkua» tekemistä vai olemista?*—Does the verb ' to sleep ' express doing or being?

(ii) *Mutta* and *vaan* mean ' but': after a negative statement *mutta* introduces a mild difference or a concessive statement, while *vaan* begins a strong or complete contradiction: *Hän ei ole sairas, mutta heikko hän on*—He is not ill, but he *is* weak. *Hän ei ole sairas, vaan aivan terve*—He is not ill, but quite well.

(iii) *Ja*, and, is not used where it would be immediately followed by the verb of negation; instead, the latter receives the enclitic *-kä*. But *ja* can be used where the preceding statement is affirmative, some word is between *ja* and the verb of negation, and the denial is to be emphasised: *Asia on sovittu, älköönkä kukaan siitä enää puhuko*—The matter is settled (agreed), nor should anyone say any more about it. *Asia on sovittu, ja kukaan älköön siitä enää puhuko*—The matter is settled, and let no one say any more about it!

(e) AGREEMENT OF NOUNS AND ADJECTIVES.

(i) Generally speaking, an adjective agrees in case and number with the noun it qualifies, as we saw in Lesson 1.

(ii) Usually, however, the first part of a compound written as one word, whether noun or adjective, is not declined: *kiviseinä*, stone wall, gen. *kiviseinän*; *Länsi-Suomen*, of West-Finland; but *omassatunnossaan*, in her conscience.

(iii) Certain adjectives are not declined at all: they are given in Note 5g vii.

But *ensi* and *viime* have corresponding declinable forms, *ensimmäinen* and *viimeinen* (stems are, of course, *ensimmäise-* and *viimeise-*), and these mean only ' first ' and ' last ' respectively, while *ensi* means ' first ' and also ' next ', i.e. the first yet to come, as in *ensi vuonna*, (during) next year, and *viime* means ' last ', as in *viime kesänä*, (during) last summer.

Joka, too, has its declinable form *jokainen*, and *eri* has *erilainen*, and these are used where the noun to which they refer has another adjective as attribute: *He ovat asiasta eri mieltä*—They are of different opinions about the matter. *Oli erilaisia, vastakkaisia mielipiteitä*—There were differing, contrary opinions. *Joka miehellä on omat vikansa*—Every man has his own faults. *Jokaisella suurellakin miehellä on omat vikansa*—Every man, even a great man, has his faults.

(iv) Some words like *parka*, poor; *kulta*, dear; *raiska*, wretched, are put after the noun they qualify (sometimes hyphenated); only the second element is declined. In other words these expressions really consist of two substantives which combine to make a compound noun, although they are not always written as one word: *Ei poika paralla ole rahaa*—The poor boy has no money. (N.B. *Ei minulla raukalla ole rahaa*—Poor me, I have no money (a pronoun *is* declined).)

(v) Sometimes in an adverbial phrase an adjective or a pronoun is found in a different case from the word it qualifies, and the latter is usually then in the partitive singular or the instructive plural: *Tällä tapaa* for *tällä tavalla*, in this way; *samalla kertaa* for *samalla kerralla*, *sillä aikaa* for *sillä ajalla* and so on; *kaikissa paikoin, pahoilla mielin*, and so on.

There seems to be no difference of meaning between the two possible ways of constructing the phrase in each case.

VOCABULARY

aviomies (see *mies*), husband
bensiini bensiini- bensiinin bensiiniä, petrol
eläke eläkkee- eläkkeen eläkettä, pension
harvalukuinen, few in number
havupuu (see *puu*), fir, pine
heree-: *olen hereillä*, I am awake
hirvittävä -vä- -vän -vää, frightful
hyvinvoipa, well-to-do
itä itä- idän itää, east
jahka, as soon as
joko? already?; *joko . . . tai*, either . . . or, whether . . . or
jos kohta, even if
joskin, even if
jänne jäntee- jänteen jännettä, sinew; cord
jäntevä, sinewy
Kanada Kanada- Kanadan Kanadaa, Canada; *kanadalainen*, Canadian
katkaise- katkaisen katkaisi katkaista, break, interrupt
kelpaava, fit, suitable
kevyt kevye- kevyen kevyttä, light (in weight); *kevytmielinen*, frivolous, thoughtless; *kevytmielisyys -syyte- -syyden -syyttä*, frivolity
kiiruhta- kiiruhdan kiiruhti kiiruhtaa, hurry
kohda- (see *kohtata-*)
kohtata- kohtaan kohtasi kohdata, meet, find, happen

korpi korpe- korven korpea, swampy woodland; wilderness (biblical)

kortteli kortteli- korttelin korttelia, quarter (of a town)

kuihtu- kuihdun kuihtui kuihtua, wither, fade, droop

kuisti kuisti- kuistin kuistia, porch

kuistikko kuistikko kuistikon kuistikkoa, veranda

kuja, kuja- kujan kujaa, lane, alley

kumma kumma- kumman kummaa, wonder, marvel; strange, wonderful

kumminkin, yet, still, nevertheless

kunnas kunnaa- kunnaan kunnasta, knoll, hillock

kunniallinen, respectable, honest

kunnon mies (see *kunto*), honest man

kuulija -ja- -jan -jaa, hearer

kuulotorvi -torve- -torven -torvea, earpiece

kuvata- kuvaan kuvasi kuvata, depict, describe

kuvaava -va- -van -vaa, characteristic

kuvittele- kuvittelen kuvitteli kuvitella, imagine, fancy

lainkaan, at all, in the least (in negative sentences)

laituri laituri- laiturin laituria, pier, wharf

laskeutu- laskeudun laskeutui laskeutua, sink, be lowered

lehtipuu (see *puu*), broad-leaved tree

lehtokuja (see *kuja*), leafy lane

lihava lihava- lihavan lihavaa, fat, fleshy

linja-auto (see *auto*), bus

luja luja- lujan lujaa, firm, fixed, stable

lujuus lujuute- lujuuden lujuutta, firmness, solidity

lupaile- lupailen lupaili lupailla, promise

lyhytsanainen, brief, concise, laconic

lämpöinen, warm

maatalo (see *talo*), country house, farm

metsätyöläinen, timberman, lumberjack

mielenlujuus (see *lujuus*), firmness, strength of mind

miellyttävä -vä- -vän -vää, pleasant, agreeable

miettivä -vä- -vän -vää, thoughtful

mokoma, such, like, just like

multa multa- mullan multaa, mould, earth

muodosta- muodostan muodosti muodostaa, form, mould

muodostu- muodostun muodostui muodostua, be formed, develop

myöhästy- myöhästyn myöhästyi myöhästyä, be late

määräpaikka (see *paikka*), destination

neitonen neitose- neitosen neitosta, girl, young woman
niinmuodoin, thus, therefore, consequently
nyökkä(t)ä- nyökkään nyökkäsi nyökätä, nod
ohikiitävä -vä- -vän -vää, hurrying, speeding by
omituinen, strange, odd, peculiar
orava orava- oravan oravaa, squirrel
otava otava- otavan -otavaa, Charles's Wain
paina- painan painoi painaa, press, impress, weigh
palatsi palatsi- palatsin palatsia, palace
perillä: olen . . . sta perillä, I know about . . .
pihlaja -ja- -jan -jaa, mountain ash
poliisi poliisi- poliisin poliisia, police
postikortti (see *kortti*), postcard
pyylevä -vä- -vän -vää, chubby, plump
pätevä -vä- -vän -vää, competent, qualified, proper
pääty pääty- päädyn päätyä, gable
raiska raiska- raiskan raiskaa, poor, wretched (usually
    follows the noun it qualifies)
riittävä -vä- -vän -vää, sufficient
rikko rikko- rikon rikkoa, broken
rikko- rikon rikkoi rikkoa, break, smash
rohkaise- rohkaisen rohkaisi rohkaista, encourage, cheer
ryhmä ryhmä- ryhmän ryhmää, group
sammal sammale- sammalen sammalta, moss
sammaloitu- sammaloidun sammaloitui sammaloitua, grow mossy
selvittä- selvitän selvitti selvittää, explain, clear up
sierain sieraime- sieraimen sierainta, nostril
siirtolainen, settler, emigrant
Skotlanti -lanti- -lannin -lantia, Scotland
suoni suone- suonen suonta, vein
sävy sävy- sävyn sävyä, tone, style
taitava -va- -van -vaa, skilled
taistelu taistelu- taistelun taistelua, struggle, fight
taitekatto (see *katto*), mansard roof
tervehdys tervehdykse- tervehdyksen tervehdystä, greeting, salu-
    tation
terveiset, compliments, regards
terveys terveyte- terveyden terveyttä, health
terä terä- terän terää, edge, blade; *terävä -vä- -vän -vää*, sharp
tiilinen, made of bricks, or tiles
tilava -va- -van -vaa, roomy, spacious

toisenlainen, of a different kind
tokko, I wonder, do you think?
tori tori- torin toria, market-place, square
torvi torve- torven torvea, horn, bugle, pipe, etc.; but *kuulo-
torvi*, earpiece, and *puhetorvi*, mouthpiece, of a telephone
tulevaisuus -suute- -suuden -suutta, future
tutustutta- tutustutan tutustutti tutustuttaa, make acquainted
uhitteleva, defiant
vaikuttava -va- -van -vaa, influential, effective
vaja vaja- vajan vajaa, shed, shelter, barn
vakava vakava- vakavan vakavaa, serious; *olen vakavissani*,
I am serious, I am in earnest
vanhene- vanhenen vanheni vanheta, grow old
varakas varakkaa- varakkaan varakasta, wealthy
varas varkaa- varkaan varasta, thief
vastakkainen, opposite, reverse
venevaja (see *vaja*), boatshed
verbi verbi- verbin verbiä, verb
verevä -vä- -vän -vää, plethoric, red-faced
viehättävä -vä- -vän -vää, charming
vilise- vilisen vilisi vilistä, swarm
villi villi- villin villiä, wild; *villiviini*, Virginia creeper
väestö väestö- väestön väestöä, population
välittä- välitän välitti välittää, mediate; care for, mind
yhdentekevä, all the same, indifferent, a matter of indifference
yöllinen, nightly; of the night
äkillinen, sudden

EXERCISE

1. Ranskalainen kortteli on niin pieni, että kymmenen
päivän aikana oppii tuntemaan siellä asuvat taiteilijat.
2. Haluaisin kuulla lasten laulavan. 3. Joulun tapahtumia
esittävien kuvien suuresta joukosta on eräänä vaikuttavim-
mista jäänyt mieleeni maalaus, joka esittää pyhää perhettä
etsimässä asuntoa jouluyöksi. 4. Kadut vilisivät koului-
hinsa ja työpaikkoihinsa matkalla olevia lapsia ja aikuisia.
5. Tapasin Sokrateessa mielenlujuuden, jollaista en milloin-
kaan uskonut kohtaavani. 6. Kuumuus kävi rasittavaksi.
7. Itsestään kohoava kakkujauho. 8. En minä tämän
käynnin usko mitään auttavan. 9. Sitä kevytmielisyyttä

hän tiesi saavansa pian katua. 10. Hän havaitsi neitosen laskeutuvan kuistin portailta pihalle ja nousevan pian takaisin. 11. Hän oli ollut näkevinään hänet talon portailla. 12. Hän sanoi lähtevänsä kävelemään. 13. Pelkäsikö hän vanhenevansa? Ei pelännyt. 14. Nyt hän oli tekevä lopun tästä luonnottomasta yksinäisyydestä. 15. Oli hirvittävää olla hereillä. 16. Olen tehnyt itseni ja elämäni kanssa vakavan ratkaisun. 17. Hän oli kaikkeen liian pätevä. 18. Samassa hän purskahti käsittämättömältä tuntuvaan nauruun. 19. Näkyy lähenevän puolta seitsemää. 20. Voimia tuntui riittävän vaikka mihin. 21. Ettekö saa selvää, olenko vakavissani?

READING

Kaksi ihmistä

Hän tunsi olevansa väsynyt. Kello oli vain puoli kaksi, mutta hän ei kuitenkaan voinut nukkua. Miten merkillistä unta hän olikaan nähnyt! Hän oli ollut olevinaan Suomessa, seudulla, joka muistutti Hiekkaharjua, ja hän oli ollut näkevinään siellä Mikon asunnon, mutta Mikko itse ei tuntunut olevan kotona. . . . Tällä hetkellä Eeva muisti vain rakastavansa häntä. Hän unelmoi kerran pääsevänsä hänen kanssaan johonkin vanhaan taloon, jonka päätyjä peittäisi villiviini ja jonka pihalla tummat pihlajat suhisivat.

Mutta Mikko oli kaukana eikä kumma kyllä ollut lähettänyt minkäänlaista kirjettä tai tervehdystä sitä kirjettä lukuunottamatta, joka oli saapunut jo aikoja sitten. Kirjeessä Mikko oli lyhytsanainen, kuten hänen tapansa oli; hän oli kirjoittanut muun muassa : »Minulla olisi sitä paitsi iloinen uutinenkin» mutta hän ei kuitenkaan sanonut, mikä se oli, ja kirjeen sävy oli Eevan mielestä hiukan uhitteleva. Eikä Eevan vastauskaan ollut erikoisen rohkaiseva, vain postikortti.

Entä jos Eeva olisi myöntänyt olevansa väärässä? Hän oli ihminen lihaa ja verta, hän ei voinut tai ei aikonut myöntää sitä, ei Mikolle, ei edes itselleenkään. Sellainen oli Eeva, ja sellainen oli nähtävästi Mikkokin, mutta kaikki odottivat miehen olevan sellaisen, ja Mikko oli vain sanonut jäävänsä Suomeen. Minkä sille voi? Mutta

G

mitä sanookaan sananlasku: »Lentävä lintu löytää jotakin,
istuva ei mitään» . . . »Vierivä kivi ei sammaloidu»
Eeva nukkui vihdoin ja näki toisenlaista unta. Hän
oli olevinaan taas Hiekkaharjulla. Oli kuuma, ja päivä
lupaili todella muodostua hehkuvan kuumaksi. Hän
tunsi sieraimissaan maantien pölyn ja ohikiitävien autojen
bensiinin tuoksun. Puiden latvojen takaa näkyi tiilinen
taitekatto ja useita valkoisia savupiippuja. Puutarhan
takana oli laaja, lehti- ja havupuita kasvava puisto, oikealla
oli järvi ja sen rannalla venevaja ja laituri. Taloon johti
komea, korkeita koivuja kasvava lehtokuja, ja kujalla
käveli vanha harmaapartainen mies. Sitten hän kuuli
äänen kysyvän: »Tunnetko tuon tiellä astuvan vanhan
ukon?» Se oli Mikko papereineen ja kirjoineen.
Eeva oli hetkisen aivan hiljaa, niin hiljaa, että hän
melkein kuuli sydämensä kolkuttavan. Hänen verensä
kiersi suonissa omituisen polttavana. Kuinka virvoittavaa
olisikaan ollut sade! Mutta Mikko ei häneen katsonut, ei
ollut huomaavinaankaan. Se oli hänelle hyvin kuvaavaa.
Mokomakin mies! Eeva oli muistavinaan, että Mikko oli
monet kerrat sanonut hänelle matkustavansa pian pois,
mutta miksi ja minne, sitä hän ei ollut voinut selittää.
Eeva huusi, mutta ääntä ei kuulunut.
Herätyskello soi. Eeva heräsi hiestä märkänä.

    :   .   .   .

Eeva oli sangen vakava, kun hän istuutui aamiaispöy-
tään. Vuokraemäntä, joka istui pyylevänä ja hyvinvoipana
leveässä tuolissaan, tuijotti häneen otsa rypyssä ja kysyi
vihdoin, miksi hän oli niin kalpea. »Te näytätte mietti-
vältä.» hän sanoi. Eeva nauroi ja sanoi tulevansa juuri
kylpyhuoneesta ja olevansa mitä parhaimmassa kunnossa.
Sitten hän kertoi kahdesta unestaan.
Emäntä oli Jumalaa pelkäävä kunnon nainen, niin että
häneen Eeva ainakin uskoi voivansa luottaa. Hänen
isänsä oli eläkkeellä oleva upseeri, jolla oli maatalo Skotlan-
nissa.
»Minusta piti tulla lääkäri,» emäntä oli kertonut kerran,
»mutta sen sijaan menin naimisiin. Muutamia vuosia
myöhemmin aviomieheni kuoli.»
Hän oli aina olevinaan perillä koko maailman asioista.

Nyt hän sanoi olevansa varma siitä, että Eevankin täytyi mennä naimisiin »tuon ihmeellisen suomalaisen pojan kanssa», kuten hän sanoi, sillä jos Jumala tahtoi, hän oli vihdoin onnistuva.

Sitten Eeva kertoi yöllisestä tapahtumasta, joka oli hänet herättänyt. Eikö emäntäkin kuullut jonkun miehen liikkuvan puutarhassa?

Ei, emäntä ei ollut kuullut mitään, ei kerrassaan mitään. Se oli varmaankin ollut kissa. Mutta he menivät kuitenkin yhdessä puutarhaan. Iso, raskas kenkä oli painanut jälkensä pehmeään multaan. Eeva huomasi ensimmäisenä yöllisen jalanjäljen, ja tämä näky teki hänet taas vakavaksi. Emäntä huomautti merkitsevästi päätään nyökäyttäen:

»Varas! . . . mutta meillähän ei ole rahaa eikä hopeaa. Soitan joka tapauksessa poliisille, ja teidän täytyy lähteä nyt heti, muuten myöhästytte junasta.»

.   .   .   .   .   .

Huoneessa vallitsevan hiljaisuuden rikkoi puhelimen äkillinen soitto. Mikko kiiruhti vastaamaan.

»Kyllä, kyllä,» hän sanoi kuulotorveen, »minä olen. . . . Kiitos, entä te? . . . mitä? . . . kanadalainen ja puhuu suomea? . . . siis Kanadan suomalainen, no tietysti, olisi sangen miellyttävää . . . Hänkin tulee? . . . Siis puoli seitsemän aikaan . . . Terveisiä kotiin. Näkemiin!»

Hän vilkaisi seinäkelloon. Neljännestä vailla viisi. Muutamia minuutteja myöhemmin hän sulki oven ja lähti pieni matkalaukku kädessään, ja jo neljännestä yli viiden hän astui linja-autoon. Myöhemmin hän vaihtoi junaan, joka kulki pitkin joen vartta ja saapui vihdoin määräpaikkaan, kylään, jossa Seppälät asuivat.

Kun hän astui junasta, hänen ystävänsä, herra ja rouva Seppälä, odottivat häntä asemalla. Viileä tuuli puhalteli, ja kuihtuvat kukat ja putoavat lehdet muistuttivat syksyn tulosta. Ensin he joivat kahvia ja menivät sitten yhdessä koululle. Koulun edessä olevalla pienellä torilla seisoi jo ihmisiä. Uusia vieraita saapui vähitellen, miehiä ja naisia. Sitten tuli Irjakin, Seppälän tytär, jolla oli loistavat silmät ja naurava suu.

Korkeasta ikkunasta Mikko näki mäellä kohoavan pappilan, jossa oli asunut viikon ajan nuori pappismies.

Tämä oli kotoisin Kanadasta, jossa hän oli työskennellyt eräässä pikkukaupungissa suomalaisten joukossa.

»Näen hänen tulevan» sanoi Irja äkkiä.

Valkotukkainen pastori esitti nuoren miehen, ja tämä alkoi heti kertoa Kanadasta, kaikkien mahdollisuuksien maasta, kuten hän sanoi, ja sen suomalaisen väestön, muun muassa metsätyöläisten ja maata viljelevien siirtolaisten elämästä. He ovat taitavia töissään ja verraten varakkaitakin.

»Mutta jos Kanadassa alan kertoa suomalaisten asioista» —pappi hymyili kuulijoilleen—»olen ja pysyn ehkä huutavan äänenä korvessa. Meluavassa suurkaupungissa, jonne miltei kaikki nuoret siirtyvät asumaan, suomenkieltä ei tietysti kukaan tarvitsekaan. Päinvastoin maan kieli on kieltämättä englanti . . . joten maassa maan tavalla . . .»

LESSON FIFTEEN

GRAMMATICAL NOTES

(a) The PRESENT PARTICIPLE ' PASSIVE ' is formed in the same way from the passive stem (see below) of the verb as the active participle is formed from the active stem (that is, what we have referred to up to the present simply as the stem), namely, by adding the syllable *-va -vä*.

(b) The PASSIVE STEM of the verb is formed from the active stem by adding to it the syllable *-ta- -tä-* or *-tta- -ttä-*, according to the ending of the stem as follows:

(i) Stems ending in a long vowel or a diphthong add *-ta -tä*: *saa-*, receive, *saata-*; *myy-*, sell, *myytä-*; *syö-*, eat, *syötä-*.

(ii) Stems ending in *-le-*, *-re-* or *-se-*, or second syllable *-ne-*, preceded by a vowel drop the final *-e-* and add *-ta- -tä-*: *tule-*, come, *tulta-*; *mene-*, go, *mentä-*; *pure-*, bite, *purta-*; *pääse-*, attain, *päästä-*; *ole-*, be, *olta-* (cf. Note 3c xiv); *-ne-* as third syllable is replaced by *-tta- -ttä-*: *vaikene-*, be silent, *vaietta-* (cf. Note 13c ii 3).

(iii) Stems ending in *-kse-* lose the *-k-* before the *-st-* but otherwise belong to type ii: *juokse-*, run, *juosta-*.

(iv) Stems ending in *-tse-* -lose the *-s-* before the *-t-*: but otherwise belong to type ii: *valitse-*, choose, *valitta-*; *häiritse-*, disturb, *häirittä-*.

(v) The stems *teke-*, make, and *näke-*, see, form the passive stem by changing the *-k-* to its alternative form, *-h-* and adding the passive ending: *tehtä-*, *nähtä-*.

(vi) All other stems end in a short vowel and add *-tta- -ttä-* to form the passive stem, as in *sano-*, say, *sanotta-*; *kysy-*, ask, *kysyttä-*; *luke-*, read, *luetta-*. But:

A. The ' amalgamating ' stems (see Notes 2a v, 10b v) elide the final *-a- -ä-* of the stem before the passive ending: *vastata-*, reply, has the passive stem *vastatta-*; *osata-*, be able to, *osatta-*; *pel(k)ätä-*, fear, *pelättä-*; (*putota-*), fall, *pudotta-* (in the last two the -*k*- is elided and the -*t*- is softened to -*d*- because the syllable is closed by the first -*t*- of the amalgamated ending), *ma(k)ata-*, lie, *maatta-*, etc.

B. Other stems ending in -*a*- or -*ä*- change these to -*e*-: *aja-*, drive, *ajetta-*; *elä-*, live, *elettä-*. The usual softening of consonants takes place in the syllable closed by the first -*t*- of the passive ending: *alka-*, begin, *aletta-*; stems ending in -*ta*- -*tä*- preceded by -*l*-, -*n*- or -*r*- assimilate the -*t*- as in *uskalta-*, dare, *uskalletta-*; *viheltä-*, whistle, *vihellettä-*; *paranta-*, heal, *parannetta-*; *kumarta-*, bow, *kumarretta-*; *ymmärtä-*, understand, *ymmärrettä-* and so on, but as usual the -*t*- is preserved from softening by a preceding -*s*- as in *matkusta-*, travel, *matkustetta-*.

(*c*) USES of the PRESENT PASSIVE PARTICIPLE generally imply the idea of something to be done:

(i) As an adjective: *Onko hän luotettava mies?*—Is he a reliable man? *Syötävät sienet*, edible mushrooms. *Huomenna pidettävässä luennossa*—In the lecture to be given to-morrow. *Kunnioitettava Herra!*—Honourable (to be honoured) Sir (a once-common form of address at the head of a letter). *Helposti ymmärrettävistä syistä*, for (from) reasons eaily (to be) understood, understandable. *Tuo tuntuu uskottavalta*—That seems credible.

(ii) Similarly as a predicate: *Nuo sienet ovat syötäviä*—Those mushrooms are edible.

(iii) In the nominative the passive singular participle with the 3rd person singular of *ole-* expresses 'must' (see Note 18*e*); a logical subject is put in the genitive: *Hänen on lähetettävä kirjeet tänään*—She must (has got to) send the letters to-day. *Vihollisten oli paettava*—The enemy (enemies) had to flee. (Cf. *täytyy*, must, Note 10*c* v.)

Note that the 'total' object of an affirmative passive *verb* (see Lesson 19) is put in the suffixless accusative, that is, the form like the nominative (unless it is, in modern Finnish, a personal pronoun, which takes -*t*): *Minun on kutsuttava mies*—I must invite the man. (*Minun on kutsuttava hänet*—I must invite him.) *Mies on kutsuttava* can be translated as in ii above, ' the man is invitable ' (*mies* in the nominative as the subject of the sentence) or ' one must invite the man ' (*mies* as object, see above, no subject named in impersonal construction). In the plural the distinction between nominative and accusative is not obscured by the identity of form: *Miehet on kutsuttava*—The men will have to be invited (One must invite the men, there is an obligation to invite the men). Here *miehet* is the object of the ' passive ' (impersonal) verb, but *Miehet ovat kutsuttavat* would mean ' The men are invitable, to be invited, the ones to be invited', and *miehet* is the subject, *ovat* the verb agreeing with it in number and *kutsuttavat* the total predicate, an adjective agreeing with both. Similarly in the sentence *Hänen on lähetettävä kirjeet*, given above, the participle forms part of the passive verb, which is always in the singular, and *kirjeet* is the object, while the genitive indicates the agent, the person whom the obligation concerns.

A partial object appears, of course, in the partitive: *Miehiä on kutsuttava*—Some men will have to be invited, one must invite some men.

(iv) The participial construction (Note 14*b* iv), can also be used with the passive participle: *Olen kuullut sitä joskus sanottavan*—I have heard that (to be) said sometimes.

(v) The partitive of the participle is used with the 3rd person singular of *ole-* in the appropriate tense to express certain general, impersonal statements, e.g. *Toivottavaa on, että . . .*—It is (a thing) to be hoped, that . . . *Luultavaa on, että . . .*—It is to be presumed, (thought), it is probable, that . . .

(vi) The inessive plural is used to express a temporary state: *Onko herra Kivi tavattavissa?*—Is Mr. K. to be seen?, is Mr. K. in?, May I see Mr. K.? The partitive, on the other hand, expresses a permanent characteristic: *Nuo sienet ovat syötäviä*—Those mushrooms are edible. But *Ovatko nuo sienet syötävissä?*—Are those mushrooms in a state to be eaten?

(vii) The essive of the participle is also used to express a state: *Huoneisto (on) vuokrattavana*—Flat to (be) let. *Poika on veljensä opetettavana*—The boy is to be taught by his brother (*veljensä* is here genitive of agent). *Viikatteeni on sepän laitettavana*—My scythe is at the blacksmith's to be put in order, repaired.

(viii) The translative is used where the idea of destination, of movement towards an aim or action is involved: *Vein kenkäni suutarille korjattaviksi*—I took my shoes to the cobbler to be mended. *Isä toi poikansa kaupunkiin kasvatettavaksi*—The father took his son to the town to be brought up, educated. *Hän on tullut palvelemaan eikä palveltavaksi*—He has come to serve and not to be served. Here, too, the agent can be represented by a genitive, if a noun, and by a personal suffix, if a pronoun: *Koko juttu jäi minun selvitettäväkseni*—The whole affair was left (remained) for me to explain.

(*d*) Causative and Factitive Verbs.

(i) There is a class of verbs constructed with the syllable *-ta- -tä-* or *-tta- -ttä-* before the tense-characteristic and the personal endings, which may, because of this syllable, be confused with the passive forms. The rule for the use of *t* or *tt* is that where stems end in a vowel *tt* is used, but where a vowel is elided (*-e-* usually after *l*, *n*, *r*, *s* and *t*, and *-a- -ä-* after *-t-* in the amalgamating stems) the *tt* is reduced to *t*.

(ii) These verbs, when formed of verb-stems, usually express the transitive form of an intransitive, of making someone or something perform the action indicated by the original stem: *syö-*, eat, *syöttä-*, feed, give food to; *saa-*, get, come, *saatta-*, accompany; *käy-*, go, *käyttä-*, make go, use; *pääse-*, get (away), *päästä-*, let go; *nouse-*, rise, *nosta-*, raise (note the loss of *-u-*); *kylpe-*, bathe, *kylvettä-*, bath (e.g. a baby); *näky-*, be seen, appear, *näyttä-*, show. (Note the softening of consonants.)

(iii) The same syllable is also used to construct verbs out of non-verbal stems, usually expressing a transfer of the quality it denotes; nouns and adjectives often appear in the plural stem form: *syy*, cause, *syyttä-*, blame; *ääne-*, voice, *ääntä-*, pronounce; *selvä*, clear, *selvittä-*, explain; *kunnia*, honour, *kunnioitta-*, venerate.

The infinitive (I) is formed according to rule by doubling the final vowel of the stem.

(e) SINGULAR AND PLURAL. In addition to the two cases we have already dealt with in which a singular is used where the student would expect a plural, namely the use of the noun in the singular where it is qualified by a cardinal number and the use of the verb in the singular where the subject is in the partitive plural as in: *Miehiä tulee*—There are some men coming, there are other cases in which the singular is used where one would expect the plural, or vice versa:

(i) Sometimes the singular is used in referring to paired parts of the body, especially where their clothing is concerned: *Miehellä on saappaat jalassa*—The man has (his) boots on. *Minä panin kintaat käteeni*—I put my mittens on. Here *jalka*, *käsi* are in the singular although referring to a pair; and these and certain other expressions in the language, notably *silmäpuoli* (literally ' half-eye ') meaning ' one-eyed ', *käsipuoli*, one-armed, and *jalkapuoli*, one-legged, point to an earlier conception of these paired parts of the body as one unit, as do still-current expressions in Hungarian.

(ii) There are also expressions similar to some used in English, where a general conception is thought of and not a particular pair of eyes, etc.: *Silmä ei kanna sinne asti*—The eye does not reach so far as that.

(iii) Where several possessors are spoken of, and each has but one of the named possession, it is expressed by the singular: *Miehet istuivat hevosten selässä* (not *selissä*)—The men were sitting on horseback. *Molemmat pudistivat päätään* (not *päitään*)—They both shook their heads (head).

(iv) Natural products, if they are still growing or are not yet separated from their origin, seem to be regarded as a substance like water, air, earth, etc., and are represented by the singular, but if they have been picked, cut, mined and so on, and are thus broken up into separate units, they are represented by plural nouns: *Ruis kasvaa hyvästi*—The rye is growing well. But: *Isäntä toi rukiita myytäväksi*—The master took some rye to be sold (to the market). *Lampaissa on pitkä villa*—The sheep have long wool. *Villoista kehrätään lankaa*—Yarn is spun from wool. (For the form *kehrätään* see Lesson 18, Note *f*.) *Suomessa ei ole*

hiiltä—There is no coal in Finland. *Hän veti hiiliä uunista*—
She took some coal(s) out of the stove.

(v) Where a noun is qualified by two or more attributive
adjectives but is not itself repeated it usually (and if the
adjectives are ordinal numerals always) appears in the
singular : *Suomen ja ruotsin kieli ovat erilaisia luonteeltaan*—
The Finnish and Swedish languages differ in their natures.
This instance is, of course, reminiscent of section iii above :
the genitives take the place of the possessor, and one
language only is referred to in each case, but because there
are two languages in question in the sentence (i.e. *kieli* is
suppressed after *suomen*) the verb is in the plural.

(vi) Certain paired objects have corresponding plural
equivalents in English usage : *housut*, trousers, *sakset*,
scissors, are concepts on which the two languages agree,
but Finnish has also *kärryt*, cart, barrow; *paarit*, bier;
and *rattaat*, cart, for which English has no plural equivalent
(*rattaa- ratas*, wheel), etc.

(vii) Many names for assemblies of people for various
purposes have plural forms, for example : *kutsut*, party,
entertainment; *markkinat*, market, fair; *häät*, wedding;
juomingit, carousal; *syömingit*, feast; *päivälliset*, dinner-
party; *illalliset*, dinner-party, supper-party; *olla sokkosilla*,
to play blind man's buff, and so on.

(viii) Certain expressions indicating states or conditions
are always in the plural, for instance *mennä naimisiin*, to get
married; *olla naimisissa*, to be married; *olla hereillä*, to
be awake; *olla raivoissaan*, to be in a rage.

(ix) In popular speech of an exaggerating, strongly
affirmative or boasting nature, especially when two or
more objects are listed, each singular, they are sometimes
put in the plural: *Hän on lukenut kreikat ja latinat*—He has
studied Greek and Latin, too. *Kyllä hänellä on elossa
isät ja äidit*—Oh, yes, she (still) has (both) father and
mother living.

(x) We have seen in preceding grammatical notes
instances of cases (comitative and instructive) and certain
types of expression derived from verbs, e.g. *Hän on
tietävinänsä*—He pretends to know (Note 14*a* iii). *En
päässyt kuuluviin*—I could not make myself heard. *Hän
on saapuvilla*—He is arriving. *Mitä hän oli tekemäisillänsä*—

What was she about to do? (Note 12b v).   These always appear in the plural, whatever the subject.

(xi) In addition to the type of sentence where a ' partial ' subject, indicated by a partitive plural, has a verb in the singular, the singular verb is also used with a ' total ' plural subject, where the meaning of the verb is ' exists ' or something similarly indefinite, and the subject has a sense of indefiniteness, too, expressed in English by the indefinite article ' a ': *Eilen oli täällä markkinat*—There was a fair here yesterday.   But the verb is put in the plural if the subject is at the beginning: *Markkinat olivat jo eilen*—The fair (is over, it) was held yesterday, and the meaning of the verb is changed from a general sense of there existing a fair to indicate the time aspect: that it is over.

(xii) In the use of *ole-* with the adessive to translate the English ' to have ', ' to possess ', and the verb is always in the singular: *Pojalla on vaaleat hiukset*—The boy has fair hair.

(xiii) See Note 13b viii 1: *Kaksi ikkunaa on tuvassa etelään, kaksi länteen päin*—The room has two windows facing south and two west.   But: *Tuvan kaksi ikkunaa ovat etelään päin*—The two windows of the room face south.

(xiv) Where a singular subject has a plural predicate, or vice versa, the verb usually agrees with what comes first: *Paras esimerkki tästä on kansainvaellukset*—The best example of this is the migrations.   But *ovat*, are, would be permissible: the position is, as in English, really a matter of what the emphasis rests on, the singular or the plural.

(xv) Also as in English is the case where a plural name refers to one thing: *»Helsingin Sanomat» on asiasta toista mieltä*—The H.S. is of a different opinion about the matter.

(*f*) POSTPOSITIONS AND PREPOSITIONS. Most of the prepositions and postpositions in Finnish are cases of nouns; in some the stems can be distinguished, especially where they occur in several cases, while in others they are no longer, or only with difficulty, distinguished as such.   Most of them govern the genitive, some the partitive and some can be used with either.   Some can be prepositions or postpositions, but all follow relative pronouns.   Some can, in addition, take the personal endings replacing a genitive to indicate which words they are related to. The following is a list of some of the commonest of these words, with examples of their use and the cases they govern:

(i) *Alla*, under; *alta*, from under; *alle*, (to a position) under (postpositions with the genitive): *Koira makasi pöydän alla*—The dog was lying under the table. *Koira tuli pöydän alta*—The dog came from under the table. *Koira juoksi pöydän alle*—The dog ran under the table.

(ii) *Edessä*, before, in front of; *edestä*, from before; *eteen*, into the space in front of; *edellä*, before; *edelle*, on to the space in front of; *edeltä*, from the space in front of (postpositions with the genitive): *Hän seisoi edessäni*—He stood before me. *Hän meni pois edestäni*—He went away from before me; he got out of my way. *Katsokaa eteenne!* —Look in front of you; look where you're going; look out! *Istuimme tulen edessä*—We were sitting in front of the fire.

The stem of this group is *ete-*, which is also the stem of the word *etelä*, south, originally 'the place in front of the house', and its plural form, with the normal change of *-t-* to *-s-* before the *-i-*, is found in the adverbial expressions *esille*, *esiin*, forward, and in compound nouns in the sense of 'fore-, pre-' in, for instance, *esimerkki*, example; *esi-isä*, forefather: *Hän astui esille*—He stepped forward. And the translative *edes* (for *edeksi*) means 'even': *Et edes kirjoittanut*—You did not even write. But in compounds it means 'forward', 'fore-': *edestakaisin*, back and forth, up and down; *ja niin edespäin*, and so on, and so forth.

(iii) *Ennen*, before (preposition with the partitive): *ennen pitkää*, before long.

(iv) *Halki*, through, across (postposition with the genitive though sometimes found as preposition): *Menen torin halki*—I am going across the square.

(v) *Ilman*, without (preposition with the partitive): *Lähdin ilman lippua*—I set out without a ticket.

(vi) *Jälki*, track, in the inessive *jäljessä* and the illative *jälkeen* means 'after' (postpositions with the genitive): *Kuka tulee jälkeesi?*—Who will come after you?

(vii) *Kautta*, by, via, through (preposition with time-expressions, otherwise postposition; takes the genitive):

Matkustin Tukholman kautta Helsinkiin—I travelled via Stockholm to Helsinki. *Kautta vuosisatojen,* through the centuries.

(viii) *Kanssa,* with (postposition with the genitive): *isännän kanssa,* with the host; *kanssasi,* with you.

(ix) *Keski* is used in the external cases, *keskellä, keskeltä, keskelle,* in, from, into the middle, as preposition with the partitive, sometimes with the genitive as a postposition: *Hän seisoi keskellä huonetta*—She was standing in the middle of the room. In the instructive *kesken* it is used as preposition or postposition with the genitive: *kahden kesken,* privately, between the two (of us, etc.); *kesken aterian,* in the middle of the meal.

(x) *Kohta,* point, is used in the external cases as a postposition with the genitive to express ' at ', ' to ' and ' from ' a close proximity to something: *talon kohdalta,* from the neighbourhood of the house (farm).

(xi) *Kohden* or *kohti* is used as preposition or postposition with the partitive with the meaning ' towards ', ' in the direction of ' and also ' per ' or ' each ' in phrases expressing division or distribution: *He menivät kaupunkia kohti*—They were going towards the town. *Hän saa muutaman punnan kuukautta kohden* (or *kuukaudelta*)—She gets a few pounds a month.

(xii) *Läpi,* through (an opening), is a preposition in time-expressions, otherwise a postposition, and takes the genitive: *Lintu lensi ikkunan läpi*—The bird flew through the window. *Matkustimme läpi yön*—We travelled throughout the night.

(xiii) *Myöten,* along, as far as, is a postposition with the partitive: *Hän käveli polkua myöten*—She strolled along the path. *Hän seisoi kaulaa myöten vedessä*—He stood up to his neck in water.

(xiv) *Paitsi,* except, with the exception of, is a preposition with the partitive: *sitäpaitsi,* also, in addition to that.

(xv) *Pitkin,* along, can be preposition or postposition, and takes the partitive: *Kävelimme tietä pitkin* (or *pitkin tietä*)—We were walking along the road.

(xvi) *Poikki* is like *halki* in meaning and is used generally as a postposition with the genitive: *Lapsi juoksi tien poikki*—The child ran across the road.

(xvii) *Päin* (the instructive of *pää*) means ' towards ', ' in the direction of '; it is used either alone with a partitive in this sense or more commonly with words in the local cases to express, according to the case of the associated word ' in ' or ' from ', the direction of something. This option has its justification in the origin of the word *päin*: it means ' with the head towards . . .': *Olen paranemaan päin*—I am on the way to recovery. *Mistä päin tuulee?*— Which way is the wind coming? *Hän läksi kahvilaan päin*— She set off for (towards) the café.

The interior cases of *pää* are used to express the distance from a thing: *kilometrin päässä*, at a distance of a kilometre; *kilometrin päästä*, from a kilometre away, and so on. The exterior cases of *pää* are used with the appropriate personal suffixes in speaking of the putting on, wearing and taking off of garments and also movement from or to or position on the surface of things, as we say ' on top of ': *Hän otti takin päälleen*—He put on his coat. *Vene on jo veden päällä*— The boat is already on the water.

(xviii) *Sija*, place, is used in the interior cases for the most part, as a postposition with the genitive: *sen sijaan*, instead of that. *Teidän sijassanne kieltäytyisin*—In your position (if I were you) I would refuse.

(xix) *Sisä*, interior, is used in the local cases as a postposition with the genitive: *maan sisässä*, in the interior of the earth.

(xx) *Suhteen*, a postposition taking the genitive, means ' in relation to, with regard to ': *sen suhteen*, in that respect.

(xxi) *Tähden*, for (the sake of), is a postposition with the genitive: *sentähden*, on that account, because; *taivaan tähden*, for heaven's sake!; *minun tähteni*, for my sake.

(xxii) *Varten*, with similar meaning to *tähden*, is a postposition taking the partitive: *Tein sen häntä varten*—I did that for him.

(xxiii) *Vasten*, preposition, *vastaan*, postposition against, in contrast to, contrary to, take the partitive: *vasten tuulta*, or *tuulta vastaan*, against the wind.

(xxiv) *Vuoksi*, for (the sake of), is, like *tähden*, a postposition with the genitive: *senvuoksi*, on that account, because of that.

(xxv) *Väli*, space between, is used in the local cases

as a postposition with the genitive: *Kirkon ja kylän välillä on metsä*—There is a wood between the church and the village.

(xxvi) *Ympäri* is used in the local cases for the space round a thing, and is a postposition with the genitive or a preposition with the partitive: *Kulkea maan ympäri* or *kulkea ympäri maata*—to go round the world: *Katsokaa ympärillenne!*—Look around you.

(xxvii) *Ääri* (stem *ääre-*) is used in the interior cases to express proximity to something; it is a postposition taking the genitive: *Hän istui ikkunan ääressä*—She was sitting by the window.

Arising from the great ability of Finnish to use words in more than one function, sometimes with, sometimes without a change in form or the addition of extra syllables, many of the words introduced in the foregoing notes on prepositions and postpositions are also found performing the functions of adverbs, conjunctions, adjectives and so on. Examples are: *Ennen*, previously, once, at one time: *Ennen olin onnellisempi* —I was happier once. *Esillä, esille, esiin* (the plural external cases of the stem *ete-* which we met in *edessä* etc.) mean ' forward ': *Astuimme esille*—We stepped forward. *Jälleen*, once again: *kesä on jälleen täällä*—Summer is here again.

VOCABULARY

autio autio- aution autiota, waste, deserted
edustaja -ja- -jan -jaa, representative, member of Parliament
enemmistö enemmistö- enemmistön enemmistöä, majority
esimerkki (see *merkki*), example, instance; *esimerkiksi*, for example
esitelmä esitelmä- esitelmän esitelmää, lecture, discourse
helppo helppo- helpon helppoa, easy
hiili hiile- hiilen hiiltä, coal
huomattava -va- -van -vaa, noticeable
hämärä hämärä- hämärän hämärää, dusk, dark
häämöttä- häämötän häämötti häämöttää, be dimly visible
inhottava, detestable
isänmaa (see *maa*), native country, fatherland; *isänmaan-rakkaus* (see *rakkaus*) patriotism
itsepintainen, obstinate, stubborn; *itsepintaisuus -suute- -suuden -suutta*, stubbornness

itsepäinen, obstinate, stubborn; *itsepäisyys -syyte- -syyden -syyttä*, stubbornness

juomingit (plural noun), carousal

jälkeläinen, descendant, successor

kauhistutta- kauhistutan kauhistutti kauhistuttaa, terrify

kehrätä- kehrään kehräsi kehrätä, spin

keskuudessa, among

kinnas kintaa- kintaan kinnasta, mitten

koitu- koidun koitui koitua, arise, originate

koulusali -sali- -salin -salia, school hall

Kreikka Kreikka- Kreikan Kreikkaa or *Kreikanmaa* (see *maa*), Greece (*kreikka* also means ' Greek ', i.e. the language) ; *kreikkalainen*, Greek, Greek person

Kristus Kristukse- Kristuksen Kristusta, Christ

kunnioitta- kunnioitan kunnioitti kunnioittaa, honour

kunnolleen, properly, duly, well

kärryt kärryi- kärryjen kärryjä (plural noun), cart

käsipuoli, one-armed

käytännöllinen, practical

latina latina- latinan latinaa, Latin (language)

lentokenttä (see *kenttä*), flying-field, aerodrome

liikuttava -va- -van -vaa, moving, pathetic

lämmittä- lämmitän lämmitti lämmittää, heat, warm

läsnä, present, by; *läsnäolo*, presence

merkittävä, noticeable, remarkable

narise- narisen narisi narista, squeak, grate

naurettava, laughable, ludicrous

näkökohta -kohta- -kohdan -kohtaa, point of view

näyteikkuna (see *ikkuna*), shop-window, show-window

ohje ohjee- ohjeen ohjetta, instruction, direction, rule

omistaja -ja- -jan -jaa, owner

paarit paarei- paarien paareja, bier

painava -va- -van -vaa, heavy, weighty

pakene- pakenen pakeni paeta, flee

peitty- peityn peittyi peittyä, cover oneself, get covered

piirre piirtee- piirteen piirrettä, feature, line

raitis raittii- raittiin raitista, sober; fresh

raivo raivo- raivon raivoa, rage, frenzy

rakastettava -va- -van -vaa, lovable

saapas saappaa- saappaan saapasta, boot

saarna saarna- saarnan saarnaa, sermon

salata- salaan salasi salata, keep secret
sali (see *koulusali*), hall, dining-room
seinämä seinämä- seinämän seinämää, wall
sieni siene- sienen sientä, mushroom, fungus
silmäpuoli one-eyed
suunta suunta- suunnan suuntaa, direction, way, route
suuntata- suuntaan suuntasi suunnata, direct, aim
syömingit (plural noun), feast
syötävä syötävä- syötävän syötävää, edible
taakka taakka- taakan taakkaa, burden
taho taho- tahon tahoa, direction; *joka taholta*, from all
    directions, from all quarters
tiedemies (see *mies*), scientist (but *tieteilijä* is also used)
toimenpide -pitee- -piteen -pidettä, measure, step
torppa torppa- torpan torppaa, cottage, croft
tottele- tottelen totteli totella, obey
vaelta- vaellan vaelsi vaeltaa, wander, rove
vakuutta- vakuutan vakuutti vakuuttaa, persuade, convince;
    vakuuttava, convincing
vanki vanki- vangin vankia, prisoner
vankila vankila- vankilan vankilaa, prison
varten, for
vastaanottavainen, receptive
ääntä- äännän äänsi ääntää, pronounce
ääriviiva -viiva- -viivan -viivaa, outline, contour

EXERCISE

1. Talvella koko maa peittyy lumen alle. 2. Ilmarin
oli toteltava. 3. Toivottavasti hän ymmärtäisi. 4. Järvi
on aivan lähellä taloa, se ympäröi taloa joka taholta.
5. Hän tuli vähintään naurettavaksi. 6. Toivottavasti
muistatte erään seikan. 7. Yleisö on suurin piirtein sitä
mieltä, että tiedemiehen on oltava kuiva ja nariseva kuin
aution torpan ovi. 8. Koira makasi vieressäni. 9. Ilman
vettä ei kesällä olisikaan hauska olla. 10. Me soudimme
rantaa kohti. 11. Sitä minä teen sinua varten. 12. Talvella
ihmisten on tehtävä työtä lampun valossa, sillä päivät ovat
lyhyet. 13. Kuljimme ihanien nurmien halki. 14. Nyky-
ajan sota on kauhistuttavaa. 15. Silloin oli vielä uusia
maita löydettävänä. 16. He lukevat kaiken saatavissa

olevan kyseisiä maita koskevan kirjallisuuden. 17. Hän tarjosi käytettäväksemme henkilöauton, sillä lentokentältä oli kaupunkiin pitkä matka. 18. Hän kulki juuri ohi autoliikkeen, jonka näyteikkunan takana oli uusia autoja. 19. Oli vain katsottava, ettei puu kaatuisi tuvan seinämälle. 20. Oli suunnattava puu niin, ettei se rikkoisi aitaa.

READING

Uusi mahdollisuus

»Nimen muuttaminen suomalaisesta englantilaiseksi tai englantilaista nimeä enemmän muistuttavaksi,» pastori jatkoi, »on ollut melko yleistä Pohjois-Amerikan suomalaisten siirtolaisten ja heidän jälkeläistensä keskuudessa. Tähän on usein painava käytännöllinenkin syy, sillä suomalaisten nimien oikea ääntäminen ei suinkaan ole helppoa sellaiselle amerikkalaiselle, joka ei osaa muuta kieltä kuin englantia, ja heihin kuuluu suuri enemmistö Yhdysvaltain ja Kanadan niin sanotusta tavallisesta kansasta. Tärkeintä on tietenkin tehdä nimi amerikkalaiselle helpommin lausuttavaksi, samalla kun nimen omistaja tavallisesti haluaa säilyttää sen niin lähellä alkuperäistä muotoa kuin suinkin. Minun nimeni Laine esimerkiksi on muuttunut Laneksi . . .»

Mutta Mikon ajatukset siirtyivät muualle. Se, mitä pastori oli sanonut Kanadan tarjoamista mahdollisuuksista, oli mielenkiintoista, jopa jännittävää. Ja mitä olikaan Eeva sanonut? »Sinä olet inhoittavan itsepäinen . . . sinussa ei ole lainkaan kunnianhimoa ja yritteliäisyyttä . . . sinulla on suuri tehtävä edessäsi, mutta olet väärän isänmaanrakkauden vankina, ja vanki on vapautettava vankilastaan . . .» Oliko hänen siis paettava? Irja oli sitä mieltä, että parempi olisi jäädä. Seppälät ja Mikko olivat sangen hyviä tuttavia, ja Irja oli miellyttävä ja älykäs nuori neitonen . . . niin, sangen miellyttävä ja erinomaisen älykäs nuori nainen . . .

». . . ja tässä yhteydessä minun on kerrottava teille pieni juttu,» kuului pastorin ääni. »Ennenkuin pidin ensimmäisen saarnani siellä . . .»

Mikko mietiskeli, miksi hän oli tullut. Kun Seppälä oli puhelimitse pyytänyt häntä sanoen, että joku kanadalainen aikoi kertoa Kanadasta, hän oli heti suostunut. Kaikkien oli saavuttava illalla koululle. Kokous oli pidettävä koulusalissa, koska se oli ainoa saatavissa oleva tilava huone. Mutta nyt mies, joka oli puhunut niin vakuuttavasti tuon suurenmoisen maan mahdollisuuksista, ei herättänyt enää Mikon mielenkiintoa. Sen sijaan nuori mies eli omissa ajatuksissaan. Pastori oli ehkä oikeassa, meidän on katsottava paljon kauemmaksi. Mikko ehkä lähtisi itse Kanadaan. Miksikä ei? Sittenhän Eevallakaan ei olisi mitään sanottavaa. Mikko ei olisi enää, kuten Eeva oli kerran sanonut, »niin raivostuttavan rauhallinen ja tyytyväinen . . .»

Esitelmä päättyi ja alkoi yleinen keskustelu. Mikko huomasi, että hänen oikealla puolellaan oleva rouva puhui hänelle. Hän selitti, että pastori oli lähtenyt nuorena poikana Amerikkaan isänsä kanssa ja oli nyt käymässä Suomessa ja että pappilan emäntä oli antanut tarkat ohjeet, miten huoneet oli laitettava kuntoon, oikein asuttavaan kuntoon. Ne oli lämmitettävä ja oli ryhdyttävä kaikkiin mahdollisiin toimenpiteisiin, jotta ne olisivat todella kodikkaat, sillä pastorin oli maattava yönsä pappilassa eikä majatalossa. Tämä oli ollut helppo ja miellyttävä tehtävä; eikö pastori puhunut liikuttavasti tulevaisuuden tehtävistä ja eikö ollutkin valitettavaa, että kun pastorin toiminta näyttää koituvan siunaukseksi niin monelle pimeydessä vaeltavalle, mutta vastaanottavaiselle sielulle, niin nuoret katoavat kaupunkeihin . . .

Seuraavana aamuna Mikko tapasi pastorin kadulla ja kertoi hänelle, että esitelmä oli herättänyt hänen mielenkiintonsa. Hän kertoi myös tulevaisuudensuunnitelmistaan. Pastori nyökäytti päätään, ja puhalteli valtavia savupilviä piipustaan.

»Te varmaankin tiedätte,» sanoi Mikko lopuksi, »mistä saisi lähempiä tietoja.»

»Minulla on puoli tuntia aikaa, ennenkuin lähden junalleni. Kävelkää kanssani asemalle, jos teillä ei ole muuta tekemistä. Tämä kirja esimerkiksi»—hän otti kirjan taskustaan—»olisi teidänkin luettava . . . ja tässä on sattumalta lisäksi kaksi kanadalaista lehteä . . .»

LESSON SIXTEEN

GRAMMATICAL NOTES

(*a*) The ACTIVE PAST PARTICIPLE (called in some books Participle II Active) has already been introduced (Note 6*d*) as part of the negative imperfect tense.

(i) The characteristic is *-nee-* and *-nut- -nyt-*, which are used in the various cases regularly attached to the stem of the verb. The ending *-nut- -nyt-* is used in the nominative singular and to form the partitive singular *-nutta -nyttä*; elsewhere the ending *-nee-* is like other stems ending in a long vowel, except that the forms *-unna -ynnä* in the essive singular and *-utten -ytten* in the genitive plural are occasionally found:

sing. nom.	*-nut*	*-nyt*	plur.	*-neet*	
acc.	*-neen*	*-neen*		*-neet*	
gen.	*-neen*	*-neen*		*-neiden*	(*-nutten -nytten*)
				-neitten	
part.	*-nutta*	*-nyttä*		*-neita*	*-neitä*
iness.	*-neessa*	*-neessä*		*-neissa*	*-neissä*
illat.	*-neeseen*	*-neeseen*		*-neisiin*	
essive	*-neena*	*-neenä*		*-neina*	*-neinä*
	(*-nunna*)	(*-nynna*)			

Similarly, the comparative degree is formed on the *-nee-* ending: *-neempa- -neempä- -neempi* and the superlative on the same ending modified by the *-i-* of the superlative: *-neimpa- -neimpä- -nein*.

(ii) Verb-stems undergo certain modifications when this ending is added, according to their own endings:

1. Stems ending in a long vowel or a diphthong add the endings without change: *saa-*, get, *saanut saaneet*.
2. Stems ending in *-le-*, *-ne-*, *-re-*, or *-se-* after a vowel drop the *-e-*, and the *-n-* of the participle-suffix is assimilated to the *-l-*, *-r-* or *-s-*: *tule-*, come, *tullut*; *sure-*, grieve,

surrut; *pese-*, wash, *pessyt*; *mene-*, go, *mennyt*; *kykene-*, be able, *kyennyt* (note elision of -*k*-).

3. Stems ending in -*kse*- drop the -*k*- and -*e*- and assimilate the -*n*- to the -*s*-: *juokse-*, run, *juossut*.

4. Stems ending in -*tse*- drop the -*s*- and -*e*- and assimilate the -*t*- to the -*n*-: *valitse-*, choose, *valinnut*.

5. The stems *näke-*, see, and *teke-*, do, drop the -*e*- and as usual change the -*k*- to -*h*- before the consonant: *nähnyt*, *tehnyt*.

6. The amalgamating stems, that is, those ending in a single vowel and -*ta*- -*tä*-, drop the final vowel and assimilate the -*t*-: *putota-*, fall, *maahan pudonneet omenat*, windfall apples.

7. All other stems end in a short vowel and simply add the endings to this: *kulke-*, walk, *kulkenut*; *lentä-*, fly, *lentänyt*; but *tietä-*, know, has *tietänyt* and also *tiennyt* from an older stem.

(b) The ACTIVE PAST PARTICIPLE IS USED:

(i) As we have seen, in the formation of certain parts of the verb: *En sanonut mitään*—I said nothing. *Mitä te olette antanut hänelle?*—What have you given him?

(ii) As an adjective or substantive in any case: *oppineen miehen mielipide*, the opinion of an educated man. *He eivät ole oppineita*—They are not learned (people).

(iii) In the translative, with *tule-*, to express an unwilling or regretted action: *Tulin sanoneeksi sen hänelle*—I had (or chanced) to say that to him, i.e. ' I became (see Note 10*e* i) one who has (i.e. had) said '.

(iv) In the same way as the active present participle to shorten sentences, except that the past participle represents an action prior to the main action. Personal endings, and cases of subject and object, behave in the same way as with the present participle: *Luulen, että hän on tullut*—' I think he has come ' becomes *Luulen hänen tulleen*; *Luulen, että vieraat ovat tulleet*—' I think the guests have come ' becomes *Luulen vieraitten tulleen*; *Luulen, että on tullut vieraita*—' I think some guests have arrived ' becomes *Luulen vieraita tulleen*; *Hän sanoi olleensa sairas*—He said he had been ill.

(c) Uses of the Genitive Case have been met with scattered throughout the book; here they are presented together:

(i) It indicates ownership: *miehen hattu*, the man's hat.

(ii) It indicates a whole of which something is a part: *kaupungin kadut*, the streets of the town.

(iii) It can define a word which follows: *Helsingin kaupunki*, the town of Helsinki, *tummansininen*, dark blue.

(iv) It can indicate a logical subject, the origin of an action which is represented by a noun: *äidin rakkaus*, a mother's love,

(v) or a logical object: *kaupungin valloitus*, the capture of the (a) town; *isänmaan rakkaus*, patriotism.

(vi) The measure in which a thing shows a quality expressed by an adjective ending in *-ise- -inen* requires the genitive of the standard of measurement: *huone on neljän metrin pituinen* (but *neljä metriä pitkä* Note 3*b* xi)—The room is four metres long.

(vii) Certain impersonal verbs and constructions which express an external compulsion require the genitive (really an old dative) of the person or thing which suffers the compulsion, with the action induced expressed by an Infinitive I and any 'total' object of this infinitive in the accusative (longer form in the singular).

Such verbs are *pitää*, *täytyy* and *tulee*, all meaning 'must', and the construction *on pakko*, there is need, behaves in the same way: *Minun pitää mennä*—I must go. *Hänen täytyi lähteä kouluun*—She had to set off for school. *Meidän on pakko jäädä*—We (shall) have to stay. *Tulee* is not much used and is somewhat formal. One may perhaps include such expressions as *minun on jano*, I am thirsty, *hänen oli nälkä*, she was hungry, since these, too, imply a certain external force acting on the subject represented by the genitive.

With the exception of *täytyy* the negative of these verbs is formed in the usual way; but the negative of *täytyy* is not used and is replaced by the negative of *tarvitse-*, need: *hänen täytyy mennä*, he must go, but *hänen ei tarvitse mennä*, he need not go.

With *jano*, thirst; *nälkä*, hunger; *kuuma*, hot, heat;

vilu, cold, and similar expressions the genitive (dative) is sometimes replaced by the adessive: *minun* (or *minulla*) *on jano*, *hänen* (or *hänellä*) *on nälkä*, and so on.

(viii) Certain other impersonal expressions relate an infinitive to a logical subject by the genitive (dative), e.g. the impersonal use of *sopii*, be suited: *Hänen ei sovi mennä nyt*—It does not suit her to go now; *On helppo*—It is easy; *On vaikea*—It is difficult: *Hänen oli vaikea selittää sitä*—It was difficult for him to explain that.

(ix) In the constructions introduced in 11*b* i, 12*b* i, 14*b* iv, 15*c* iii and 17*b* vii the genitive similarly relates a logical subject to the verbal noun or adjective.

(x) In certain instances, however, the genitive is suppressed in favour of a personal suffix to denote the possessive relationship (see, for instance, Note 12*b* i).

(xi) The genitive is very commonly used with prepositions and postpositions, as we have seen, in an analogous way to 'of' in 'in the middle of', 'on top of', 'on account of', and so on (Note 15*f*).

(xii) A remnant of an old dative case, usually called genitive nowadays, is found in isolated expressions, e.g. *Jumalan kiitos*—Thanks (be) to God (see also vii, viii).

(*d*) The PERSONAL SUFFIXES: additional notes.

Since Lesson 4, we have had various instances of the use of the personal suffixes, and a few additional observations on their behaviour are called for. They are found:

(i) Attached to the longer form (ending in -*kse*-) of the first infinitive to serve as a final clause (Note 10*c* v), subject and main verb agreeing with the personal suffix: *Tämän hän teki vain minua kiusataksensa*—He did this only to vex me.

(ii) Attached to the inessive of the second infinitive (Note 11*b* i) to indicate an action carried out at the same time as the main action: *Koulusta palatessaan poika kohtasi tiellä toverinsa*—As he returned from school the boy met his friend. *Hänen kotiin tullessaan ilma oli viilentynyt*—While he was coming home it had got cooler.

(iii) Attached (Note 11*b* ii) to the instructive of the second infinitive: *Sen hän teki minun nähteni*—He did it while I watched.

(iv) Attached to the third infinitive (Note 12*b*) used as an adjective to indicate a pronoun-subject: *Hänen kutomansa kangas on kaunista*—The cloth she has woven is beautiful.

Where the subject of the infinitive is a noun, the personal ending is not used: *Tämä on puusepän tekemä pöytä*—This is the table the carpenter made (made by the carpenter).

(v) Attached to the 'fifth' infinitive, the derivative of the third, in the adessive plural to express an imminent action (Note 12*b* v): *Olin lähtemäisilläni*—I was about to set out.

(vi) Attached to the fourth infinitive (Notes 13*a* i, iii) in order to refer this verb-noun to its subject: *Viipymisesi on sinua paljon vahingoittanut*—Your staying has greatly injured you. *Minä kuljin kulkemistani, kunnes saavuin kylään*—I kept on walking till I reached the village.

(vii) Attached to the active participle (Notes 14*b* iv, 16*b* iv). *Hän sanoo olevansa sairas*—He says he is ill. *Hän sanoi olleensa sairas*—He said he had been ill. (See also Note 14*a* iii.)

(viii) Attached to the partitive of the past participle passive to express an antecedent action; a pronoun as subject is put in the genitive: *Koulusta palattuaan poika tapasi kotona toverinsa*—When he (had) returned from school the boy found his friend at home.

(ix) Attached to two types of adjective: otherwise the personal suffixes are attached only to the noun they qualify. One type of adjective we have already dealt with in (iv) above; the other is the sort which has the ending *-inen* to indicate that a thing is like something else, as in *todennäköinen*, probable, likely (literally 'like the truth in appearance'). These adjectives have the personal suffix when the 'something else' is represented by a personal pronoun, and the suffix agrees with the pronoun: *Tuossahan on aivan hänen näköisensä mies*—There's a man just like him. *Pekalla on aivan minun ikäiseni serkku*—Pekka has a cousin of just my age.

(x) To avoid confusion in the use of the personal suffixes for the 3rd person the following rules are observed: A noun with the personal suffix but without a preceding personal pronoun in the genitive refers to the immediate subject; if the genitive of the pronoun is put in front it refers to someone else, but is sometimes used for emphasis instead of *oma*, own : *Hänen täytyi lausua ajatuksensa*—He had to give his (own) opinion. But : *Hänen täytyi mukautua heidän ajatukseensa*—He had to adapt himself to their idea. *Isäntä käski palvelijan korjata hänen tavaransa*—The master told the man to mend his (the master's) things. But : *Isäntä käski palvelijan korjata tavaransa*—The master told the man to mend his (the man's) things. *Pojat pelkäsivät heidän vallattomuudestaan suuttunutta opettajaa*—The boys feared the teacher (who was) angered by their unruliness. But : *Pojat pelkäsivät ankaruudestaan tunnettua opettajaa*—The boys feared the teacher (who was) known for his severity. *Hänellä on oma mielipiteensä asiasta*—He has his own views on the matter. *Hän tuntee heidän mielipiteensä*—He knows their views.

(xi) Adjectives, usually in the plural, in local cases and with the 3rd person suffix, serve as adverbs and express states : *Söimme leipää kuiviltaan*—We were eating dry bread. *Sinänsä*, as it is, in the state it is in. *Koko asia jätettiin sikseen*—The whole matter was left as it was. *Olin yksinäni*— I was alone. *Jäin yksikseni*—I was left alone. *Vähintään*, at the least ; *oikeastaan*, rightly, really ; *uudestaan*, anew.

VOCABULARY

ankara ankara- ankaran ankaraa, severe, strict
ankaruus ankaruute- ankaruuden ankaruutta, strictness, severity-
hajuvesi (see *vesi*), perfume
halko halko- halon halkoa, log, billet
halko- halon halkoi halkoa, split, cleave
hallitus hallitukse- hallituksen hallitusta, government, reign, administration
halo- (see *halko-*)
harmistu- harmistun harmistui harmistua, get angry
hauki hauke- hauen haukea, pike, pickerel
hautautu- hautaudun hautautui hautautua, bury oneself
huolestu- huolestun huolestui huolestua, care for, become anxious about
huoli- huolin huoli huolia, care, concern oneself about, want
hämmenty- hämmennyn hämmentyi hämmentyä, become confused
hämmästys hämmästykse- hämmästyksen hämmästystä, surprise

ikäinen, of age, aged

ilme ilmee- ilmeen ilmettä, expression

itkettynyt, red with weeping, exhausted with weeping

jano jano- janon janoa, thirst; *minun on jano*, I am thirsty

jännitty- jännityn jännittyi jännittyä, become tense, become
    stretched

jännittä- jännitän jännitti jännittää, stretch, strain

jättiläismäinen, gigantic

kaltainen, similar, like

kansainvälinen, international

karhu karhu- karhun karhua, bear

kehys kehykse- kehyksen kehystä, frame

keskeneräinen, unfinished, half finished

kilpaile- kilpailen kilpaili kilpailla, compete

kilpailu kilpailu- kilpailun kilpailua, competition

kiusa(t)a- kiusaan kiusasi kiusata, vex; *kiusaantunut*, worried

koke- koen koki kokea, try; experience; *kokenut*, tried, ex-
    perienced

konna konna- konnan konnaa, toad; rogue

kovin, especially, very

kuistikko kuistikko- kuistikon kuistikkoa, veranda

kummastu- kummastun kummastui kummastua, be(come) sur-
    prised

kyyristy- kyyristyn kyyristyi kyyristyä, crouch

laitos laitokse- laitoksen laitosta, institute, establishment;
    contrivance

laskelma laskelma- laskelman laskelmaa, calculation

lauta lauta- laudan lautaa, board, plank

luu luu- luun luuta, bone

lääke lääkkee- lääkkeen lääkettä, medicine; *lääketiede* (see
    tiede), medical science, medicine; *lääketieteellinen*,
    medical

maku maku- maun makua, taste, savour

menettele- menettelen menetteli menetellä, behave, act

mutise- mutisen mutisi mutista, mutter

näköinen, like, in appearance

painu- painun painui painua, droop, be depressed, be impressed

pakinoi- pakinoin pakinoi pakinoida, chat, talk

piirtele- piirtelen piirteli piirrellä, draw

rakastu- rakastun rakastui rakastua, fall in love

ryijy ryijy- ryijyn ryijyä, rug

saatta- saatan saattoi saattaa, be able; accompany, conduct;
   bring about, cause
salli- sallin salli sallia, allow
satu satu- sadun satua, tale, fairy tale, fable
sekaantu- sekaannun sekaantui sekaantua, get mixed, blend,
   become confused
silmäpari (see *pari*), pair of eyes
siro siro- siron siroa, neat, graceful
suhde suhtee- suhteen suhdetta, relation, respect, condition,
   circumstances
sulkeutu- sulkeudun sulkeutui sulkeutua, shut oneself up, close
suoritta- suoritan suoritti suorittaa, do, perform, pay, settle,
   solve
sydämellisesti, heartily
syrjä syrjä- syrjän syrjää, side, edge, brim, outskirts
sähköttä- sähkötän sähkötti sähköttää, wire, telegraph
tarkasta- tarkastan tarkasti tarkastaa, examine
tola tola- tolan tolaa, way, course
työntäyteinen, full of work, busy
uoma uoma- uoman uomaa, channel, bed, furrow
uppo(t)a- uppoan upposi upota, sink
vahingoitta- vahingoitan vahingoitti vahingoittaa, injure, damage
valistu- valistun valistui valistua, become enlightened
vallattomuus -muute- -muuden -muutta, naughtiness, wildness
vasta, only, just, lately
vesivoima (see *voima*), water-power, hydraulic power;
   vesivoimalaitos (see *laitos*), (hydraulic) power-station
vierailu vierailu- vierailun vierailua, visit
vähenty- vähennyn vähentyi vähentyä, grow less, diminish
väittä- väitän väitti väittää, assert
väärin, wrongly
ällisty- ällistyn ällistyi ällistyä, be amazed

EXERCISE

1. Monta satua on hauista, jotka ovat nielleet mereen pu-
donneita sormuksia.   2. Hän alkoi korjailla sekaantunutta
tukkaansa.   3. Asetin erään syrjään jääneen halon tuleen.
4. Ihmiset sanovat sinun ruvenneen polttamaan.   5.
Nainen kääntyi pettyneenä pois.   6. Hän väittää sodan
vaaran vähentyneen.   7. Ei ole ketään hänen kaltaistaan,

enkä luule milloinkaan olleen. 8. Pitkän matkan takaa saapunutta kirjastonkäyttäjää odottavat käytännölliset lukupöydät ja mukavat tuolit. 9. Raha oli kyllä tervetullutta. 10. Sitä pitäjäläiset kiusaantuneina eivät voineet antaa anteeksi. 11. Hän tuijotti sulkeutunutta ovea. 12. Voitteko sanoa, miten karhu jaksaa elää talven yli lumeen hautautuneena ilman ravintoa? 13. Hän oli luullut nähneensä hymyn. 14. Hän kuunteli, kyyristyneenä takan edessä. 15. Tervein ja lääketieteellisesti valistunein ei ole se kansa, jolla on useimmat ja kauneimmat sairaalat, vaan se, joka niitä vähiten tarvitsee. 16. Ville ilmestyi työhuoneeseen tavallista enemmän myöhästyneenä.

READING

Suunnitelma

Kului kuukausia, pitkiä työntäyteisiä kuukausia sekä Helsingissä että Hiekkaharjulla. Syksyllä Mikko oli enimmäkseen piirrellyt ja tehnyt laskelmia. Eno tapasi hänet usein järven rannalta, missä hän istui tuntikausia ajatuksiinsa vaipuneena piirustuslauta polvillansa. Pudonneita lehtiä oli kaikkialla pitkin rantaa. Joskus oli rannalla joitakin ihmisiä, uteliaisuudesta kai tulleita. Joskus Mikko kulki rannalla tai metsässä pää painuksissa, ilmeisesti ajatuksiin vaipuneena, ja toisinaan eno ja täti olivat hiukan huolestuneita hänen vuokseen. Täti oli kerran huomauttanut, kuinka kalpealta ja kiusaantuneelta Mikko näytti. Kerran täti katseli Mikkoa ikkunasta. Juuri silloin tämä asetti piirustuslautansa hiekalle, ojentautui, katseli kuin hämmentyneenä ympärilleen ja näki tädin. Tämä katosi kuin varjo kamariinsa huomatessaan nuoren miehen havainneen hänet ja huomatessaan menetelleensä väärin. Kokeneena perheenäitinä ja isoäitinä hän tiesi, ettei auta näyttää huolestuneelta. Joskus hän viipyi kuitenkin hetken tarkastellakseen nuoren miehen hiukan väsynyttä ilmettä. Täti otti aina rakkaasti vastaan väsyneen piirtäjän.

Kerran Irja sähkötti tulleensa Helsinkiin, ja täti pyysi häntä luokseen. Täti itse toivotti Irjan sydämellisesti tervetulleeksi Hiekkaharjulle. Mutta kun renki ilmoitti työhönsä uponneelle Mikolle Irjan saapuneen, nuori mies katsahti kummastuneena renkiin. Tämä poistui, ja Mikko istui kauan ällistyneenä. Hän mumisi itsekseen, ettei hän välitä niin oppineesta naisesta . . .

Mikko löysi heidät kuistikolta. Täti sanoi: »Voi voi, Mikko, tulet myöhään kahville!» Sitten hän poistui.

Irja nauroi kahvia kuppeihin kaataessaan: »Kysyin jo itseltäni, minne kaikki tämän seudun nuoret miehet ovat joutuneet.»

Mikko mutisi jotakin työstään. Häntä hieman harmitti, että Irja istui kahvivehkeet edessään niinkuin kotonaan. Hän oli pukeutuneena somaan mustaan kävelypukuun ja keltaiseen puseroon, ja hän oli asettunut seinälle ripustetun valkean ryijyn eteen.

»Keltainen pusero,» mietti Mikko, »jotta iho näyttäisi kauniilta eikä keltaiselta, ja musta puku, koska tukka on musta, ja ryijy kehyksenä . . . tytöllä on makua.»

He juttelivat yhtä ja toista. Sitten Irja sanoi: »Luulen nähneeni sinut kerran Helsingissä, ja samana päivänä kirjoitin sinulle. Sinä et edes ilmoittanut saaneesi kirjettä.»

Mikko muisti nyt polttaneensa sen samana päivänä kun sen sai, ja hän luuli vihdoinkin ymmärtävänsä, mikä oli tuon kirjeen ja tämän vierailun tarkoituksena. Hän tunsi keskustelun siirtyneen vaarallisiin uomiin, pyysi nopeasti anteeksi ja sanoi sitten: »Sellaistahan sattuu joskus.»

»Olet konna, Mikko.»

Mikko nauroi ja alkoi sitten selittää, miten asian laita oli. Eräästä Kanadasta saamastaan sanomalehdestä hän oli saanut kuulla suuresta kansainvälisestä kilpailusta. Kanadan hallitus aikoi näet rakentaa jättiläismäisen vesivoimalaitoksen ja Mikko aikoi ottaa osaa kilpailuun, jonka tarkoituksena oli parhaitten suunnitelmien löytäminen.

Irja kuunteli jännittyneenä hänen selitystään. Sitten he menivät Mikon työhuoneeseen, koska Irja sanoi haluavansa nähdä suunnitelmat. Hän tarkasteli kauan piirustuksia, ilmeisesti kovin kiinostuneena, ja sanoi vihdoin tarttuen Mikon käteen: »Mutta tämähän on ihmeellistä!» —hän hymyili—»annan kaiken anteeksi.»

»Tämä on tietenkin kaikki vielä keskeneräistä,» sanoi Mikko. »Piirustukset on lähetettävä ennen kesäkuuta.»

»Ja silloin ovat myös opinnot lopussa, vai miten?»

»Valitettavasti. Juuri sentähden minun on täytynyt tehdä niin ahkerasti työtä.»

»Kylläpä Mikko-paran elämä on vaikeata!» Irja katseli lempeästi Mikkoon. »Toivon sydämestäni, että onnistuisit.»

Irja jäi päivällisille, ja päivällisen jälkeen Mikko saattoi hänet bussiin.

Kauan tuoksui työhuoneessa Irjan hajuvesi, eikä Mikko pitkään aikaan voinut unohtaa mustaa silmäparia ja hymyilevää suuta.

LESSON SEVENTEEN

GRAMMATICAL NOTES

(a) The PASSIVE PAST PARTICIPLE is formed from the passive stem (see Note 15b) if one substitutes for the final vowel -u- for -a- and -y- for -ä-, e.g. (ole-, be, olta-) oltu; (tuo-, bring, tuota-) tuotu; (juokse-, run, juosta-) juostu; (häiritse, disturb, häirittä-) häiritty; (teke-, make, tehtä-) tehty; (sano-, say, sanotta-) sanottu; (uskalta-, dare, uskalletta-) uskallettu; and so on.

(b) The USES of the passive past participle are:

(i) As an adjective: puhuttu puhe on kuin ammuttu nuoli, a spoken word (a word spoken) is like an arrow shot.

(ii) As a predicate: Kaikki ovat kutsutut, mutta harvat valitut—All are (the) called, but few are (the) chosen ones.

(iii) In apposition: Hanna Asp: Minna Canth läheltä nähtynä—Hanna Asp: Minna Canth, a close view.

(iv) Substantivally: Kaikki kutsutut eivät olleet saapuneet— Not all the invited had arrived.

(v) In the translative with verbs expressing a change into a state expressed by the participle: Sain hänet vakuutetuksi— I got him persuaded, managed to persuade him. Tulin petetyksi—I was defrauded, deceived.

(vi) In the construction of the compound tenses of the passive (which we shall deal with in later notes).

(vii) Temporal clauses, expressing an action which precedes the main action, are constructed with the partitive case of the passive past participle. This participle expresses the preceding action; its subject is expressed as in Note 11b. 1. Syötyämme lähdimme—When we had eaten (having eaten) we set out. 2. Pojan syötyä lähdimme—When the boy had eaten we left. 3. Hänen syötyään lähdimme—When he had eaten we left. 4. (Meidän) syötyämme he lähtevät—When we have eaten they will leave.

The pronouns for the 1st and 2nd persons are not always put in, but those for the 3rd person must be.

Note that the construction is passive only in form, not in regard to the logical subject (which is, of course, in the genitive case, and therefore cannot be the grammatical subject): sentence 2 does not mean that the boy had been eaten, but ' the boy's eating having been done ', ' from (i.e. ' after ') the boy's having-eaten '.

Generally speaking, the spoken language prefers to put such time relationships in a separate clause, e.g., *Kun poika oli syönyt, lähdimme*—When the boy had eaten we left.

(*c*) FINNISH PUNCTUATION differs in some respects from the English system:

(i) The full-stop indicates that a figure stands for the ordinal number: 2. *partisiippi*, the 2nd participle, but is not used with Roman figures: *II partisiippi*, the 2nd participle, nor where *p.* (for *päivänä*) follows the figure: 13 (*kolmantenatoista*) *p. maaliskuuta*, (on) the 13th March.

(ii) The comma is used before *että*, ' that ', and other subordinating conjunctions, such as *jotta*, in order that; *koska*, because; *kun*, when; *jos*, if; *vaikka*, though; and *kuin*, as. *Hän sanoi, että äiti on sairas*—He said (that his) mother is (i.e. was) ill. But not before the conjunctions *eli*, or; *ja*, and; *sekä*, as well as, and; *tai*, or; *vai*, or, and the enclitic *-ka -kä*, ' and ' if the clauses joined by the conjunctions have a subject or other element in common: *Talvi saapui vihdoinkin ja peitti maan lumivaippaan*—The winter arrived at last and covered the earth in a mantle of snow (common element: *talvi*).

The comma is not used to separate a clause containing infinitives or participles which have a personal suffix: *Saatuani työni valmiiksi lähden kotiin*—When I have got my work done I am going home. *Voidakseni tehdä päätöksen tarvitsen miettimisaikaa*—In order to be able to make the decision I need time for consideration.

(iii) The colon takes the place of missing letters, as in *p:na* for *päivänä*; *k:lo* for *kello* (but *klo* is used as well), and a case-ending is joined to figures by a colon: *Kirjasto on avoinna klo 10:stä 15:een ja klo 17:stä 21:een*—The library is open from 10 a.m. to 3 p.m. and from 5 to 9 p.m. The abbreviations are, of course, read *kymmenestä viiteentoista* and *seitsemästätoista kaksikymmentäyhteen*.

The colon is also used to introduce a quoted statement (expressed or merely thought): (*Minä ajattelin: Kuinka ihminen on hajamielinen!*—I thought ' How absent-minded man is '.

(iv) The semicolon is used as in English.

(v) The apostrophe is used:

1. To mark the omission of a letter, as in *yht'äkkiä* for *yhtä äkkiä*, suddenly.

2. To mark the disappearance of a *-k-* where three vowels, of which the last two are identical, are left together: *vaaka*, weighing-machine, has the genitive *vaa'an*.

3. In foreign words and names ending in a vowel-*sound*, an apostrophe is inserted if required for clarity between the end of the name and the Finnish case-ending, thus: *Loti'n*, of Loti; *Raleigh'n*, of Raleigh; *Friedrichruh'ssa*, in Friedrichruh. (If foreign words end in a consonant-sound, the same function is performed by an added *-i-*, as in *Byronin*, of Byron.)

(vi) The hyphen is used in compound words:

1. Between two identical vowels: *raha-apu*, financial assistance.

2. Between parallel elements: *suomalais-englantilainen sanakirja*, Finnish-English Dictionary.

3. Where, in two or more compound words, one element is to be understood as common: *suomen-, saksan- ja englanninkielinen*, in Finnish, German, and English; *syntymäpaikka ja -aika*, place and date of birth.

4. Where one part of a compound is a proper noun (see ix 2 below).

5. Where one part is a figure or an abbreviation: *30-vuotias*, 30 years old, 30-year-old; *palovak.-yhtiö* for *palovakuutusyhtiö*, fire-insurance company.

(vii) The exclamation-mark is used generally for commands: *Tule tänne!*—Come here!

(viii) Quotation-marks in Finnish are ,,——'' '——' or »——». In the case of long conversations, however, each change of speaker is often marked by a dash at the beginning of the speech, and insertions into the speech are enclosed within dashes.

H

(ix) Capital letters are used:

1. In proper nouns and words serving as such, including *Jumala*, God, and equivalent terms (but not in common nouns or in adjectives: *jumalallinen*, divine; *suomalaiset*, the Finns); and for the first word in the title of book, etc.

2. For both parts of a proper noun, if the second part is itself a proper noun in its own right: *Vähä-Aasia*, Asia Minor, but if the name as a whole does not refer to a region with a recognised independent geographical existence, then a small letter may be used, as in *pohjois-Suomi*, northern Finland.

3. For modes of address used in letters, and especially *Te* and *Sinä*.

4. For a proper noun which forms part of the name of a day, such as *Mikon päivä*, St. Michael's Day, otherwise names of days, like those of months, seasons, nationalities and languages, are written with a small letter: *sunnuntai*, Sunday; *ranska*, French; *suomen kieli*, Finnish but *Suomi*, Finland; *Ranska (nmaa)*, France, *ranskalainen*, a Frenchman, French.

5. Words indicating attributes of historic figures have a capital as in English: *Kaarle Suuri*, Charles the Great.

(x) Parentheses are used as in English.

(xi) Stress in printed matter is indicated either by the use of italics, as in English, or by leaving a larger space between the letters of the words to be emphasised than in other words.

(d) THE SOFTENING OF CONSONANTS.

(i) As we have seen from Lesson 1 onwards, the softening of consonants plays a very big part in deciding the form words take in various circumstances.

(ii) The general rule is that consonants belonging to a certain group are softened, that is, spoken with less force, where they begin a short syllable which is 'closed' by the presence of a consonant after the vowel which makes the syllable pronounceable. In some cases the softened form of the consonant is assimilated to the preceding consonant.

(iii) The consonants concerned are *k*, *p* and *t*. Each

appears, as far as speech is concerned, in three forms: a strong form (written *kk*, *pp* and *tt*), only at the beginning of an ' open ' syllable, a medium form (written *k*, *p* and *t*), which can occur anywhere, and a weak form, which, so far as it really represents a weakened form, can occur only at the beginning of a closed syllable, where *k* either disappears or is represented by *v* or *j*, or, with *n*, by *ng* as in the (Southern) English ' long ', while *p* is represented by *v*, but after *m* is assimilated to this so that *mp* becomes *mm*, and *t* is represented by *d*, but is assimilated after *n*, *l*, and *r*, so that *nt*, *lt*, and *rt* are changed into *nn*, *ll* and *rr*.

(iv) But *s* and *t*, and sometimes *h* before *k*, *p* and *t*, preserve them from the softening effect of the closing of the syllable; so that we find *sähkö sähkön*, *matka matkan*, *isku iskun*, *piispa piispan*, *nahka nahkan* (but also *nahan*), hide, leather; *vihko vihkot* (but also *vihot*), pamphlet, exercise book, and so on.

(v) The aspiration is considered to be a consonant, and therefore (since it appears only at the end of a syllable) closes the syllable and softens consonants; on the other hand such a monosyllable as *ku* does not soften the *k* when it is closed: the genitive is *kun*, not *gun*, because *g* cannot begin a word in Finnish, nor is the enclitic *-kin* softened.

(vi) In certain circumstances, however, this basic rule for the softening of consonants is modified. It will be realised, of course, that the spelling of the strong grade as *kk*, *pp* and *tt* is a convention: there is no doubling of the consonant, only a strengthening; and that the apparently strange alteration in character when *p* is weakened to *v*, and *k* to nothing, represent sounds which were in the earlier periods of the language, and are still, in some dialects of closer identity (cf. *sana-lugun*, as late as 1745, for *sanaluvun*, now *sanakirjan*).

The basic rule, then, which decrees the reduction of *kk* to *k*, *pp* to *p*, *tt* to *t*, *k* to *j* or nothing, *p* to *v*, *t* to *d*, etc., when a short syllable is closed by a consonant, is subject to the following modifications:

(vii) There is no reduction in a closed syllable:

1. Before a long vowel other than in the present passive (see Note 18*f*): *apu*, aid, illative *apuun*, but genitive *avun*;

saa-, get, passive stem *saata-*, passive imperfect *saatiin*, passive present *saadaan*;

2. Where a long vowel has combined with *i* to make a diphthong (which type is called a 'strong' diphthong): *kuninkaa-*, king, adess. plural *kuninkailla*;

3. Before the personal endings: *käte-*, hand, nom. plur. *kädet*, but *kätensä*, *kätemme*, etc.;

4. Before a syllable ending in *-se-* which has lost the *e* before a suffix beginning with *t* or through being the first part of a compound noun. But verb-stems ending in *-ise-* are sometimes found with an alternative softened form, and the stem *uutise-*, news, new, has the form *uutis-* in compounds where it means 'news' and *uudis-* in compounds where it means 'new': *uudisasukas*, settler, colonist; *uutislehti*, newspaper. *henkistä* (partitive sing. of *henkise-*, person); *hengistä* (elative plural of *henke-*, spirit); *vapista* or *vavista* (Infinitive I of) tremble.

5. A short vowel with *-i-* of the plural or of the past tense behaves as the vowel alone: *opinto-* study, *opinnossa* in study, *opinnoissa* in studies; *kerto-* relate, *kerron* I relate, *kerroin* I related; but this does not apply to the genitive plural with the ending *-in*: *kaupunkein*, *poikain*, etc.

(viii) Reduction occurs, however in an open syllable:

1. Before what is known as a weak diphthong, that is, one formed from a single-vowel ending and the plural *-i-*, occurring in four-syllabled partitives ending in *-ta* *-tä* and genitives ending in *-den* (see also Notes 11 and 6c iii 7) *opinto*, study, *opinnoita*, *opinnoiden* (but *opintoja*); *kaupunki*, *kaupungeita*, *kaupungeiden* (but *kaupunkeihin*).

2. Before the infinitive ending *-oida*: *luento*, reading, lecture; *luennoida*, to lecture.

3. Where the syllable was originally closed by the first member of a double consonant which has been reduced to a single consonant by the closing of the following syllable, as in the infinitive *pudota* (see Note 10b v) from the stem *putota-*.

A similar process takes place in the nominative of words with stems ending in *-ttoma- -ttömä-*, -less (cf. Note 12c): for the nominative of *kädettömä-*, handless, from the stem *käte-* the final *-ä* is dropped, leaving a final *-m*, which cannot remain in Finnish (see Introduction *c* ii), but is reduced to *-n*; the first *t* of the *tt* has already reduced the *t* of the stem *käte-* to *d* by closing the syllable, but the *tt* is itself reduced to *t* by the *-n* which closed the syllable, leaving us the softened *t*, that is, *d*, beginning an apparently open syllable: *kädetön*. (See also Note 18*f* 1 v).

4. In addition, we have already seen cases where the final syllable of words, though apparently open, has nevertheless the softened form of the consonant because the syllable is closed by the aspiration (see Notes 3*c* ii B, 5*b*, 8*b* i).

VOCABULARY

aavista- aavistan aavisti aavistaa, have a presentiment, surmise, suspect
alakuloinen, downhearted, depressed
amme ammee- ammeen ammetta, (bath)tub
auliisti, readily, generously
aulis aulii- auliin aulista, liberal, generous
avioliitto -liitto- -liiton -liittoa, marriage, matrimony
avoin avoime- avoimen avointa, open
ehtoo ehtoo- ehtoon ehtoota, evening
haara haara- haaran haaraa, branch
helposti, easily
hukka hukka- hukan hukkaa, loss, waste
huolitellusti, carefully
huulipuna (see *puna*), lipstick
hyväksy- hyväksyn hyväksyi hyväksyä, approve of
hyväntahtoinen, benevolent, kind
ilmasto ilmasto- ilmaston ilmastoa, climate
iloisesti, gladly, cheerfully
jokseenkin, tolerably
juhla juhla- juhlan juhlaa, feast, festival; *juhlallinen*, solemn, festive; *juhlallisesti*, solemnly
julkaise- julkaisen julkaisi julkaista, publish
jumalallinen, divine
jännitys jännitykse- jännityksen jännitystä, tension, strain, suspense
kaasu kaasu- kaasun kaasua, gas
kaava kaava- kaavan kaavaa, mould, form, pattern

kaikenlainen, of all sorts
kampa(t)a- kampaan kampasi kammata, comb
kanava kanava- kanavan kanavaa, canal, channel
kanki kanke- kangen kankea, bar, lever
kasa kasa- kasan kasaa, heap
katke(t)a- katkean katkesi katketa, break, part
kaunotar kaunottare- kaunottaren kaunotarta, beauty
kehno kehno- kehnon kehnoa, bad, poor, mean
keksintö keksintö- keksinnön keksintöä, invention, discovery
kenties, who knows?, maybe
kerta kaikkiaan, once and for all
kiinnosta- -stan -sti -staa, interest; *kiinnostu -stun -stui -stua*,
    be interested
kipaise- kipaisen kipaisi kipaista, trip, run
kirjakokoelma -kokoelma- -kokoelman -kokoelmaa, collection of
    books
kirpaise- kirpaisen kirpaisi kirpaista, smart, sting
kirvaista (see *kirpaise-*)
kohtalo kohtalo- kohtalon kohtaloa, fate, destiny
korista- koristan koristi koristaa, decorate
kuiska(t)a- kuiskaan kuiskasi kuiskata, whisper
kukkanen kukkase- kukkasen kukkasta, flower
kyllästy- kyllästyn kyllästyi kyllästyä, have enough, become
    sated
kykää- (see *kyäs*)
kysele- kyselen kyseli kysellä, ask, enquire, interrogate
kyäs kykää- kykään kyästä, rick, stack
kätkö kätkö- kätkön kätköä, hiding-place, repository
köyde- (see *köysi*)
köysi köyte- köyden köyttä, rope, hawser
laho laho- lahon lahoa, rotten, mouldered, decayed
lakana lakana- lakanan lakanaa, sheet
latu latu- ladun latua, track, trail
lekottele- lekottelen lekotteli lekotella, bask
leppymättömyys -myyte- -myyden -myyttä, implacability
liikutta- liikutan liikutti liikuttaa, move, concern
loiko- loion loikoi loikoa, lounge, loaf
lokero lokero- lokeron lokeroa, pigeon-hole
luennoi- luennoin luennoi luennoida, lecture
luento luento- luennon luentoa, lecture, discourse
lusikka lusikka- lusikan lusikkaa, spoon

lähettiläs lähettilää- lähettilään lähettilästä, messenger, envoy,
 ambassador
maisteri maisteri- maisterin maisteria, Master of Arts
muisti muisti- muistin muistia, memory; *muistiinpano*, note,
 memorandum
muistomerkki (see *merkki*), memorial
myyjä myyjä- myyjän myyjää, seller, salesman
nahka nahka- nahan (or *nahkan*) *nahkaa*, leather, hide
napapiiri -piiri- -piirin -piiriä, Polar Circle
neljännes neljännekse- neljänneksen neljännestä, quarter
nito- nidon nitoi nitoa, stitch, bind
nimitys nimitykse- nimityksen nimitystä, nomination, name,
 denomination
nuoli nuole- nuolen nuolta, arrow
nuorehko nuorehko- nuorehkon nuorehkoa, youngish, youthful
nyökäyttä- nyökäytän nyökäytti nyökäyttää, nod
ohimennen, in passing, by the way
oikeutettu oikeutettu- oikeutetun oikeutettua, justified, legitimate,
 just
olemassaolo (see *olo*), existence
otaksu- otaksun otaksui otaksua, assume, take for granted,
 presume
ovenpieli -piele- -pielen -pieltä, doorpost
pahoin, ill, badly
palkanlisäys -lisäykse- lisäyksen lisäystä, addition to salary
palo palo- palon paloa, fire
palovakuutus -vakuutukse- -vakuutuksen -vakuutusta, fire-insurance
patentoi- patentoin patentoi patentoida, patent
pehmustettu pehmustettu- pehmustetun pehmustettua, padded,
 upholstered
pelasta- pelastan pelasti pelastaa, save, rescue
pettäjä pettäjä- pettäjän pettäjää, defrauder
pettä- petän petti pettää, defraud, deceive
pienehkö pienehkö- pienehkön pienehköä, tiny, smallish; *pienen
 pieni*, very small, tiny as tiny
piiri piiri- piirin piiriä, circle
piirros piirrokse- piirroksen piirrosta, drawing
pikakirjoittajatar -kirjoittajattare- -kirjoittajattaren -kirjoittajatarta,
 stenographer (female)
poikin: (instrumental of *poikki*) *pitkin ja poikin*, from all
 sides, along and across

poikkeuksetta, without exception

puke- puen puki pukea, dress

pukuinen, . . . dressed

purka- puran purki purkaa, unfasten, untie, discharge, cancel

purkautu- purkaudun purkautui purkautua, become dissolved, be broken up

pyrki- pyrin pyrki pyrkiä, toil, try ; *pyrkimys pyrkimykse- pyrkimyksen pyrkimystä*, effort, attempt

pystyttä- pystytän pystytti pystyttää, erect

rankaise- rankaisen rankaisi rankaista (or *rangaista*), punish

reipas reippaa- reippaan reipasta, brisk

riippumaton riippumattoma- riippumattoman riippumatonta, independent

ristikko ristikko- ristikon ristikkoa, framework, grating

roska roska- roskan roskaa, rubbish

ruoste ruostee- ruosteen ruostetta, rust

ryppyinen, wrinkled, crumpled

ryöstä- ryöstän ryösti ryöstää, rob, pillage

saamattomuus - muute- -muuden -muutta, irresoluteness

samantapainen, similar

sanakirja (see *kirja*), dictionary

sanottava -va- -van -vaa, worth mentioning, significant

selvitä- selviän selvisi selvitä, become sober

sievä sievä- sievän sievää, neat, tidy, pretty

sisusta- sisustan sisusti sisustaa, fit up

sivele- sivelen siveli sivellä, stroke, rub ; paint

solmi- solmin solmi solmia, tie, knot

sopimus sopimukse- sopimuksen sopimusta, agreement

sotilas sotilaa- sotilaan sotilasta, soldier

suikale suikalee- suikaleen suikaletta, strip

suo- suon soi suoda, allow, grant, bestow, permit

suosi- suosin suosi suosia, favour; *suosittu suosittu- suositun suosittua*, favourite, favoured

syntymäpaikka (see *paikka*), place of birth

sytyttä- sytytän sytytti sytyttää, light, kindle

syyllinen, guilty, at fault

taata (see *takata-*)

taka(t)a- takaan takasi taata, pledge oneself, warrant

tanko tanko- tangon tankoa, bar, rod

tavanomainen, common

tervehti- tervehdin tervehti tervehtiä, greet, salute

tikku tikku- tikun tikkua, stick, match
tipahta- tipahdan tipahti tipahtaa, drop
tirehtööri -ri- -rin -riä, director, manager
todellinen, real, actual
toistaiseksi, for another time, till further notice;   *lykätä*
    toistaiseksi, postpone
tutkinto tutkinto- tutkinnon tutkintoa, examination
tuttu tuttu- tutun tuttua, acquaintance, acquainted
tyhjenty- tyhjennyn tyhjentyi tyhjentyä, be emptied
tyynesti, calmly, quietly
tyyli tyyli- tyylin tyyliä, style;   *tyylikäs tyylikkää- tyylikkään*
    tyylikästä, stylish;   *tyylikkäästi*, stylishly
tyyty- tyydyn tyytyi tyytyä, be contented;   submit
tyytymättömästi, discontentedly
täsmällisesti, accurately, precisely, punctually
täydellinen, complete, perfect
uhrautuvaisuus -suute- -suuden -suutta, self-sacrifice, willingness
    to make sacrifices
upotta- upotan upotti upottaa, sink (something), drive down
uudisasukas -asukkaa- -asukkaan -asukasta, colonist
uusimuotisesti, in a new fashion, way
uutislehti (see *lehti*), newspaper
vaaka vaaka- vaa'an vaakaa, weighing-machine
vahva vahva- vahvan vahvaa, strong, thick
valittu valittu- valitun valittua, elect, select, chosen
valokuva (see *kuva*), photograph
vangitse- vangitsen vangitsi vangita, arrest
varasta- varastan varasti varastaa, steal
vihko vihko- vihon vihkoa, exercise-book, part of book
viila viila- viilan viilaa, file
voimistelu voimistelu- voimistelun voimistelua, exercise(s)
Vähä-Aasia -ia- -ian -iaa, Asia Minor
värikäs värikkää- värikkään värikästä, colourful
vääntä- väännän väänsi vääntää, turn, twist
yhdistä- yhdistän yhdisti yhdistää, unite, connect
ylellisyys -syyte- -syyden -syyttä, extravagance, luxury
äskettäin, recently

EXERCISE

1. Lusikkaan oli merkitty laivan nimi.   2. Se antaa
hyvin hauskan vaikutuksen, ainakin näin läheltä katsottuna.

3. Ei hän sanonut luotua sanaa. 4. Ville huomasi töistä tultuaan, että Hannan silmät olivat itkettyneet. 5. Kolmen kuukauden kuluttua hän pääsi sairaalasta. 6. Ravintola oli tuttu paikka. 7. Hänellä oli punatut posket. 8. Lasien tyhjennyttyä isäntä seisoi vielä ovenpielessä. 9. Matkarahat johtajalta saatuaan hän siirtyi takaisin. 10. Mitäpä se merkitsee sadan vuoden kuluttua? 11. Kauppojen ystävällisistä myyjistä tulee henkilökohtaisia tuttuja. 12. He pitivät itseään Herran valittuna kansana. 13. Isän kuoltua varhain hän aivan nuorena ja varattomana siirtyi Tukholmaan. 14. Kuljettuamme Suezin kanavan läpi ja saavuttuamme Punaiselle merelle ilmasto muuttui kuin yhdellä iskulla. 15. Kirjakokoelman ei tarvitse olla suuri, mutta hyvin valittu. 16. Haluamme syödä sen keitettynä. 17. Tämä valittujen joukko saapui kolme kuukautta kestäneen merimatkan jälkeen. 18. Hän oli Matin uskottu ystävä poikavuosilta alkaen. 19. Parin vuoden kuluttua hän muutti takaisin pääkaupunkiin. 20. Maisteri Rantanen käveli aamutuntiensa päätyttyä koulusta kotiin. 21. Ihmiset, joita näin ympärilläni, olivat värikkäästi puettuja. 22. Pari viikkoa kaupungissa asuttuani olin kyllä jo tutustunut todelliseen Malagaan. 23. »Lautatalo» oli ehkä useimmin ja oikeutetuimmin käytetty nimitys. 24. Saatuaan kellonsa takaisin mies painoi sen korvaansa vasten.

READING

Kesäloma

Lontoossa oli jo kesä ja Eeva oli matkalla Cornwalliin.

Hän oli hankkinut itselleen pienehkön, helposti hoidettavan asunnon. Asunnossa kukin asia kuului kerta kaikkiaan määrättyyn lokeroonsa, sinne se oli pantu ja siellä se sai pysyä. Sellainen oli Eeva. Itsenäiseksi tultuaan hän ei koskaan ollut kehnosti pukeutunut. Hän oli aina onnistunut elämässään, toimissaan ja pyrkimyksissään, ja hän oli osoittanut, että hän Lontoossakin saattoi tulla toimeen ja tulla suosituksi.

Muutos oli tapahtunut seuraavalla tavalla.

Kerran talvella kulkiessaan Cenotaphin, tuon suurenmoisen, sodassa kaatuneiden englantilaisten sotilaiden kunniaksi pystytetyn muistomerkin ohitse, hän oli havainnut auton pysähtyvän eteensä. Autosta astui mies, joka lähemmäksi tultuaan tervehti häntä sydämellisesti: herra Piiroinen, mies, joka oli pyytänyt häneltä englannintunteja Helsingissä. Koska molemmilla oli kiire, he olivat sopineet, että he söisivät yhdessä päivällistä heti herra Piiroisen palattua. Hän oli näet matkalla Hulliin.

Totuttuaan kaikenlaisiin yllätyksiin Eeva ei hämmästynyt, kun muutamaa päivää myöhemmin kauppias selitti tulleensa Lontooseen avatakseen haaraliikkeen. Hän tarvitsisi englantia ja suomea puhuvan kone- ja pikakirjoittajan. Herra Piiroinen nyökäytti päätään Eevalle, joka istui nuorena ja valkopukuisena häntä vastapäätä kukkasin koristetun ravintolapöydän ääressä. Sopimus oli selvä. Eeva aloittaisi työnsä kolmen viikon kuluttua.

Siitä saakka elämä oli kulkenut tasaisesti. Eevan päivä kului miltei poikkeuksetta saman kaavan mukaisesti. Aamulla hän heräsi ilman herätyskelloa, kipaisi paljain jaloin huoneistonsa pieneen eteiseen hakemaan sanomalehteä, vilkaisi sitä ohimennen, sulki ikkunan, täytti kahvipannun vedellä ja pani sen kaasuliekille, teki muutamia reippaita voimisteluliikkeitä, otti nopeasti kylvyn valkeassa ammeessaan, pukeutui nopeasti ja nautti kahvinsa sanomalehteä lukien, sitten hän järjesti huonetta, siivosi hieman, laittoi vuoteensa ja pyyhki pölyt ja lähti tyytyväisenä ja iloisena konttoriinsa.

Hän oli oikea helmi konttorityössä. Hän teki työnsä kunnolla, järkevästi ja täsmällisesti. Häneen ei johtajan koskaan tarvinnut vilkaista otsaansa rypistäen. Ja kun kello löi puoli kuusi, hän järjesti paperit, sulki laatikkonsa, pesi kätensä, sipaisi hiukkasen puuteria nenälleen ja siveli vähän huulipunaa huuliinsa ja lähti kotiin.

Saavuttuaan uuteen kotiinsa hän heittäytyi leposohvalleen. Työstä tultuaan Eeva loikoi tavallisesti jonkin aikaa, lepuuttaen numeroihin ja kirjaimiin väsyneitä silmiään. Ruoka tuli tavallisesti jo neljännestunnin kuluttua valmiina keskuskeittiöstä. Syötyään hän istuutui pehmustettuun nojatuoliin ja koetti lukea tai kirjoittaa, mutta se ei aina onnistunut. Väsyneenä lukeminen ei ollut helppoa, eikä hän enää toivonutkaan voivansa selviytyä tutkinnossa tänä vuonna. Mutta siitä huolimatta hän ei aikonut lykätä sitä.

Hän oli toivonut jo kauan tällaista pientä huoneistoa, kunnes saatuaan odottamatta tämän palkankoroitusta merkitsevän toimen hän oli asiaa pitkin ja poikin harkittuaan päättänyt suoda itselleen tämän ihanan ylellisyyden. Se oli ikään kuin itsenäisyyden merkki.

Ja nyt hän oli matkalla Cornwalliin ja tutkinto oli ohi. Jo muutaman viikon kuluttua hän tietäisi, oliko hän onnistunut vai ei. Hän matkusti englantilaisten ystäviensä luokse, jotka olivat kutsuneet hänet saatuaan tietää, että hän tarvitsi lepoa, rauhaa ja aurinkoa. Laskettuaan kirjan syliinsä hän vilkaisi vaunun ikkunasta ja muisti olleensa seudulla jo kerran aikaisemmin autolla Lehtosten kanssa. Maisema oli liian tuttu hänelle, jotta hän olisi saattanut erehtyä.

Miksi hän oli vilkaissut ikkunasta? Juuri sillä hetkellä sankari jännitysromaanissa, jota hän luki, oli vangittuna huoneessa ja oli pääsemäisillään sieltä ulos. Hän oli huomannut, että ruoste oli pahoin syönyt ikkunan rautaristikkoa. Hän oli ottanut taskustaan pienen viilan ja noustuaan tuolilleen hän oli ryhtynyt viilamaan. Kun hän vielä ennen iltaa väänsi rautatankoa, se katkesi hänen käsissään kuin laho tikku. Hänen vangitsijansa olivat olleet hyvin ystävällisiä antaessaan hänelle lakanat. Kun hän leikkaisi ne suikaleiksi ja kiertäisi köydeksi, sopisivat ne hyvin tarkoitukseen. Neljännestuntia myöhemmin sidottuaan köyden toisen pään lujasti painavan vuoteen jalkaan ja heitettyään toisen pään ulos ikkunasta hän rupesi toimittamaan itseään vapauteen.

Eeva istui silmät alasluotuina ja ajatteli erästä toista henkilöä, joka oli hänkin vangittuna: hän oli saamattomuutensa vanki. Joku oli kirjoittanut Eevalle, että Mikko oli keväällä ollut napapiirin pohjoispuolella: hän oli tehnyt työtä niiden seutujen rauhassa.

Eevan vastapäätä istuva nainen kysyi, onko hän alakuloinen. Eeva hymyili ja sanoi olleensa vain ajatuksiinsa vajonneena. Hän luuli naisen olevan maalaisen. Eeva alkoi kertoa Mikon ja hänen suhteistaan. Nainen ei kysellyt juuri mitään, hän vain kuunteli vakavana ja kiinnostuneena. Eevan päästyä tarinansa loppuun nainen

pudisti päätään pyyhittyään kyynelensä. Vihdoin hän
sanoi:
»Kadonnut onni ei palaa takaisin.»
»Älkää surko! En minäkään sure. Itsenäinen elämä
on suurenmoista. Vain itsenäinen ihminen on täydel-
linen.»

»En tiedä,» sanoi nainen »mielestäni ei kukaan ole
koskaan riippumaton, ja minusta tuntuu, että tässä
tapauksessa kahden nuoren ihmisen itsepintaisuus ryöstää
heiltä elämän onnen.»
Exeterissä nainen poistui ja Eeva jäi yksin.

Herra Piiroinen oli äskettäin kutsunut hänet päivälli-
selle hotelliinsa, ja Eeva oli siellä täsmälleen sovittuna
aikana. Hotellin ravintola oli täynnä väkeä, nuoria ja
vanhoja. Huolitellusti pukeutunut johtaja vei Eevan
juhlallisesti katettuun pöytään ja toivotti vieraansa terve-
tulleeksi. Jonkin verran pelätty, mutta samalla rakastettu
johtaja oli erinomaisen hyväntahtoinen. Hän kertoi
itsestänsä heidän syödessään ja Eeva kuunteli huvittuneena.

Herra Piiroinen asui hotellissa, koska hänellä ei ollut
omaa kotia. Hänen jo aikoja sitten purkautunut avioliit-
tonsa oli vienyt häneltä mielenkiinnon sellaisiin asioihin.
Hänen vaimonsa oli näet ollut alkoholisti. Selvittyään
vaimo tunnusti aina auliisti, että oli itse ollut syyllinen,
ja oli joskus kauan ollut verraten raitis, mutta juominen
alkoi aina uudelleen. Vihdoin vaimo oli jättänyt hänet.
Herra Piiroisen ystävät olivat myöhemmin kehoittaneet
häntä solmimaan avioliiton erään nuorehkon naisen
kanssa, mutta hän ei halunnut. Sen sijaan hän oli aloit-
tanut uuden elämän täällä Lontoossa. Ahkerasti työsken-
nellen hän oli koettanut unohtaa vaimonsa. »Uhrautu-
vaisuuteni ryösti minulta elämän onnen» hän sanoi.
»Itsepäisyys olisi kenties pelastanut sen. Joka tapauksessa
talo oli myyty ja rahat juotu.»
Piiroinen-parka!
»Ei siis auta, että toinen on valmis uhrautumaan toisen
itsepäisyyden vuoksi,» tyttö kuiskasi itselleen.

.   .   .   .   .

Auto pysähtyi vastarakennetun talon eteen, jonka oveen
oli maalattu nimi »Pendennis». Emäntä, rouva Trevelyan

tervehti Eevaa ja isäntä nouti hänen matkalaukkunsa sisään.
Pieni rauhallinen ja sievästi sisustettu makuuhuone odotti
Eevaa. Emäntä uskoi, kuten hän sanoi, että Eeva pian
unohtaisi suurkaupungin elämän.

Vaikka rakennus itse oli uusi, huoneissa ei ollut juuri
mitään uutta. Hänen näkemänsä esineet olivat osaksi
espanjalaisia, sanoi isäntä: tämän kannun esimerkiksi
toi kerran muuan Trevelyan, joka palveli Draken laivas-
tossa, upotettuaan ja ryöstettyään espanjalaisia aarrelaivoja.
Niin, sellaisia olivat nuo merimiehet. Olisivatko he
muuta voineetkaan olla elettyään niinkuin he olivat
eläneet. Eikä hän elänyt kauankaan palattuaan Eng-
lantiin . . .

Tästä ja muistakin asioista keskusteltuaan sekä illallisella
että sen jälkeen Eeva meni vihdoin levolle. Pieneen
ja viehättävästi sisustettuun huoneeseensa tultuaan hän
ei saanut nukutuksi, vaikka hän oli tuntenut itsensä
väsyneeksi. Se johtui ehkä tästä rauhasta, jota Lontoossa ei
ollut. Hän oli ensimmäisen kerran Lehtosten lähdettyä
saanut tuntea kodin vaikutuksen. Kodin vaikutuksen?
Koti . . . kuka olikaan . . . niin, Piiroinen-parkahan oli
viimeksi puhunut niin lempeästi näistä asioista.

Eeva hypähti vuoteesta, sytytti sähkön ja seisahduttuaan
peilin eteen tuijotti kauan itseään. Eivätkö kasvot olleet
läheltä nähtynä jo hiukan ryppyiset? Hän vilkaisi tyylik-
käästi leikattuun tukkaansa. Miksi hän oli pyytänyt sen
leikattavaksi tällä tavalla? Ehkä siksi, että Piiroisen
entisen vaimon tukka . . .? Roskaa! . . . vaikka nainen
oli kieltämättä ollut kaunis. Johtaja oli näyttänyt hänen
valokuvansa . . . Kummallista, että asia oli mennyt
niin pitkälle eikä ollut ollut mahdollista parantaa naista.
Eeva aavisti, että tässä oli jotakin kätkettynä . . . mutta
liikuttiko se häntä? Johtaja oli kieltämättä ystävällinen.
Työpaikka-asiasta ensimmäisillä päivällisillä sovittuaan
ja järjestettyään kaiken Piiroinen oli sanonut, että Eeva
oli kuin taivaasta tipahtanut hänen avukseen . . . ja
samantapaista hän oli usein puhunut konttorissakin.

Eeva sammutti sähkön.

LESSON EIGHTEEN

GRAMMATICAL NOTES

(*a*) The POTENTIAL or CONCESSIVE mood of the verb is formed with the characteristic *-ne-*, which is added to the ordinary stem to make the potential stem, for instance *sano-* has the potential stem *sanone-*. The potential:

(i) Is not much used in speech,

(ii) Implies doubt or uncertainty or an assumption: *kylän naiset nauranevat*, perhaps the women of the village will laugh;

(iii) Has but two tenses, the present and the perfect.

(*b*) The PRESENT POTENTIAL is formed:

(i) In the affirmative from the potential stem like *mene-*: *saanen, saanet, saanee, saanemme, saanette, saanevat*, perhaps I shall get, I may get, etc.;

(ii) In the negative from the verb of negation and the potential stem of the operative verb: *en puhune, et puhune, ei puhune, emme puhune, ette puhune, eivät puhune*, perhaps I shall not speak, I may not speak, perhaps I am not speaking, etc.;

(iii) But the potential of *ole-* is formed on a stem *lie-*: *lienen, lienet, lie(nee), lienemme, lienette, lienevät*, I may be, perhaps I am, etc.; and the negative: *en lie(ne), et lie(ne), ei lie(ne), emme lie(ne), ette lie(ne), eivät lie(ne)*, perhaps I am not, I may not be, etc.; *lienee, liene* are sometimes shortened to *lie*;

(iv) Stems ending in *-se-*, *-le-* and *-re-*, or in a short vowel and *-ta- -tä-* drop the final vowel, and assimilation takes place as in the past participle active: *nouse-*, rise, *nousse-*; *juokse-* run, *juosse-*; *tule-*, come, *tulle-*; *pure-*, bite, *purre-*; *rupe(t)a-*, begin, *ruvenne-*; *repi(t)ä-*, tear, *revinne-*; *vasta(t)a-*, reply, *vastanne-*.

(*c*) The POTENTIAL PERFECT is formed of the present potential of *ole-* and the active past participle: *lienen sanonut, lienet sanonut, lie(nee) sanonut, lienemme sanoneet, lienette sanoneet, lienevät sanoneet,* I may have said, it is possible that I said, etc.; *en lie(ne) saanut, et lie(ne) saanut, ei lie(ne) saanut, emme lie(ne) saaneet, ette lie(ne) saaneet, eivät lie(ne) saaneet,* I may not have received, perhaps I did not receive, etc.

(*d*) SUBSTITUTES for the potential forms are constructed with other verbs or with such words expressing doubt as *ehkä,* perhaps; *kai,* probably, I suppose; and so on: *Hän mahtaa olla metsässä*—She may (must) be in the woods.

(*e*) The PASSIVE voice of the Finnish verb, though usually so called, is a different thing from what the student of, for instance, Latin understands by the term. Alternative terms used are the impersonal or unipersonal: impersonal because the subject of the action expressed by it is not defined (it can however only be a person or persons), and unipersonal because the verb has only one form, the 3rd person singular, for a given tense in either the affirmative or the negative.

(*f*) The PASSIVE PRESENT is formed from the passive stem (Note 15*b*):

1. In the affirmative by lengthening the final vowel and adding *-n,* but

(i) *-tt-* becomes *-t-*: *leivotta- leivotaan,* baking is going on; *elettä- eletään,* one lives.

(ii) *-nt- -lt-* and *-rt-* are assimilated: *mentä-, mennään; tulta-, tullaan; purta-, purraan; olta-, ollaan.*

(iii) *-st-* is unchanged: *päästä-, päästään.*

(iv) Otherwise *-t-* is softened to *-d-*: *nähtä-, nähdään; tehtä-, tehdään; saata-, saadaan; myytä-, myydään; syötä-, syödään.*

(v) But a consonant which has been softened by *-tt-* in the passive stem remains softened in the passive present: *tako-,* forge, has the passive stem *taotta-;* the present passive is *taotaan,* although at a glance the syllable which had *-k-* at its head looks open. The fact that it is really a closed syllable is masked by the softening of the *-tt-* to *-t-*. Similarly, *maka(t)a-,* lie, *maataan.*

The softening of the *-tt- -t-* in the present passive is due to a sound now lost, but which is held to have been *-ks-* in the unrecorded early history of the language, so that the full ending was *-ksen* added to the passive stem.

2. In the negative the present passive is formed (cf. Note 5*b*) from the 3rd person singular of the verb of negation and the passive stem closed by an aspiration, which results in a softening of the *-tt-* to *-t-* and the *-t-* to *-d-* (i.e. the *-an -än* of the positive is dropped): *ei leivota*, there is no baking going on; *ei tulla*, they are not coming, one does not come; *ei saada*, one does not get; *ei päästä sinne*, one can't get there; *ei maata mukavasti*, there's no lying comfortably, one does not lie comfortably. (Beware the similarity of some stems with their Infinitive I).

(*g*) Uses of the passive are as follows:

(i) Without indicated subject for an action of vague or general origin, ' one ' or ' people ': *Täällä eletään hauskasti*— One lives pleasantly here;

(ii) To replace the 1st person plural of the imperative in colloquial Finnish: *Mennään sisään* (for *menkäämme sisään*)—Let us go in. (The context shows which meaning is intended);

(iii) With a ' logical ' object in the short accusative or partitive: *Poika viedään kouluun*—The boy is being taken to school. *Pian saadaan makeita mansikoita*—Soon we shall (you will, one will) get some sweet strawberries.

(iv) Note that any predicate or apposition (qualifying a logical plural subject) is put in the plural, although the form of the passive is singular: *Ollaanhan väsyneitä*—We are (shall be) tired.

(*h*) THE ORDER OF WORDS.

The usual order of words in Finnish, that is, the order which implies no special emphasis is, subject–verb–object; an attributive adjective or a genitive always precedes, a noun-attribute can either precede or follow, and any other attribute may either precede or follow the word it qualifies. In a question the word with *-kö -kö* comes first, as a rule.

But because the suffixes and other ways of indicating grammatical relationships are so precise in Finnish, the order of words can be altered to a far greater extent than in English, changing not the meaning, but the emphasis. Thus the sentence *Ukko on tuvassa*—'The old man is in the cottage' is merely a general statement without particular emphasis. But what is unknown to the hearer, or not before mentioned, is put at the end of the sentence. Thus the sentence quoted could be the answer to a question: 'Where is the old man?' But *Tuvassa on ukko*—'There is an old man in the cottage' would be the answer to the question 'Who is in the cottage?' It is possible to give a word special emphasis by putting it at the beginning if its normal, unemphatic position is elsewhere in the sentence: *Tuvassa ukko on*—Why, the old man is in the *cottage*. But since the normal position for the subject is at the beginning of the sentence, where it is desired to give this emphasis the qualifications of the predicate are put after the predicate: *Ukko tuvassa on*—Why, the *old man* is in the cottage. *Minä kaupat tein*—*I* did the shopping (whereas *Minä tein kaupat*—'I did the shopping' would be merely the answer to the question 'How did you spend the time?' and the arrangement *Tein minä kaupat*—'I *did* the shopping' would indicate that the shopping, which we knew had to be done, is done.

Sometimes, as we have seen, an emphatic suffix is added to make a more substantial vehicle for the stress: *Veneellä-hän miehet tulivat*—It was by boat that the men came, the men came *by boat*, of all things. Moreover, it is possible in conversation to emphasise any part of a long sentence by verbal stress without any alteration in the positions of words.

In general, however, the position of words is freely altered to fit the stress: *Juho lyö Heikkiä*—Juho is hitting Heikki (the normal statement of fact without particular emphasis). *Juho Heikkiä lyö*—It is Juho hitting H. (no one else is). *Heikkiä Juho lyö*—It is H. whom J. is hitting. *Heikkiä lyö Juho*—It is H. who is being hit by J. (the others are being hit by someone else). *Lyö Juho Heikkiä*—J. is indeed hitting H. *Lyö Heikkiä Juho*—Yes, it *is* J. and he is *hitting* H. (Examples from HAKULINEN.)

The foregoing observations hold good for subordinate and other clauses, too, except that in the case of a clause introducing quoted speech, put after its normal place, there is a tendency to regard the order verb–subject as not Finnish and the order subject–verb as correct, perhaps due to a certain sensitivity towards what are regarded as foreign constructions, e.g. »*Tule*», *sanoi hän*—' Come, said he ', for which is substituted »*Tule*», *hän sanoi*—' Come, she said ' as the proper Finnish order. Nevertheless, it is sometimes necessary to use the first-mentioned order of words, as when the subject of the quoting clause is to be distinguished by emphasis from among other possible subjects, for instance in (they were all looking at him) »*Tule*», *sanoi Ella*—' Come, said Ella ', where the fact that it was Ella who was going to speak was not known before. Similarly, it would go to the end if there had immediately before been a mention of another person. But if this introductory clause were put before the quoted speech, the order would be *Ella sanoi*.

From the foregoing it will perhaps be clear that if the student should arrange the parts of his sentence in a way that might convey a slight difference of emphasis from what was intended, it will be no more than that, because the case-endings and other suffixes make the essential relationships clear.

(*i*) SEQUENCE OF TENSES.

(i) The arrangement of tenses in indirect speech differs little from the English practice (but, it will be remembered, the tense used in the participial construction follows that of direct speech: *Mies sanoi: »Olen sairas»*; *Mies sanoi olevansa sairas*—The man said ' I am ill '; The man said he was ill).

(ii) In Finnish, the tense of the subordinate clause is the same as it would be (except as below) if the subordinate were a main clause: *Linnassa oli sotamiehiä*—There were some soldiers in the castle. *Vihollinen luuli, että linnassa oli sotamiehiä*—The enemy thought there were some soldiers in the castle. *Menet kaupunkiin*—You are going into the town. *Kerroitko hänelle, että menet kaupunkiin?*—Did you tell him that you were (would be) going into the town? *Mies sanoi: »Olen ollut sairas»*—The man said, ' I have been ill '. *Mies sanoi, että hän oli ollut sairas*—The man said (that) he had been ill.

But the imperative of direct speech is represented by the conditional in indirect speech: *Isä sanoi minulle: »Lähde kiireesti!»*—Father said to me: ' Go quickly! ' *Isä sanoi minulle, että minä lähtisin kiireesti*—Father told me to go quickly (that I should go quickly).

In everyday speech and the literature representing it one finds sometimes a combination of the direct and indirect systems: *Ukko kysyi, että mikä mies sinä olet*—The old man asked what sort of man he was (what man are you?). And sometimes even the *että* is left out, giving the appearance of a different sequence of tenses.

VOCABULARY

alus alukse- aluksen alusta, foundation; under-, sub-
asuinhuone (see *huone*), living-room, reception-room
aukene- aukenen aukeni aueta, open (of oneself)
aukko aukko- aukon aukkoa, opening, aperture
betoni betoni- betonin betonia, concrete
eheä eheä- eheän eheää (or *eheätä*), whole, entire (the spelling *ehjä* is also found)
ennenaikainen, premature
epäile- epäilen epäili epäillä, doubt, question, suspect
epäilys epäilykse- epäilyksen epäilystä, doubt, suspicion
erittäin, especially
esille, forth, forward
eversti eversti- everstin everstiä, colonel
eväs evää- evään evästä, food, provisions
haalea, tepid; pale
hallitse- hallitsen hallitsi hallita, govern, rule
haukku- haukun haukkui haukkua, bark
helle heltee- helteen hellettä, heat, sunshine
hengästy- hengästyn hengästyi hengästyä, get out of breath
huippu huippu- huipun huippua, point, summit
huolimaton huolimattoma- huolimattoman huolimatonta, careless, heedless
huolimatta: siitä huolimatta, notwithstanding (that)
ilahdutta- ilahdutan ilahdutti ilahduttaa, gladden
;olloin, when, at which time

juhli- juhlin juhli juhlia, celebrate
juoksu juoksu- juoksun juoksua, run, running, course
jylhä jylhä- jylhän jylhää, wild
jyrise- jyrisen jyrisi jyristä, thunder
jyrähtä- jyrähdän jyrähti jyrähtää, crash, clap
kaari kaare- kaaren kaarta, bow, arch
kahina kahina- kahinan kahinaa, rustle
kai, presumably, probably, perhaps
kautta, through, by means of
kerma kerma- kerman kermaa, cream
kestävyys -yyte- -yyden -yyttä, durability, endurance
kilpa kilpa- kilvan kilpaa, competition, race
kokonaisuus -uute- -uuden -uutta, whole, entirety
komero komero- komeron komeroa, nook, corner, den; *keittokomero*,
    kitchenette
konsertti konsertti- konsertin konserttia, concert
korkkimatto (see *matto*), linoleum
kotosalla, at home
kulutus kulutukse- kulutuksen kulutusta, wear, wearing away
kykenevä -vä- -vän -vää, able, capable
lakka(t)a- lakkaan lakkasi lakata, lacquer
lakkaus lakkaukse- lakkauksen lakkausta, lacquer
leipo- leivon leipoi leipoa, bake bread
leivon (see *leipo-*)
lepäile- lepäilen lepäili lepäillä, rest
liima liima- liiman liimaa, glue
liitty- liityn liittyi liittyä, join
luonteva -va- -van -vaa, natural, unaffected
läjähtä- läjähdän läjähti läjähtää, crash, crack
läähättä- läähätän läähätti läähättää, gasp, pant
maanviljelys -lykse- -lyksen -lystä, agriculture
makuu makuu- makuun makuuta, lying; *makuuhuone*, bedroom
mansikka mansikka- mansikan mansikkaa, strawberry
millainen, of what kind
mukaisesti, in conformity with
mänty mänty- männyn mäntyä, pine
määräys määräykse- määräyksen määräystä, determination,
    order, direction
nauratta- nauratan nauratti naurattaa, make . . . laugh
noudatta- noudatan noudatti noudattaa, send for; follow,
    observe, fulfil, perform

nuole- nuolen nuoli nuolla, lick

näänty- näännyn nääntyi nääntyä, become exhausted, succumb; *näännyn nälkään*, I shall starve, I am starving

onnittele- onnittelen onnitteli onnitella, congratulate

palele- palelen paleli palella, make cold, freeze; *minua palelee* I am cold, I feel cold; *käsiäni palelee*, my hands are cold

pankki pankki- pankin pankkia, bank

parikymmentä (see *kymmentä*), score

pelastu- pelastun pelastui pelastua, be saved, escape

pisara pisara- pisaran pisaraa, drop

pohjakerros (see *kerros*), ground-floor, foundation

puhdista- puhdistan puhdisti puhdistaa, cleanse

puuska puuska- puuskan puuskaa, gust, blast

pyssy pyssy- pyssyn pyssyä, gun

pysty pysty- pystyn pystyä, upright position; *nousen pystyyn*, I rise, stand up

päällyste päällystee- päällysteen päällystettä, covering

päällystä- päällystän päällysti päällystää, cover

raita raita- raidan raitaa, line, stripe

rajuilma (see *ilma*), storm

rakenne rakentee- rakenteen rakennetta, structure, mechanism

rauhoitta- rauhoitan rauhoitti rauhoittaa, calm, pacify

ravistumaton, leakproof

retki retke- retken retkeä, journey, trip

rinnakkain, side by side, abreast

saavutta- saavutan saavutti saavuttaa, reach, overtake

salaatti salaatti- salaatin salaattia, salad

sieppa(t)a- sieppaan sieppasi siepata, snatch, grab

siivous siivoukse- siivouksen siivousta, orderliness, cleanliness

sijoitus sijoitukse- sijoituksen sijoitusta, position(ing), placing

silkki silkki- silkin silkkiä, silk

soppi soppe- sopen soppea, corner, nook

sopusointu -sointu- -soinnun -sointua, harmony

sulautu- sulaudun sulautui sulautua, fuse

suunnittele- suunnittelen suunnitteli suunnitella, plan, design

sysi syte- syden syttä, charcoal

säänöllisesti, regularly

tarmo tarmo- tarmon tarmoa, energy, force

tarvis, necessary

tulvi- tulvin tulvi tulvia, flood, overflow

uhka(t)a- uhkaan uhkasi uhata, threaten
uhku- uhun (uhkun) uhkui uhkua, breathe; flow, overflow, swell
uurta- uurran uursi uurtaa, groove, furrow, carve
vaatimus -mukse- -muksen -musta, demand, claim
vaihtelu -lu- -lun -lua, variation, change
varasto varasto- varaston varastoa, store, supply
vara(t)a- varaan varasi varata, reserve, save
varsa varsa- varsan varsaa, foal, colt
varsinainen, proper, true
vikkelä -lä- -län -lää, brisk, alert, agile
väittele- väittelen väitteli väitellä, dispute, debate, altercate
yhtenäinen, united, continuous, coherent
yksilö yksilö- yksilön yksilöä, individual
ylty- yllyn yltyi yltyä, become more lively, be provoked,
    stimulated, etc.
yläpuoli (see *puoli*), upper side, top part
äsken, just, recently
äyräs äyrää- äyrään äyrästä, side, edge

EXERCISE

1. Kun pääskyset lentävät korkealla, niin sanotaan, että
tulee kaunis sää. 2. Kun tämä työ saadaan valmiiksi,
niin mitä sitten tehdään? 3. Täällä tarvitaan lisää ruokaa.
4. Uunit tehdään tiilistä. 5. Vieläköhän tämän joen vesi
noussee? 6. En tiedä, kuka hän lienee. 7. Sellaisia
puita, joissa on hedelmiä, sanotaan hedelmäpuiksi. 8.
Eikö tuo liene vähän ennenaikainen? 9. Parikymmentä
minuuttia hän lienee siinä seisonut. 10. Esimerkkejä ei
liene tarvis jatkaa. 11. Kukaan ei tahtone väittää, että
hän olisi johtanut ketään mihinkään. 12. On epäiltävää,
mahtaneeko tuo yksilö mitään tietää asemastaan. 13.
Voidaanko maailmansodan vaaraa sanoa nyt todella
pienemmäksi kuin aikaisemmin? 14. Nyt vien teidät
puusepäntehtaaseen, jossa valmistetaan huonekaluja ja
muita esineitä. 15. Maksetaanko raha takaisin? 16.
Kaikki liikkeet ovat kiinni, pankit kiinni, posti kiinni.
Yhtä ei kuitenkaan unohdeta juhlienkaan aikana ja se
on siesta. 17. Hyvin pian opin tietämään, ettei tässä
aurinkoisessa maassa tunneta sanaa kiire. 18. Herrat

tunnetaan tummansinisistä taikka haaleanraitaisista puvuis-
taan ja naiset tummasta silkistä. 19. Malagan par-
haissa piireissä ei tunneta minkäänlaista yöelämää. 20.
Joko juhlitaan kotona taikka pistäydytään elokuvissa.
21. Teatteria ja konsertteja ei tässä musikaalisessa maakun-
nassa harrasteta juuri lainkaan. 22. Muut huoneet ovat
vain varastoja, joihin yleisöä ei päästetä.

READING

Välinäytös

Perhe oli vielä Helsingissä, vaikka oli jo kesä. Eräänä
aamuna Yrjö tuli hengästyneenä sisään ja huusi: »Eikö
kukaan anna minulle ruokaa? Näännyn nälkään»—
siitä huolimatta, että keittiön kautta tultuaan ja siepattuaan
sieltä pari äsken leivottua kakkua tämä vaara ei häntä
mitenkään uhannut.—»Kukaan ei liene vielä kuullut
tuoreinta uutista? Mikko on hyväksytty tutkinnossaan.»
»No, sehän on suurenmoista,» sanoi äiti. »Tietäneeköhän
Mikko sen jo?»
»Tietäähän hän sen, äiti. Olen ollut hänen seurassaan
. . . olen vain juossut ennen häntä.» Poika kääntyi
lähteäkseen.
»Joko lähdet?»
»Voitko sanoa, missä kirjani ovat, äiti?»
»En tiedä, missä lienevät.»
»Et kai väittäne, ettet muka nähnyt sitä harmaakantista
kirjaa, jota . . .»
»Liekö se ollut sama kirja, jonka tyttö löysi lattialta?
Katsotaanpa! Tässä se on, kirjahyllyssä. Isä ei pidä siitä,
että olet huolimaton. Jollet vielä ole oppinut järjestystä,
ei liene milloinkaan myöhäistä aloittaa.»
»Lienet oikeassa, äiti. Anteeksi. Koetan parhaani,
mutta unohdan aina uudelleen.»

. . . .

Illalla saapui Irja. Hän kertoi olevansa Helsingissä
vieraisilla. Hän oli muka sattumalta kuullut Mikon tulleen
hyväksytyksi ja oli nyt tullut onnittelemaan häntä.
»Viipynet kaupungissa huomiseen?» kysyi äiti.
»Kyllä, huomiseen saakka.»

»Olisi jo aika lähteä maalle. Etkö sinäkin lähde? Menemme huomenna. Maalla elämme hauskasti, kuten tiedät—uimme ja soutelemme jne.»

»Ja tiedättekö,» kysyi Yrjö, »mitä syömme, kun eväät loppuvat? Jos tarvitaan lisää ruokaa, saamme makeita mansikoita ja tuoretta kermaa.»

Irja nauroi: »Ei lahjahevosen hampaihin katsota, Yrjö! Tuo kaikki olisi kyllä hauskaa, vieläpä mansikoittakin!»

»Teemme myös huviretkiä tai joskus työnnämme veneen vesille ja soudamme saareen, nousemme rantaan, teemme tulen ja keitämme kahvia tai kalastamme.»—Yrjö katseli Irjan kenkiä, epäilys kasvoillaan—»Ei kalaa saada jalkoja kastelematta.»

Irja nauroi taas: »Ehkä saan kalastaa paljain jaloin.»

Mikko ei ollut kotona. Hän oli mennyt joihinkin kutsuihin.

. . . .

Kolme viikkoa myöhemmin Mikko ja Irja kävelivät kerran yhdessä, kuten oli jo tavaksi tullut. Mikko oli sanonut haluavansa näyttää Irjalle talon, jonka hän oli piirtänyt eräälle ystävällensä.

»Lienee ilmeistä,» sanoi Mikko heidän kävellessään, »että tilaa valitettavasti viljellään niin huonosti, että se ei tuota mitään. Isäntä on sivistynyt ja viisas mies, mutta maanviljelyksestä hän ei ymmärrä mitään.»

»Yksi seikka lienee joka tapauksessa varma,» sanoi Irja rakennukseen vilkaisten. »Hänellä on sekä makua että varoja.»

»Varoja hänellä on, hän on suuren tehtaan omistaja ja asuu osaksi Helsingissä, osaksi täällä.»

»Onpa tukahduttavan lämmintä! Istutaan vähän, Mikko . . . käyden kylään päästään, juosten tielle jäädään . . . levätään tämän puun juurella. Minun täytyy laittautua kuntoon.»

Hän otti käsilaukustaan puuterirasian ja huulipuikon ja jatkoi sitten: »Onko sinulla aina noin kova kiire? Sananlasku sanoo: ei juosten matkaa tehdä.»

»Asia on niin, että jos minulla on päämääräni selvillä, tekee aina mieleni tehdä työtä, kunnes sen saavutan, ja kaiken muun järjestän sitten sen mukaisesti.»

»Kuinka ikävää! Etkö ole unohtanut jotakin? Esimerkiksi sitä, että elämme vain kerran. Perheesi on rikas ...»
»Juuri senvuoksi aion tehdä ahkerasti työtä; haluan näyttää kykeneväni johonkin omin avuin. Katsohan esimerkiksi tuota taloa; olen piirtänyt sen pohjakerroksesta kattotiiliin saakka ... Tietysti ellei näin tehdä, ei työn tulos ole yhtenäinen ja sopusointuinen. Koko suunnitelman, oli rakennus miten pieni tahansa, on muodostettava yhtenäinen ja ehjä kokonaisuus: seurustelu- ja makuutiloille sekä keittokomerolle varataan omat soppensa, jotka luontevasti liittyvät toisiinsa. Ja mielestäni talo ei missään tapauksessa saa hallita ympäristöään, vaan päinvastoin sen on sopeuduttava ja sulauduttava sitä ympäröivään luontoon.»

»Käydäänpä katsomassa taloa.»

Irja tarttui Mikon käsiin ja veti hänet pystyyn. Heidän lähestyessään taloa iso koira juoksi haukkuen heitä kohti. Tarttuen uudelleen Mikon käteen Irja huudahti: »Purreekohan tuo koira?»

Mikko yritti molemmin käsin tyynnyttää koiraa, mutta ei voinut estää sitä nuolemasta kasvojaan. Irjaa nauratti.

»Tule, jatketaanpa matkaa.»

Saavuttuaan ovelle Mikko soitti, mutta ei saanut vastausta. »Mitä tälle ovelle lienee tehty (see Note 19b), kun se ei aukene? Ystäväni lienee matkustanut kaupunkiin, vaikka hän onkin viikonloppuina tavallisesti ollut kotona.»

»Kuka tuolta tulee?»

»Rengin poika. Hei tiedätkö, onko eversti kotosalla?»

»Lienee lähtenyt jonnekin, ehkä kylään—kylässä on markkinat.» Ja poika juoksi pois.

He seisoivat hetkisen vastakkain sanomatta mitään, sitten Irja sanoi: »Minkä sille voi? Lähdetään pois!» ja he lähtivät rinnakkain. He kulkivat pitkin kapeaa polkua. Metsä uhkui lämpimän pihkan tuoksua, aurinko paahtoi kuumalla kankaalla. Helle oli tukahduttava.

Äkkiä jyrähti ukkonen. Sen olisi oikeastaan saattanut aavistaakin, jos olisi lähemmin tarkastellut taivaan kaarta, jolle oli keräytynyt sysimustia jylhän kauniita pilviä. Puiden kohina yltyi, kuulosti aivan kuin koski olisi tulvinut yli äyräidensä. Suuria pisaroita tipahti poskelle, nenälle, kaulalle.

»Tuolla on lato, me voimme ehtiä sinne, jos olemme vikkeliä», Irja sanoi.

»Kyllä nyt on pantava juoksuksi.»

»Juoskaamme kilpaa, hei!» huudahti Irja ja lähti juoksemaan. Mikko jäi katsomaan hänen jälkeensä. Ihmeellinen tarmo tässä tytössä: tässäkin kuumuudessa hän juoksee kuin varsa. Mutta Mikko ei tahtonut olla sen huonompi. Hän lähti juoksemaan ja saavutti Irjan ladon ovella.

Ovi oli auki ja rajuilmaa pakenevat juoksivat läähättäen katoksen alle. Heidän juuri päästyään sisään jyrisi ja salamoi ja vettä tuli kaatamalla. Huh, millainen ilma! Ja se oli tullut niin yhtäkkiä. Katso tuota salamaa! Vaikka olisihan toki pitänyt arvatakin, sellainen helle, niin tukahduttava. Nyt saattoi edes hengittää. Taas jyrisi ja tuli äkillinen tuulenpuuska. Iso ovi läjähti kiinni jättäen oven yläpuolella olevan lasittoman pienen ikkunan ainoaksi aukoksi, jonka kautta tuli valoa. Molemmat vilkaisivat siihen, sitten toisiinsa. Tuuli vihelsi ladon nurkissa, muuten oli hiljaisempaa kuin ulkona.

Mikko irroitti selkäreppunsa ja otti eväät esille.

»Jäädään tänne siksi, kunnes rajuilma on ohi.»

He istuutuivat heinille. Heidän syödessään Irja sanoi:

»Tämä lattia on honkaa, eikö olekin?»

»Aivan niin. Se on halvinta.»

»Ja onko se parhainta myös asunnoissa?»

»Asuntojen lattiat ovat erilaisia: kylpyhuoneissa esimerkiksi lattian tulee olla vedenpitävä, ja asuinhuoneissa tulee lattianpäällysteen kestää kulutusta, olla helposti puhdistettava ja taloudellinen ja myös täyttää esteettiset vaatimukset.»

»Tietysti.»

»Lautalattia kuten esimerkiksi tämä ei ole varsinainen lattianpäällyste, sillä se on samalla myöskin alusrakenteena, joka voidaan myöhemmin päällystää esimerkiksi korkkimatolla. Puulajeista pidetään kuusta kauniimpana kuin mäntyä, ja kapeista laudoista saadaan ravistumaton ja paremmin tasaisena pysyvä lattia.»

»Entä parketti? Se on vielä kauniimpi, eikö totta?»

»Niin, parketti on lattianpäällysteistämme arvokkaimpia; hyvin suunniteltu ja tehty parkettilattia on kestävä ja

mielestäni kaikkein kaunein. Parketti tehdään tavallisesti
jostakin kovasta puulajista, useimmiten tammesta, mutta
myöskin koivua ja honkaa käytetään. Ensiluokkaisesta
puusta tehtynä voi honkaparketti olla hyvin kaunista.
Parketti kiinnitetään liimalla tai nauloilla puiselle aluslat-
tialle . . . myöskin betonialustalle voidaan tehdä parket-
tilattioita.»

»Niinkö?»

»Valmis parkettilattia hiotaan koneella ja lakataan.
Lakkaukseen käytetään selluloosalakkoja ja muovilakkoja,
ja niillä saadaan erittäin kaunis ja kestävä pinta . . .»

Salamoi.

Irja haukotteli ja häntä värisytti.

»Saanko lisää kahvia? Minua palelee.»

LESSON NINETEEN

GRAMMATICAL NOTES

(*a*) The PASSIVE PAST TENSES are formed as follows:

(i) The affirmative imperfect by substituting for the final vowel of the passive stem -*i*- (cf. Note 6*c*), vowel-lengthening and final -*n* (cf. Note 18*f* 1): (*luetta*-) *luettiin*, one read, we were reading, reading was going on; (*saata*-): *Kirjeitä saatiin säännöllisesti*—Letters were received regularly;

(ii) The negative imperfect (cf. the active) with the verb of negation (3rd person singular) and the passive past participle: *ei luettu*, there was no reading (going on), one was, we were not reading; *ei saatu*, we did not receive, there was not received, etc.;

(iii) The perfect affirmative with *on* and the passive past participle: *kirjeitä on saatu*—letters have been received, we have received some letters, etc. *Lattiat on maalattu*—The floors have been painted (compare Note 17*b* ii);

(iv) The negative perfect substitutes *ei ole* for the *on* in the positive: *ei ole luettu*, there has been no reading, we have not read, been reading, etc.;

(v) The passive pluperfect affirmative and negative are analogous: for *on* we substitute *oli*, and for *ei ole* either *ei ollut* or *ei oltu*, the latter being the negative perfect passive of *ole*-: *oli luettu*, one had read; *ei ollut luettu* or *ei oltu luettu*, one had not read, there had been no reading, etc.

(*b*) The POTENTIAL PASSIVE is formed from the potential stem (Note 18*a*) as in Note 18*f*: *puhuttaneen*, there may be (words) spoken, one may speak, etc.; *ei puhuttane mitään*, there will probably be nothing said, etc.

The perfect potential passive is simply the potential of the verb *ole*- with the past passive participle of the operative verb, for example, *se lie(nee) tehty*, it may have been done, I expect that has been done, etc., and in the negative, for example, *ei lie(ne) tehty mitään*, probably nothing has been done.

These constructions are often replaced by circumlocutions.

(c) Some of the commoner ABBREVIATIONS, with the full forms and meanings, are:

a.-p. or *ap.*: *aamupäivällä*, in the morning, a.m.
ed.: *edellinen*, the former
ent.: *entinen*, the former
e.pp.: *edellä puolenpäivän*, or *ennen puoltapäivää*, before noon
esim.: *esimerkiksi*, for example, for instance
ip.: *iltapäivällä*, in the afternoon
jne.: *ja niin edelleen*, *ja niin edespäin*, and so on
j.pp.: *jälkeen puolenpäivän*, afternoon, after noon
k.o. or *ko.*: *kyseessä oleva*, (being) under discussion, in question
l.: *eli*, or
mk: *markka*, *markkaa*, mark, marks (Finnish money: note that there is no full stop after this abbreviation)
mm.: *muun muassa*, among others, among other things
muist.: *muistutus*, note, NB, remark
n.: *noin*, about
nim.: *nimittäin*, namely, that is to say, viz.
nk.: *niinkuin*, as
ns.: *niin sanottu*, so-called, as it is called
oik.: *oikeastaan*, really, properly
p.: *päivänä*, on the day (put in a date after the number), —th of
p.o.: *pitää olla*, should be
s. or *siv.*: *sivu*, *sivulla*, page, on page . . .
seur.: *seuraava*, the following
s.o. or *so.*: *se on*, that is (to say)
t.: *tai*, or
t.k.: *tämän kuun*, *tätä kuuta*, this month, of this month
t.s., *ts.*: *toisin sanoen*, in other words
t.v.: *tänä vuonna*, this year, in this year
v.k.: *viime kuun*, *viime kuuta*, last month, in last month
vrt. or *vert.*: *vertaa*, compare
v.t.: *virkaa tekevä*, acting . . .
ym.: *ynnä muuta*, *ynnä muita*, etcetera, and so forth.

The names of months are abbreviated thus: *tammik.* for *tammikuun*, *tammikuuta*, of January, in January.

The doubling of a final consonant in an abbreviation indicates a plural: *esimm.* for *esimerkkejä*, examples; *sivv.* for *sivut*, pages, pp., etc.

(*d*) " TOTAL " and " PARTIAL " subjects and objects, etc.

(i) Finnish distinguishes, as we have seen, between ' total ' and ' partial ' subjects and objects.

The following remarks deal with this position in greater detail than hitherto.

(ii) Total and partial subject.

1. The total subject refers to the whole of the thing spoken about, or a defined part of it, the partial subject to an undefined part: *Maiseman kauneus on kadonnut*— The beauty of the landscape has disappeared. Here the whole of the beauty, this particular beauty, is referred to. But in the sentence *Kauneutta näkyi kaikkialla*—' There was beauty (beauty appeared) everywhere ' what is referred to is a part of all the beauty there is: everywhere some of the beauty of the universe was visible. In the sentence *Ruoka on pöydällä* the word *ruoka* refers to the whole of the food or meal, so the remark is to be translated ' The meal (food) is on the table ', whereas the partitive *Ruokaa on pöydällä* refers to a part of *ruoka*, i.e. some food: There is some food on the table. In the same way a distinction is made in the plural, as in: *Pojat juoksevat pihalla*— The boys are running in (i.e. about) the yard; *Poikia juoksee pihalla*—There are some boys running about the yard. In the first case the nominative refers to the whole of the subject, a group of boys known to the person addressed, ' the boys '. In the second case the subject is an undefined part of the general stock of boys in existence, ' a number ', ' some boys ', ' boys ' are running about.

2. Similarly with words which express a plural idea while being themselves singular in form: *Sotaväki tuli kaupunkiin*—The military came to the town; *Sotaväkeä tuli kaupunkiin*—Some soldiers came to the town.

3. This distinction between total and partial subject also

serves to fill the gap left by the lack of a definite article corresponding to ' the ' (see also Note 19*e* below): *Kukat ovat maljakossa*—The flowers are in the vase, but *Maljakossa on kukkia*—There are some flowers in the vase. *Pääskyset ovat tulleet*—The swallows have arrived; *Pääskysiä on tullut*—Some swallows have arrived.

4. The subject of a transitive verb is always ' total ' and nominative:

Miehet hakkaavat pihalla puita—(The) men are chopping wood in the yard, and so is *ole-* with a predicate (i.e. where *ole-* means ' is ' and not ' there is ', etc.) as above in *Kukat ovat maljakossa*. Where it is necessary to bring out the partial nature of a subject, either one adds some such qualification as *muutamat* or *jotkut*, some, to the subject if it is plural or *eräs* if singular, or the word indicating the logical subject is put in the partitive, singular or plural according to the sense, and the action must be expressed without a finite verb, for instance by the inessive of Infinitive III: *Miehiä on pihalla puita hakkaamassa*—There are some men in the yard chopping wood.

With intransitive verbs the partial subject is put in the partitive only if it is in the plural or if it indicates an abstract or a collective concept or a substance, as we saw in 2 and 3 above.

5. In negative and interrogative sentences, where the verb is *ole-*, *näky-* or *kuulu-* (in the sense of ' to be in existence '; ' to be visible ' or ' to be seen '; ' to be audible ', ' to be heard', 'to be said to be ') the subject is in the partitive: *Ei kuulunut muuta kuin veden hiljaista pulinaa*—Nothing was heard but the quiet babbling of the water. *Tässä kylässä ei ole suutaria*—There is no cobbler in this village. (But *Suutari ei ole tässä kylässä*—The cobbler is not in this village.) *Miestä ei näy eikä kuulu*—There is no sight nor sound of (the) man. (But *Mies ei näy tulevan*—The man does not seem to be coming.)

(iii) The object (see also Note 7*a* x) can also be either total (expressed by the accusative case, long or short) or partial (for which the partitive is used): 1. *Poika osti kirjat*—The boy bought the books. But: *Poika osti kirjoja*—The boy bought (was buying) some books. Here in the, first sentence the verb affects the whole of the object named,

the particular group of books, ' the ' books; in the second
the object is some of the class of books.

2. *Mies ampui linnun*—The (a) man shot the bird (dead),
but *Mies ampui lintua siipeen*—The man shot the bird in the
wing (note the illative). Here, in the first sentence the
action affects the whole of the object and calls for the
accusative, while in the second it affects the object partially
and takes the partitive.

3. In a similar way, by treating some actions as only
partially affecting the object, Finnish can indicate an
incomplete or uncompleted action, and hence supply a
deficiency in its tenses as compared with English : *Tyttö
lakaisi lattian*—The girl swept the floor. But *Tyttö lakaisi
lattiaa*—The girl was sweeping the floor. While English
represents the uncompleted action through the form of the
verb, the Finnish, which has but one tense for ' swept ' and
' was sweeping ', indicates that the girl was part of the way
through the work by the partial object. With the present
tense, however, of the Finnish verb, the distinction can be
made between present and future action : the partial
object for present action, since one has not reached the
end of the work, that is, not affected the whole of the
object, and the total object for a future action, because one
can then consider the action as affecting the whole:
Kirjoitan kirjettä—I am writing a letter. But *Kirjoitan
kirjeen*—I shall write a (or the) letter. But the second
sentence can also mean ' I am writing a (or the) letter '
when there is particular emphasis on the object. In such
cases the context gives the key to which is meant.

4. The object of a negative sentence, or one expressing
doubt, is put in the partitive : *Tyttö ei lakaissut lattiaa*—
The girl did not sweep (was not sweeping) the floor.
En kirjoita kirjettä—I am not writing (or shall not write)
the (or a) letter. *Näettekö ketään?*—Do you see anyone?
But if the sentence is negative only in form and really
affirmative in meaning, then the object can be total :
Etkö lukein viisi kirjaa vuodessa?—Won't you read the five
books in a year?

Similarly, where the object is by its own nature or the
nature of the verb, or by any other circumstance, indefinite
or not completely concerned, it is put in the partitive:

I

Viisas ihminen työntää aina hullua edellään—The wise man always pushes a fool in front. *Hän soittaa pianoa*—She plays the piano. *Räätäli valmistaa pukuja*—The tailor makes suits (in general).

5. The accusative case has, as we have seen, the ending *-t* in the plural, the same as the nominative; in the singular, however, it has two forms, one without a suffix (i.e. like the nominative) and the other with the suffix *-n* (like the genitive). The latter is the form generally used for a total object in the singular. But a singular total object has the short form (unless, in modern Finnish, it is a personal pronoun, when it has the ending *-t*) where it is governed directly, or by means of an infinitive, by an imperative of the 1st or 2nd person *affirmative*, an *affirmative* passive verb, or an impersonal expression: *Tee se !*—Do that! *Lähettäkäämme poika kouluun!*—Let us send the boy to school. *Käske hänen tuoda kirja minulle!*—Tell him to bring the book to me. *Käske häntä tekemään se!*—Tell her to do it. *Se tehdään*—It is being done. *Minut otettiin ystävällisesti vastaan*—I was received kindly. *Täytyy tehdä se*—One has to do that. *Hänen täytyi maksaa eräs vanha velka*—He had to pay an old debt. *Jos paljon saa, niin enemmän ottaisi*—Much wants more (Give him an inch, and he takes a yard). *On aika tehdä se*—It is time to do that. *Paras on tehdä työ ajoissa valmiiksi*—It is best to get work done in good time. *Minun täytyi rientää viemään kirje postiin*—I had to hurry to take the letter to the post. *On aikomus mennä tekemään se*—It is intended to go and do that (there is an intention, etc.).

6. An object representing a distance covered, a length of time spent, or 'the . . . th time', expressed by the accusative, is similarly controlled by the rules above: *Pian oli kilometri kuljettu*—Soon we had walked a kilometre, or the kilometre was soon walked. *Siellä viivyttiin koko päivä*—We stayed there all day. *Kysy häneltä vielä kolmas kerta*—Ask him again a third time.

7. The complement of *ole-* serving as the subject of *salli-*, permit; *anta-*, let; and *käske-*, command, etc., is similarly, under the conditions described in 5 above, in the suffixless accusative: *Pojan käskettiin olla ahkera* (not *ahkeran*) —The boy was told to be diligent (see Note 11*f*).

8. But the object has the *-n* form if it is governed by:

(A) An infinitive with a personal suffix: *Minun täytyi rientää saadakseni kirjeen postiin*—I had to hurry to get the letter to the post.

(B) An active participle in a participial construction: *Miehen kerrotaan rakentavan (rakentaneen) itselleen uuden talon*—The man is said to be building (to have built) himself a new house.

(C) The partitive of the past participle passive in a temporal clause: *Talonväen avattua oven mies tuli huoneeseen*—When the people in the house had opened the door the man came into the room.

(iv) The predicate can also be either total or partial.

1. A total predicate (indicated by the nominative) is co-extensive, in the circumstances of the statement, with the subject: *Varpunen on lintu*—The sparrow is a bird. *Ystäväni on runoilija*—My friend is a poet. *Omena on makea*—The apple (individual or species) is sweet. *Huoneet ovat kylmät*—The rooms are cold (e.g. this morning). This is always the case with parts of the body or nouns of plural form and singular meaning: *Hänen silmänsä ovat siniset*—Her eyes are blue. *Häät olivat sangen komeat*—The wedding was very grand.

2. A partial predicate, on the other hand, relates the subject to a class, state, territory, etc., to which it belongs, or a characteristic, substance, abstraction, etc., under which it can be classed (cf. Note 3*b* vii): *Mies on suurta sukua*—The man is of a great family. *Varpuset ovat lintuja*—Sparrows are birds. *Hän oli toista mieltä*—She was of a different opinion. *Hän on maamme oppineimpia miehiä*—He is one of the most learned men in the country. *Kauneus on katoavaa*—Beauty is fleeting. *Tässä maailmassa suurin viisaus on hulluutta ja hulluus suurta viisautta*—In this world the greatest wisdom is foolishness and foolishness great wisdom. *Huoneet ovat kylmiä*—The rooms are cold (ones) (e.g. because they face north). *Se oli taistelu, sitä se oli*—It was a struggle, that (is what) it was. *Merkillistä, miten helposti ihminen unohti entiset haavansa*—Strange how the (a) man forgot his former wounds. An entire phrase as

subject usually has the predicative adjective in the partitive; an infinitive alone, however, has it in the nominative or partitive according to whether the concept is thought of as general and universal or as an instance of a class: *Autuaampi on antaa kuin ottaa*—It is more blessed to give than to receive. But *On suloista loikoilla rannalla*—It is delightful to lie (laze) on the beach (i.e. not lying about in all circumstances but in those referred to).

3. An objective predicate, which adds something to the meaning of verb and object where the verb indicates making, forming, changing, etc., can be in any object-case in accordance with the rules which have emerged above: *Puuseppä teki pöydän liian matalan*—The cabinet-maker made the table too low. *Laki säädettiin liian ankara*—The law was made too severe. *Juustot emäntä tekee hyviä*—The farmer's wife makes the *cheeses* good (ones) (her cakes are calamitous).

(*e*) Definite and indefinite. It will have been noticed that the case-ending often changes according to whether the word is definite (the) or indefinite (a, some). Before going into detail about this use of cases, let us consider other ways of making this distinction.

(i) Verbal stress can indicate a difference expressed in English by the use of ' a ' or ' the ', as in, for instance: *Rasia* on löytynyt—A box has been found. But Rasia on *löytynyt*—The box has been found. This stress or emphasis is not normally indicated in printed matter, and other things in the context have to show where the stress is intended to be;

(ii) but the order of words can often show where a definite subject (one with ' the ') and an indefinite subject (one with ' a ' or ' some ') is intended:

1. Generally speaking, to put a subject earlier gives it definiteness and corresponds to the use of ' the ' in English, while to put it at the end makes it more indefinite and corresponds to the use of ' a ' or ' some' in English. *Hevonen on pihalla*—The horse is in the yard. *Pihalla on hevonen*—There is a horse in the yard;

2. Similarly an object can be given this distinction by the order of words: *Kuka on unohtanut pöydälle kirjan?*—Who

has left a book on the table? *Kuka kirjan on pöydälle unoh-tanut?*—Who has left the book on the table?

3. The common element seems to be that the element which is unknown, indicated by ' a ' or ' some ', comes at the end or must be in some other position where it can receive some stress.

(iii) We will now consider conditions in which definiteness or indefiniteness can be expressed by a difference in case-ending.

1. With a suffixless active Infinitive I depending on an impersonal verb, a passive, or a 1st or 2nd person imperative, definiteness is implied by the genitive singular or plural and indefiniteness by the nominative or partitive singular or plural, as in the following examples: *Kuuman veden tulisi olla heti valmiina*—The hot water ought to be ready soon (at once). *Kuumaa vettä tulisi olla heti valmiina*—Some hot water ought to be ready soon. *Viiden suomalaisen osanottajan oli määrä saapua tänään*—The five Finnish participants intended to arrive to-day. *Tänään oli määrä saapua viisi suomalaista osanottajaa*—To-day five Finnish participants intended to arrive. *Näkötornin ei sopisi olla tässä*—The look-out tower should not be here. *Tässä ei sopisi olla näkötornia*—It would not be suitable to have a look-out tower here.

As in previous examples, the indefinite subject tends to be put at the end.

2. In the case of words which refer to paired articles, such as trousers and scissors, both nominative and partitive can indicate indefiniteness: *Saksien tulee aina olla tuossa laatikossa*—The scissors ought always to be in that drawer. But *Tuossa laatikossa tulee aina olla sakset* (or *saksia*)—There ought always to be some scissors in that drawer. *Sakset* here indicates ' a pair of scissors ' and *saksia* ' some (pairs of) scisssors '.

3. The participial constructions, too, which have been introduced in past grammatical notes (14*b* iv, 16*b* iv and 17*b* vi) as having an object of the main verb (which is at the same time the logical subject of a participle) in the genitive case, can also have this genitive replaced by a partitive where the sense of indefiniteness is required:

Näin vieraiden tulevan—I saw the guests arriving. *Näin tulevan vieraita*—I saw some guests arriving. *Huomasin veden valuvan katon rajasta*—I noticed the water running off the edge of the roof. *Huomasin katon rajasta valuvan vettä*—I noticed that some water was running off the edge of the roof *or* I noticed some water running, etc.

4. A similar distinction is observable in the direct object of verbs: with the active the accusative indicates definiteness and the partitive indefiniteness, with the passive the nominative-like accusative is the definite case, and again the partitive the indefinite: *Toin veden*—I brought the water, I have brought the water. *Toin vettä*—I brought (was bringing) some water. *Kahvi tarjotaan parvekkeella*—Coffee is served on the balcony. *Parvekkeella tarjotaan kahvia*—Coffee is being served on the balcony; On the balcony they are serving coffee. Here, although there is, in the first sentence of the pair no definite article with the word ' coffee ', the idea expressed is that of coffee in general. Considered thus, it is alone in its class: coffee, not for example tea or wine, and so has that uniqueness which leads some languages to give it the definite article, for example French ' *le* ' *café*, as opposed to ' *du* ' *café*, some coffee (see also Note 19*d* iii 2).

5. In a similar way the definiteness or indefiniteness of a subject can be expressed by a choice of case: *Riittikö vesi kaikille?*—Was the water enough for everybody? (i.e. was everyone satisfied?). *Riittikö kaikille vettä?*—Was water enough for everybody? (i.e. did no one want something different?, was there enough water . . .? was everyone satisfied with mere water?). *Veturin piipusta nousi oikeata savua*—Out of the engine's chimney there rose real smoke. *Savu nousi piipusta*—The smoke rose from the chimney. (Other examples are to be found in Notes 19*d* ii 1–4.)

Where a subject is qualified by a cardinal numeral, the verb in the singular indicates indefiniteness, in the plural definiteness: *Neljä Suomen edustajaa menestyi hyvin*—Four Finnish representatives did well. *Suomen neljä edustajaa menestyivät hyvin*—The four Finnish representatives did well.

6. Similar expressions, without a numeral, occur where

the subject is a noun used only in the plural, or in that sense only in the plural, or referring to paired objects or such as are met with in series or recognisable groups; but the noun is always in the nominative plural. *Kaupungissa on markkinat*—There is a fair (market) in the town. *Markkinat ovat kaupungissa*—The market is in the town. *Taloon tulee kesällä häät*—There is to be a wedding in the house in the Summer. *Häät tulevat olemaan kesällä*— The wedding is to be in the Summer. In these and similar expressions the verb comes before the subject and is in the singular where the subject is indefinite.

7. It will be remembered that where parts of the body are described as a possession the noun, whether singular or plural, is always in the nominative: *Hänellä on mustat silmät*—She has black eyes. Here there can, of course, be no question of indefiniteness. But where, with other paired objects, there can be a need of a distinction it can be expressed by the word-order, as we have seen: *Taskussani on kintaat*—There are (some) mittens in my pocket. *Kintaat ovat taskussani*—The mittens are in my pocket.

8. Where a thing spoken of is a part of something else, if the whole is indefinite the partitive is used, but if it is definite the elative: *Saat palasen juustoa*—You shall have a piece of cheese. *Saat palasen juustosta*—You shall have a piece of the cheese.

VOCABULARY

aikaan: *saan aikaan*, I bring . . . about, cause
aikomus -mukse- -muksen -musta, intention
alistu- alistun alistui alistua, submit
alue aluee- alueen aluetta, district, territory
ansa ansa- ansan ansaa, trap
arkkitehti arkkitehti- arkkitehdin arkkitehtia, architect
auringonpimennys -pimennykse- -pimennyksen -pimennystä, solar eclipse
avoimesti, openly
elävät, living (pictures) (i.e. cinema)
hakkata- hakkaan hakkasi hakata, chop, hack
hana hana- hanan hanaa, tap
harvapuheinen, taciturn

hoito hoito- hoidon hoitoa, care, attendance, nursing
homma homma- homman hommaa, work, effort
hämähäkki -häkki- -häkin -häkkiä, spider
istuskele- istuskelen istuskeli istuskella, sit, sit about
jakaja, divider, distributor
johtu- johdun johtui johtua, arise, issue, originate
jymähdys -dykse- -dyksen -dystä, clap, bang
jyrähdys (as *jymähdys*)
kaivos kaivokse- kaivoksen kaivosta, mine
kaksio -o- -on -ota, two-roomed flat
kartano -o- -on -oa, estate
kengittä- kengitän kengitti kengittää, shoe
kiiltävä, bright, shining
kohtele- kohtelen kohteli kohdella, treat, handle
kärsimättömyys -myyte- -myyden -myyttä, impatience
käytäntö käytäntö- käytännön käytäntöä, use, usage, practice
lahjainen (in compounds), gifted, talented
laihdutus -ukse- -uksen -usta, slimming
levoton, restless; uneasy
läpäise- läpäisen läpäisi läpäistä, penetrate, get through;
     läpäisen tutkinnossa, I pass an examination
löyty- löydyn löytyi löytyä, be found, exist
maljakko maljakko- maljakon maljakkoa, bowl
menesty- menestyn menestyi menestyä, succeed
merkityksellinen, significant
merkityksetön, insignificant
minne, whither; *ei minnekään*, nowhere, to no place
myöhästyttä- myöhästytän myöhästytti myöhästyttää, make late,
     delay
myöhäisyys, lateness
nenäliina (see *liina*), handkerchief
neuvottelu -lu- -lun -lua, council, conference
näkötorni (see *torni*), look-out tower
oire oiree- oireen oiretta, sign, symptom
osanottaja, partaker
osasto -to- -ton -toa, section, division
painautu- -udun -utui -utua, press oneself
parveke parvekkee- parvekkeen parveketta, balcony, gallery
pata pata- padan pataa, pot
patja patja- patjan patjaa, mattress
pila, injury, damage; fun, joke; *menen pilalle*, I get ruined

puoleinen, situated on the side, facing . . .; fairly
riippumattomuus -uute- -uuden -uutta, independence
runoilija, poet
salama salama- salaman salamaa, lightning
selostus selostukse- selostuksen selostusta, report
siipi siipe- siiven siipeä, wing
sijoita- sijoitan sijoitti sijoittaa, place, invest
sitävastoin, on the other hand
sotaväki (see *väki*), the military, soldiers
supina -na- -nan -naa, whispering, mumbling
säätä- säädän sääti (or *sääsi*) *säätää*, ordain, prescribe,
   institute
säännöstele- säännöstelen säännösteli säännöstellä, regulate
sääntö sääntö- säännön sääntöä, rule, regulation
taaksepäin, backwards
tahdoton tahdottoma- tahdottoman tahdotonta, having no will
   of one's own
tanssi tanssi- tanssin tanssia, dance
tarjoile- tarjoilen tarjoili tarjoilla, serve (up), help
tarkoitta- tarkoitan tarkoitti tarkoittaa, mean, aim at
tilata- tilaan tilasi tilata, order
tili tili- tilin tiliä, account, payment
tunne tuntee- tunteen tunnetta, feeling, sensation
turva turva- turvan turvaa, protection, safety, shelter
ukkosilma (see *ilma*), thunder-storm
vaistomaisesti, instinctively
valhe valhee- valheen valhetta, lie, (in compounds) pseudo
valu- valun valui valua, flow, drop
vanhaan: ennen vanhaan, formerly, once
varoitta- varoitan varoitti varoittaa, warn
vesihana (see *hana*), water-tap
viitsi- viitsin viitsi viitsiä: en viitsi, I am too lazy to . . .
viivyttä- viivytän viivytti viivyttää, delay, detain
vuoro vuoro- vuoron vuoroa, turn; spell, time
yksinäinen, single, isolated, solitary
yllättä- yllätän yllätti yllättää, take by surprise, overtake,
   surprise
ymmärrettävä, comprehensible
ymmärtäväinen, sensible, reasonable
äkisti, suddenly
ääripiirre (see *piirre*), outline

EXERCISE

1. Mitähän nyt kotona sanottaneen? 2. Koulussa istuttiin kolme tuntia. 3. Pata pestiin. 4. Häntä pidettiin vähälahjaisena. 5. Kaikki hyvät paikat on jo täytetty. 6. Koneet asennettaneen paikoilleen syksyyn mennessä. 7. Pienessä hovissa elettiin tarkoin säännösteltyä elämää. 8. Taiteilija lähti aamulla linja-autolla jatkamaan matkaansa eikä hänestä sen jälkeen kuultu milloinkaan mitään. 9. Maksu otettiin etukäteen. 10. Se on ensimmäinen avoin kaivos, mistä timantteja ruvettiin kaivamaan kaupungin alueella. 11. Asiasta käytiin pitkä kirjeenvaihto Kiven ja Emmanuel-veljen välillä. 12. Tämä osastomme on varattu lukijoillemme. 13. Näin on eletty ja asuttu ennenkin. 14. On väitetty, että näistä töistä puuttuu rakkaus. 15. Lapset on saatu puetuiksi ja heidät on kukin vuoronsa jälkeen noudettu kotiin. 16. Kymmenen vuotta sitten oltiin sitä mieltä, että laihduttaminen piti suorittaa hitaasti ja varovaisesti. 17. Hevosta ei ole edes kengitetty. 18. Niin minulle oli aikaisemmin vakuutettu. 19. Kyllä hän tiesi, ketä virressä tarkoitettiin. 20. Loppuun asti täytyy, kun kerran aloitettu on. 21. Kerran hän oli vilkaissut häneen, silloin kun oikeuden päätös luettiin. 22. Niin päästiin pikemmin loppuun. 23. Mies oli kaksi päivää sen jälkeen viety takaisin. 24. Poltettiin oikeita englantilaisia savukkeita. 25. Ei puhuttu, odotettiin vain. 26. On ruvettu puhumaan johtavista kirjailijoista. 27. Mitähän tuolla mahdetaan tarkoittaa? 28. Tärkeätä on, että hänestä ei anneta yleisölle väärää kuvaa.

READING

Sanomalehti

Eeva istui teatterissa ja kuunteli orkesteria silmät suljettuina. Mutta vaikka hän pitikin silmät kiini, saatoi hän ajatuksissaan nähdä oman pikku huoneistonsa. Oikeastaan oli miltei ylellisyyttä, hän mietti, että hänellä, yksinäisellä naisella, oli kokonaista kaksi huonetta. Kun hän muutti kaksioonsa, rauhoitti hän levotonta omaatuntoaan sillä, että voisihan hän vaikka ottaa toverin toiseen huoneeseen. Mutta eihän sitä kuitenkaan tullut otetuksi:

oli paljon mukavampi olla omassa rauhassaan. Ei tarvinnut tehdä tiliä kenellekään olostaan, ei silti, että siinä mitään salaamista olisi ollut, mutta kun hän oli niin tottunut yksinäiseen ja itsenäiseen elämäänsä.

Kun toimisto suljettiin kello puoli kuudelta, hänellä oli ihanaa vapaata aikaa nyt, kun hänen tutkintonsa läpäistyään ei tarvinnut enää lukea. Päivällisen jälkeen päivät eivät kuluneet aina samaan tapaan: joskus pistäytyi toimistotovereita vieraisille, joskus mentiin kävelemään, poikettiin johonkin kahvilaan juomaan teetä ja tutkittiin kauan ruokalistaa, kunnes kumminkin aina päädyttiin johonkin salaattiin. Tai sitten poikettiin elokuviin, mutta oikeastaan käytiin mieluummin konserteissa, oopperassa tai, kuten nytkin, teatterissa. Tai ellei hän viitsinyt minnekään mennä, hän istuskeli kotona, luki englantilaista kirjallisuutta tai kuunteli radiota.

Sunnuntaisin joskus maattiin myöhään, joskus tuli kutsu maalle, joskus mentiin suomalaisten pieneen kirkkoon. Tansseihin mentiin harvoin. Hän oli tyttö, jonka kanssa saattoi keskustella, tanssit olivat toisenlaisia tyttöjä varten. Ei Eeva tanssinutkaan hyvin.

Kerran hänet kutsuttiin johtajan kanssa illallisille. Johtaja ilmoitti, että ne olisivat pienet, vain muutamia hyviä ystäviä oli kutsuttu uuteen kotiin. Muuan kartano oli myyty ja rahat sijoitettu pieneen taloon, jossa nyt illalliset pidettiin.

Piiroinen tanssi omalla tyylillään, eikä Eeva suoraan sanoen voinut seurata kavaljeerinsa liikkeitä. Hän ei voinut tahdottomana alistua toisen tahtoon. Senvuoksi he mieluumin keskustelivat. Eeva sanoi itselleen, ettei sitäpaitsi tanssimalla saavuteta onnea. Oliko hän siis onnellinen? Ennen hän oli, ellei nyt juuri onneton, niin ehkä hieman yksinäinen. Nyt sitävastoin hän oli onnellisempi. Häntä odotettiin, tarvittiin. Mutta entä riippumattomuus? Viime aikoina hän ei ollut sitä ajatellut. Elämä tuntui hänestä tosiaankin yksinkertaiselta, hyvin yksinkertaiselta—monen monta kuukautta. Eevalla ei kerta kaikkiaan ollut mitään syytä tuhlata ajatuksiaan miehille.

Herra Piiroinen ei puhunut enää entisestä vaimostaan. Eikä johtajaa voisi sanoa muuksi kuin harvapuheiseksi . . .

Musiikki vaikeni, kello soi ja väliverho nousi.

Ladossa ukkosen jyrähdys keskeytti tärkeän toimituksen, kahvin kaatamisen.

»Tässä on viimeinen pieni pisara» sanoi Mikko. Hän vilkaisi pienestä ikkunasta harmaalle taivaalle. »Sataa vielä.»

»Antaa sataa. Selitähän mistä johtuu, että niin avoimesti kuin puhutkin työstäsi, olet niin harvapuheinen, kun tulee puhe muista asioista?—aivan kuin et tahtoisi puhua etkä edes ajatella eräitä asioita . . .»

»En oikein ymmärrä,» Mikko sanoi otsaansa rypistäen.

»Etpä tietenkään. Ennen vanhaan ymmärsit minua hyvin.»

»Puhuit kai silloin ymmärrettävämmin . . .»

»Niinpä tietenkin, koska minua kohdeltiinkin ymmärtäväisemmin.—Sano, etkö ajattele mitään muuta kuin työtä ja . . . ehkä . . . Eevaa?»

Mikko tuijotti kenkiään, mutta ei sanonut mitään.

Irja tunsi veren nousevan kasvoihinsa, mutta Mikko ei sitä huomannut ladon hämärässä: »Muistan kaikenlaista, mitä sinusta ja hänestä kerrottiin—rakastatko Eevaa?»

Mikko nousi seisomaan, oli kauan vaiti ja sanoi sitten: »Rakkaudesta ei puhuttu koskaan.»

Irja huoahti ja sanoi sitten, kuin ajatuksiinsa vaipuneena: »Onko kaikki ennakolta määrätty?»

Hieman hämmästyneenä Mikko vastasi: »En tiedä . . . en ole sitä koskaan ajatellut. Usein sanotaan, että jos vain olisi tehty tällä tavoin, niin tulos olisi ollut aivan toisenlainen . . . mutta niin vain on, ettei sitä tullut tehdyksi. Kuka voi sanoa, että todella olisi voitu tehdä muuta? Eihän voi mennä taaksepäin, kääntyä vasemmalle siellä, missä on jo käännytty oikealle. Tietysti sanotaan, että itse olemme päättäneet tehdä niin ja niin, mutta mitä tahansa päätettiinkin, voidaan aina väittää, että kaikki on ennakolta määrätty, eikä kukaan voi todistaa sitä valheeksi . . . Tulos on sama, teimmepä niin tai näin . . .»

»Mutta katsohan esimerkiksi tuota hämähäkkiä—» Irja nousi nyt hänkin ja osoitti sormellaan eläintä »—jos puhallan sen oikealle enkä vasemmalle, onko sekin ennakolta määrätty?»

»En tiedä, mutta olen aivan varma siitä, että elämän

pääpiirteet on ennakolta määrätty. Teot lienevät kahdenlaisia: merkityksellisiä ja merkityksettömiä. Jos esimerkiksi—» hän hymyili ja otti nenäliinan esille »—niistän nenäni . . .» Sade kiihtyi äkisti. Huh, salama! . . . ja niin peloittava jyrähdys! Irja tarttui vaistomaisesti Mikon käsivarteen ja painautui häneen kuin turvaa etsien. Häntä peloitti. Mikko katsahti alas Irjan kasvoihin, hymyili ja jatkoi: »—se on merkityksetöntä. Mutta jos minä esimerkiksi . . .» Hän vaikeni. Irja katseli häntä kirkkain silmin.

Mikko huomasi tarttuneensa ansaan. Olihan häntä varoitettu jo ennen. Tässä olivat tulokset. Hän jatkoi siis: ». . . jos minä esimerkiksi huomautan, että taivas on jo kirkkaampi, onhan sillä jo merkitystä . . . Kuulehan, ystäväni on jo kai saanut tietää, että olemme käyneet häntä tapaamassa. Sade näyttää olevan pian ohi. Lähdetään siis, on jo myöhäistä.» Mikko vilkaisi rannekelloaan.

Irja ei osoittanut mitään kärsimättömyyden oireita, ennenkuin Mikko sanoi olevan jo myöhäistä. Nyt sitävastoin hän sanoi: »Lähdetään vain, mitähän nyt kotona mahdetaan sanoa? Ja mitä sitten sanottaisiin (see Note 20*a*), jos Mikko-parka myöhästyisi päivälliseltä?»

Päästyään ladosta ulos he huomasivat taivaan jo selkenevän. Mutta Mikko oli jostakin syystä alakuloinen. Hän ei voinut selittää itselleenkään, miksi.

. . . . . .

Samaan aikaan kuin nuoret lähtivät ladosta, oli kotona käynnissä perheneuvottelu.

Ruokakello soi aina kaksi kertaa pitkään: ensimmäisen kerran kymmenen minuuttia ennen aterian alkua ja toisen kerran vähän ennen kuin ruoka kannettiin pöytään. Niin oli lapsille useammin kuin kerran opetettu.

Pöytä oli katettu ja ruoka oli jo valmista, mutta Mikkoa ja Irjaa ei löydetty mistään. Heitä odotettiin vähän aikaa vieraan kunniaksi. Keittiöstä kuului supinaa. Sitten oveen koputettiin ja tädille ilmoitettiin, että ruoka menee pilalle, jos se on vielä kauemmin uunissa. Täti käski tarjoilla. Ovi suljettiin, mutta avattiin jälleen hetken

kuluttua ja kysyttiin, tulevatko Irja ja Mikko, niin ruoka
pidettäisiin heitä varten lämpimänä.	Istuuduttiin pöytään.
Ukkosilma on viivyttänyt heitä, arvelivat kaikki.	Sille
ei voi mitään.

»Kuinka he voivat lähteä näin kauaksi aikaa ilmoit-
tamatta, mihin aikaan aikoivat palata?» äiti sanoi.

»Niin, kuinka todella,» sanoi Kaarina, »mutta nykyään
voidaan niin paljon!	Mennään vain, eikä minulle sanota
mitään.»

Aterian jälkeen noustiin pöydästä ja asetuttiin kuisti-
kolle, josta avautui suurenmoinen näköala etelään päin.
Neuvottelu aloitettiin.

Muutamia minuutteja myöhemmin tyttö huomasi keittiön
pohjoisenpuoleisesta ikkunasta kaksi väsynyttä, nälkäistä
ihmistä : Mikon ja Irjan.

»Päivällinen on jo ohi,» ilmoitti tyttö, »eikä uutta
anneta—mutta jos menette olohuoneeseen, ehkä löydän
teille jotakin.	Perhe on kuistikolla.»

Heidän saapumistaan kuistikolle tervehdittiin kärsi-
mättömin huudoin :

»No, mutta täällähän te olettekin!»

»Ei kai vain mitään ole tapahtunut?»

»Myöhästyitte päivälliseltä!»

»Kanadasta on kirjoitettu!»

Mikko otti kirjeen ja repäisi kuoren auki.	Kaikki
suuntasivat katseensa Mikkoon.	Tämä seisoi tuijottaen
kirjeeseen, astui sitten äidin luo, suuteli häntä ja huudahti :

»Minun suunnitelmani on voittanut!»

.	.	.	.	.	.

Eräänä iltana Eeva kuuli puhelimen helähdyksen juuri
saapuessaan pienen kaksionsa ovelle ja etsiessään avainta
käsilaukustaan, mutta hänen päästyään vihdoin sisään
oli puhelin jo lakannut soimasta.	Toivottavasti se soi
uudelleen, sanoi hän itsekseen ja meni kylpyhuoneeseen.
Illalla hän oli lähdössä vieraisille, ja pian kuului kylpy-
huoneesta kuuman veden kohinaa ja iloista laulua.	Kerran
Eeva oli kuulevinaan ovikellon soivan.	Hän sulki vesi-
hanan ja meni pieneen eteiseen.	Sisään työnnettiin
sanomalehti.	Kummaa, että sanomalehdenjakaja soitti
kelloa, ei se ollut hänen tapansa.	Lienee uusi jakaja . . .

Hän meni takaisin kylpyhuoneeseen eikä ajatellut enää lehteä. Pukeuduttuaan huolellisesti ja tilattuaan auton hän nosti lehden lattialta ja pani sen hätäisesti pöydälle. Se oli Helsingin lehti. Joku hänen suomalaisista tuttavistaan oli ilmeisesti tuonut sen.

Oli jo myöhäistä, kun hän vihdoin palasi kotiin, ja vasta seuraavana aamuna, lauantaina, tiesi hän vihdoin, miksi sanomalehti oli tuotu. Bussissa Eeva miltei huudahti hämmästyksestä, kun hän näki Mikon kuvan lehdessä. Kuvan rinnalla oli piirros jostakin suurenmoisesta rakennuksesta, selostus kilpailusta ja kirjoitus Mikosta, Suomen loistavasta nuoresta arkkitehdista.

Mutta kuka tiesi, että Eeva ja Mikko olivat . . . olleet hyviä ystäviä . . .?

LESSON TWENTY

GRAMMATICAL NOTES

(*a*) The PASSIVE CONDITIONAL PRESENT is formed, in the affirmative, by adding to the passive stem the sign of the conditional -*isi*-, then lengthening the final -*i*- and adding -*n*. Thus from the stem *sano*- with the passive stem *sanotta*- we get *sanottaisiin*: *Mitä sitten sanottaisiin?*—What would be said then?

In the negative the verb of negation *ei* is used with the passive conditional stem, that is, the passive stem plus the conditional sign: *ei sanottaisi mitään*, nothing would be said.

(*b*) The PASSIVE CONDITIONAL PAST is formed analogously to the other compound tenses: in the positive with the positive conditional of *ole*- and the passive past participle and in the negative with the negative conditional of *ole*- and the same participle: *olisi menty*, they, one, etc., would have gone; *ei olisi menty*, they, etc., would not have gone.

(*c*) The IMPERATIVE or OPTATIVE PASSIVE is formed in the affirmative from the passive stem with the suffix as for the 3rd person imperative (or optative) of the indicative: *luvattakoon*, let it be promised, be it promised; and in the negative with the imperative (or optative) of the negative verb and the passive stem with the suffix -*ko* -*kö*: *älköön puhuttako*, let there be no speaking.

(*d*) The PASSIVE INFINITIVES are found in the form of the inessive of Infinitive II, e.g. *saataessa*, *syötäessä*, and the instrumental of Infinitive III, e.g. *puhuttaman*. It will be seen that the passive stem simply replaces the active stem in these forms.

(*e*) SUFFIXED PARTICLES have been met with in the reading pieces; let us now assemble them in a list. They all add something to the meaning of the word to which they are attached, but not always in a way that can be readily classified grammatically: rather do they add emotional elements to the meaning. They are:

1. *-han -hän*, which lends emphasis to a word: *Tuoltahan hän tulee.* But (or it is obvious, or plain) *there* he comes. *Otathan vielä?*—You will take more, won't you? *Astuhan syrjään*—Just step aside. Here the addition makes the imperative less abrupt, as does the word ' just ' in the English.

2. *-ka -kä*, is added:

(i) To relative and interrogative pronouns which would otherwise be one-syllabled: *mikä*, *kuka*, and *joka*. In this case they are not optional, but they can also be added optionally to such pronouns where they are of more than one syllable, and the effect is to make them sound less abrupt: *mitenkä käännätte tämän?* ' I say, how do you translate this? '

(ii) To the verb of negation, where it has the force of ' and ': *enkä*, and not I, and I . . . not, nor I, nor do I, etc. *Annoimme hänelle lahjaksi nuken, emmekä luulleet hänen siitä pahastuvan*—We gave her a doll for a present, and we did not (or: nor did we) think she would take it amiss. A similar case is *sekä*, a conjunction meaning ' and ', used also in the paired form *sekä . . . että*, both . . . and: *Tämä on sekä vanha että hyvä*—This is both old and good.

(iii) To elements from which it can no longer, or only conjecturally, be separated: *ehkä*, perhaps, is an instance. Here the first element may be the same as that in *että*, that, *ellen*, if I . . . not, unless I . . ., and the older *es* for *jos*, if.

3. *-(k)aan -(k)ään* is a strengthening syllable added to:

(i) indefinite pronouns in negative and dubitative sentences: *ei kukaan*, *ei ketään*, etc., as in *En minä löytänyt sitä mistään*—I did not find it anywhere.

(ii) To other words in the sense of ' even ': *Hän oli pahalla tuulella, eikä hän koettanutkaan salata sitä itseltään*—She was in a bad humour, nor did she even try to hide it from herself. *Ainakaan*, at least; *kuitenkaan*, however.

K

4. *-kin* added to words in affirmative sentences is similarly
a strengthening element and is used in ways corresponding
to the negative *-kaan -kään*: *jokin*, something, anything;
kukin, each one, everyone; *jotakin*, something; *kenellekin*,
to someone, etc.; *ainakin*, at least; *kerrankin*, just for once,
etc., and it often takes the place of *ja*, and, when it can be
attached to any word, according to the sense. This word
then gains the emphasis.

5. *-ko -kö* is the interrogative particle, attached to that
word in the sentence about which the question is asked:
Tuleeko hän huomenna?—Is he coming to-morrow? *Hänkö
tulee huomenna?*—Is *he* coming to-morrow? *Huomennako
hän tulee?*—Is he coming *to-morrow?*

6. *-pa -pä* is attached to a word to lend it emphasis,
especially where contradiction is needed: *En minä sitä sano-
nut.—Sanoitpa.* I did not say that!—Oh, yes, you did!

7. *-s* is added to various types of word in conversation,
particularly in familiar speech. It seems to have no
important significance apart from softening speech;
and it is often attached to other suffixed particles. *Ajatel-
kaapas!*—Just think! *Minkäs sille voi!*—What can one do
about it?

(*f*) WORD-MAKING. It will have been observed that the
Finnish language is particularly rich in formative suffixes
which modify the meaning of a word and thus make a new
word for a different concept. Some of these have been
introduced in the readings or grammatical notes. A
fuller list follows, but it does not by any means exhaust the
subject: the less frequent suffixes are not included, nor
such as are not nowadays felt to be suffixes, although
grammarians recognise them.

(i) The following produce substantives:

1. *-ja -jä* added to verb-stems (a final *-e-* is changed to
-i-) gives the name of the agent, the doer of the action:
laula-, sing; *laulaja*, singer; *teke-*, make, do; *tekijä*, maker,
author.

2. *-ri* added to various stems also indicates an agent:
muurata-, lay bricks, etc.; *muurari*, bricklayer, mason;
aja-, drive; *ajuri*, driver; *petturi*, cheat.

3. *-ma -mä* (the 3rd infinitive) gives an action or the result of an action: *sanoma*, tidings, report; *elämä*, life.

4. *-minen* (the 4th infinitive) makes a noun from a verb stem: *juominen*, drinking; *käveleminen*, strolling.

5. *-nta -ntä*, *-nto -ntö*, *-nti*: *oppi-*, learn; *opinto*, (subject of) study; *tuo-*, bring; *vie-*, take, carry; *tuonti ja vienti*, import and export.

6. *-i*: *anta-*, give; *anti*, present, gift; *muista-*, remember; *muisti*, memory; *oppi-*, learn; *oppi*, doctrine.

7. *-o -ö*: *teke-*, make; *teko*, action, deed, work; *luettele-*, enumerate; *luettelo*, list; *näke-*, see; *näkö*, sight, view.

8. *-u -y*: *luke-*, read; *luku*, reading, chapter, number; *näke-*, see; *näky*, a sight, appearance.

9. *-os -ös*: (stem *-okse- -ökse-*) *-us -ys* (stem *-ukse- -ykse-*) added to verb-stems: *kaivata-*, dig; *kaivos*, mine; *laita-* make ready; *laitos*, institute; *teke-*, make; *teos*, work; *järjestä-*, put in order; *järjestys*, order; *lupata-*, promise; *lupaus*, a promise.

10. *-us -ys*, *-uus -yys* (stem *-ute- -yte-*, *-uute- -yyte-*) added to adjective-stems: *vapa*, free; *vapaus*, freedom, *leveä*, broad; *leveys*, breadth; *hyvä*, good; *hyvyys*, goodness; *suuri*, great; *suuruus*, greatness, size; *mahdollinen*, possible (stem *mahdollise-*); *mahdollisuus*, possibility.

11. *-na -nä*: *kohise-*, roar, rush; *kohina*, roaring noise, rushing; *rähise-*, make a noise; *rähinä*, noise.

12. *-in -ime-* indicates an instrument or tool: *avata-*, open; *avain*, key; *puhele-*, talk, speak; *puhelin*, telephone.

13. *-la -lä* indicates 'place where . . . lives' and similar concepts: *pappi*, clergyman; *pappila*, vicarage; *sairas*, ill (stem *sairaa-*); *sairaala*, hospital; *kahvila*, café; *ravinto*, nourishment; *ravintola*, restaurant.

14. *-(i)sto -(i)stö*, *-(i)kko -(i)kkö*: *laiva*, ship; *laivasto*, fleet; *kirja*, book; *kirjasto*, library; *mänty*, pine; *männistö* or *männikkö*, a pine wood; *pensas*, bush (stem *pensaa-*); *pensasto* or *pensaikko*, shrubbery, thicket.

15. *-nen (-se-)* is a diminutive and also forms family names: *poika*, boy; *poikanen*, little boy; *karhu*, bear; *rouva Karhunen*, Mrs. Karhunen.

16. *-tar -tär* (stem *-ttare- -ttäre-*) forms feminine designations: *laulaja*, singer; *laulajatar*, woman singer; *kuningas*, king; *kuningatar*, queen.

17. *-lainen -läinen* (stem *-laise- -läise-*) indicates 'dweller in', 'belonging to', etc.: *suomalainen, kyläläinen, maalainen, koululainen*.

18. *-llinen*, -full; *kupillinen*, a cupful.

(ii) The following produce adjectives:

1. *-inen* (stem *-ise-*) indicates 'made of', 'covered with', 'belonging to', 'having the characteristics of', etc. (no softening of consonants takes place before it): *aika*, time; *aikainen*, early, timely; *puu*, wood, timber; *puinen*, wooden (note diphthong); *rauta*, iron; *rautainen*, iron, of iron.

2. *-llinen* (stem *-llise-*) signifies 'possessing', 'pertaining to', 'of the nature of', etc. (the first *-l-* softens preceding consonants regularly): *onni*, happiness, fortune; *onnellinen*, happy, fortunate; *perhe*, family; *perheellinen*, domestic; *tapa*, custom; *tavallinen*, customary.

3. *-isa -isä* expresses 'rich in,' 'full of', etc.: *kala*, fish; *kalaisa*, rich in fish; *kuuluisa*, famous; *leikki*, game, sport, fun; *leikkisä*, playful.

4. *-kas -käs* (stem *-kkaa- -kkää-*) is similar in use: *vara*, means, funds; *varakas*, well-to-do; *voima*, strength; *voimakas*, powerful; *ääni*, sound; *äänekäs*, noisy; *ikä*, age; *iäkäs*, aged (note the softening of *-k-* in *ikä* due to *-k-* of *-kk-*, itself softened by *-s*).

5. *-va -vä*, with a similar meaning: *liha*, flesh; *lihava*, fleshy.

6. *-ton -tön* (stem *-ttoma- -ttömä-*) means 'lacking in', 'deficient in': *kala*, fish; *kalaton*, without fish, denuded of fish (see Lesson 12).

7. *-hko -hkö* moderates the force of an adjective: *pieni*, small; *pienehkö*, smallish; *laiha*, lean; *laihahko*, rather thin; *pyöreä*, round; *pyöreähkö*, plump.

8. *-mainen -mäinen* (stem *-maise- -mäise-*) means 'resembling', 'reminding of', etc.: *poika*, boy; *poikamainen*, boyish; *tyttö*, girl; *tyttömäinen*, girlish.

9. *-lainen -läinen* (see i 17 above) also makes adjectival forms: *eri*, separate; *erilainen*, special; *toinen*, second, other; *toisenlainen*, of another sort.

(iii) The following form verbs:

1. *-ta- -tä-* or *-tta- -ttä-* is causative and factitive: *nouse-*, rise; *nosta-*, raise; *kulta*, gold; *kullata-*, gild; *syö-*, eat; *syöttä-*, feed, give food to.

This syllable also expresses 'change to', 'supply with', etc.: *helppo*, easy; *helpotta-*, facilitate, make easy; *kansa*, people; *kansoitta-*, populate.

2. *-u- -y-*, *-tu- -ty-*, *-utu- -yty-*, *-ntu- -nty-* (sometimes with a lengthening of the preceding vowel) form reflexive, intransitive, passive verbs and verbs indicating a change of state: *näke-*, see; *näky-*, appear, seem; *kuule-*, hear; *kuulu-*, be heard; *sairas*, ill; *sairastu-*, become ill; *lisä*, addition; *lisäyty-*, increase; *tasa*, level, even; *tasaantu-*, become level, steady.

3. *-ele-*, *-ntele-*, *-skele-*, *-skentele-* form verbs indicating a frequent, repeated or continuous action (note that the infinitive ending *-ta -tä* amalgamates with the *-le-* of the stem to form *-lla -llä* and the *-nt-*, being then at the beginning of a closed syllable, is softened to *-nn-*, so that the infinitive ending is *-nnella -nnellä*): *juokse-*, run; *juoksentele-* (also *juoskentele-*) *juoksennella*, run about; *souta-*, row; *soutele-*, row about, go rowing.

4. *-ahta- -ähtä-*, *-ahtu- -ähty-*, *-aise-* make verbs indicating actions of a momentary or sudden nature: *naura-*, laugh; *naurahta-*, burst into laughter, give a laugh: *pysy-*, stay; *pysähty-*, stop suddenly.

5. *-ksu- -ksy-* or *-ksi-* make verbs expressing how a thing is considered, what opinion is held of it: *hyvä*, good; *hyväksy-*, approve, commend; *halpa*, mean, slight, cheap; *halveksi-*, despise, disdain.

(iv) The following form adverbs:

1. *-kkain -kkäin*: *jälke-*, trace, track; *jäljekkäin*, one behind another; *käsi*, hand; *käsikkäin*, hand in hand; *rinta*, breast; *rinnakkain*, abreast, side by side.

2. *-lti*: *laaja*, wide, extensive; *laajalti*, extensively, broadly; *niukka*, scanty, slight; *niukalti*, scantily, sparsely, niggardly.

3. *-nne*: *jo-*, some-, *jonne*, to where, whither; *mi-*, what, *minne*, to what, whither; *se*, that, *sinne*, thither.

4. *-oin -öin*, *-en*, *-n*: *ennen*, before (cf. *ensi*, first; *entinen*,

former); *jolloin*, when, at what time, as; *milloin*, at what
time; *silloin*, at that time, then; *silloin tällöin*, now and
then; *vasten*, against, towards; *äsken*, just now, recently.

5. *-sti*: *hyvä*, good; *hyvästi*, well; *helppo*, easy; *helposti*,
easily; *tietty*, known; *tietysti*, of course; *kahte-*, two;
kahdesti, twice.

6. *-itellen*: *yksitellen*, one by one, singly; *kolmitellen*,
three at a time, by threes; *vähitellen*, little by little.

7. *-ten*: *miten*, in what way; *samaten*, in the same way;
täten, in this way; *tietenkin*, certainly, surely; *muuten*,
otherwise.

8. *-ttain -ttäin*: *eri*, separate; *erittäin*, especially; *nimi*,
name; *nimittäin*, namely, that is to say; *vertata-*, compare;
verrattain, in comparison; *äskettäin*, recently; *päivittäin*,
daily; *kymmenittäin*, by tens.

9. *-tusten -tysten*: *lähetysten*, close to one another; *perä*,
end, back; *perätysten*, end to end; *loma*, interval; *lomatus-
ten*, at intervals from each other; *limi*, overlap; *limitys-
ten*, overlapping.

In addition to the above and those in which no separable
elements are distinguishable, substantives in various
cases also form adverbs (see Note 12*f*).

(v) Word-combination is used to make various kinds of
compound words, with or without a hyphen, and the first
element, if a noun, may be in the nominative or some
other case. Examples of compound words are, with the
first element in the nominative: *kirjakauppa*, bookshop;
erimielinen, of a different opinion, dissenting. But note
that where the first element has a stem in *-se-* this stem
is used in the compound without the final *-e-*: *nainen*,
woman; *henkilö*, person; *naishenkilö*, a female, a female
person; *suomalais-englantilainen sanakirja*, Finnish-English
dictionary.

Genitive: *maantie*, highroad; *todennäköinen*, probable
(*tote-*, true, truth; *näköinen*, in appearance); *toisenluontoinen*,
of a different nature; *talonpoika*, peasant; *uudenaikainen*,
modern.

Illative: *päähänpisto*, idea, caprice; *toimeentulo*, living,
subsistence; *asiaankuuluva*, to the point; *vastaanotta-*, receive

Elative: *maastamuutto*, emigration.

Adessive: *edelläkävijä*, predecessor; *edellämainittu*, aforementioned (*mainita-*, mention).

Allative: *päällekirjoitus*, superscription; *allekirjoitta-*, sign, subscribe.

Sometimes an otherwise meaningless syllable or more is added to a word to strengthen it: *täysi* full, *täpötäysi* crammed; *vieras* stranger, *ventovieras* complete stranger.

Note that where the first element of a compound is a word which is used otherwise in the plural only, the singular is used in the compound: *hääpäivä*, wedding day; *häät*, wedding; *markkinaväki*, market folk; *markkinat*, market; *väki*, folk.

Compound verbs are rare.

VOCABULARY

aivot (plural noun), brain(s)
edestakaisin, back and forth, up and down
eilinen (in compounds *eilis-*), yesterday, of yesterday
epäröi- epäröin epäröi epäröidä, hesitate, be in doubt
eräänlainen, a kind of
hangoittele- hangoittelen hangoitteli hangoitella, rub, grate;
    hangoittelen vastaan, I oppose
hissi hissi- hissin hissiä, lift, elevator
itsekukin, every one
iänikuinen, everlasting, eternal
juhlameno (see *meno*), ceremony
juonne juontee- juonteen juonnetta, line
kas niin!, well done!
kaupunginvaltuusto -to- -ton -toa, town council
kielimies (see *mies*), linguist
kiiltä- kiillän kiilti (or *kiilsi*) *kiiltää*, shine, glitter
kohtaus kohtaukse- kohtauksen kohtausta, meeting, encounter;
    event
koneellinen, mechanical; *koneellisesti*, mechanically
konjakki konjakki- konjakin konjakkia, brandy, cognac
kosteus kosteute- kosteuden kosteutta, damp(ness)
käytävä -vä- -vän -vää, passage; *katukäytävä*, pavement
lavertele- lavertelen laverteli laverrella, chatter
leimahta- leimahdan leimahti leimahtaa, flame, blaze
levottomuus -muute- -muuden -muutta, restlessness, anxiety

louhi- louhin louhi louhia, break, dig, quarry
lukuunottamatta, without taking into account, except
luopu- luovun luopui luopua, give up, relinquish
lämmittele- lämmittelen lämmitteli lämmitellä, warm oneself
masentava, depressing, discouraging
meikäläinen, one of us, a countryman of ours, our sort
myöten, up to, until, according to
määrätietoisesti, conscious of one's aim or purpose
nappula -la- -lan -laa, button, peg
neiti neiti- neidin neitiä, Miss
nukke nukke- nuken nukkea, doll
pakotta- pakotan pakotti pakottaa, force, enforce; ache
palkinto palkinto- palkinnon palkintoa, reward, prize
pohti- pohdin pohti pohtia, reason about; winnow
punastu- punastun punastui punastua, grow red
raoitta- raoitan raoitti raoittaa, open a little
riitele- riitelen riiteli riidellä, quarrel, dispute
salattu salattu- salatun salattua, hidden, concealed
samannäköinen, looking the same, similar in appearance
seteli seteli- setelin seteliä, bank-note
suupieli -piele- -pielen -pieltä, corner of the mouth
tahti tahti- tahdin tahtia, beat, time, tempo
taivuttelut, persuasions
tinki- tingin tinki tinkiä, bargain for
tohti- tohdin tohti tohtia, dare
toisin, in another way, otherwise
tunnelma -ma- -man -maa, sentiment
vaikutta- vaikutan vaikutti vaikuttaa, have effect on, act
vastahakoisuus -suute- -suuden -suutta, reluctance
viini viini- viinin viiniä, wine
vilkaisu vilkaisu- vilkaisun vilkaisua, glance
vilpitön vilpittömä- vilpittömän vilpitöntä, sincere, honest
välinpitämätön -mättöma- -mättömän -mätöntä, indifferent
yhteen, together

EXERCISE

1. Tästä setelistä maksaa Suomen Pankki vaadittaessa sata markkaa. 2. Mitä sitten sanottaisiin? 3. Toukoja tehtäessä oli kovia sateita. 4. He ehdottivat, että hankittaisiin vene. 5. Käännöksen tulee olla luonteva, mikäli

mahdollista semmoinen, ettei se vaikutakaan käännökseltä.
6. Mainittakoon ohimennen, ettei suomentaja ole tehnyt
tähän uuteen painokseen mitään sanottavia muutoksia.
7. Näytelmiä Paavo on suomentanut kymmenittäin. 8.
Joka aamu annettiin itsekunkin käteen ohjelma, jossa oli
mainittuna, keitä henkilöitä otettaisiin päivän kuluessa
vastaan, mitä juhlamenoja tultaisiin suorittamaan, jne.
9. Näin on eletty ja asuttu ennenkin, miksi poikettaisiin
totutulta tieltä. 10. Tätä kirjoitettaessa pohditaan pääkau-
pungin päivälehtien yleisön osastoissa Helsingin kaupungin-
valtuuston viime joulukuussa tekemää päätöstä.

READING

Tietysti

Mikko asteli määrätietoisesti pitkin katua. Eihän
tästä enää ole pitkälti perille, oli mies sanonut hotellissa.
Ulkona oli ollut sumua, mutta Mikko oli kuitenkin avannut
ikkunan ja hengittänyt syvään tuota outoa, kosteata
ilmaa. Aamulla hän oli noussut onnellisena ja syönyt
aamiaisensa niin hyvällä ruokahalulla, että tarjoilija oli
katsellut häntä vilpittömän hyväksyvästi.

Päästyään vihdoin ulos hän huomasi, että sumu oli
vaihtunut hienoksi sateeksi. Se oli hiukan masentavaa,
mutta siitä huolimatta hän oli päättänyt kävellä eikä ajaa
vuokra-autolla, niin kuin hän oli tehnyt edellisenä iltana.
Olihan hänellä nyt aikaa, hän oli näet soittanut ennen
lähtöään, mutta ei ollut saanut vastausta.

Vielä puolisen tuntia, niin hän olisi perillä.

Oli miltei mahdotonta uskoa tätä kaikkea todeksi. Oliko
kaikki vain unta? Olisiko Eeva samannäköinen kuin
ennen? Eiväthän he olleet tavanneet vuoteen, ei, viiteen-
toista kuukauteen, ja viisitoista kuukautta on iäisyys.
Paljon on voinut tapahtua sinä aikana . . . Ehkäpä he
olisivatkin aivan vieraita toisilleen? Ei, se oli mahdotonta
. . . hehän kuuluivat toisilleen. Kuukaudet eivät merkin-
neet mitään, eivät yhtään mitään. Hän hymyili itsekseen
ajatellessaan Eevan postikorttia. Kun Eeva ei tule
hänen luokseen, menee hän Eevan luokse.

Saavuttuaan puistoon hän vilkaisi erään kirjekuoren
selkäpuolta ja kääntyi oikealle, poikkesi sisään leveästä

portista, kulki hallin poikki ja astuttuaan kolmannessa kerroksessa hissistä pysähtyi oven eteen, jossa oli käyntikortti, ja painoi nappulaa.

Lauantai aamuna oli Eevalla konttorissa aina paljon tehtävää. Johtajalla oli tapana sanoa, että jos lauantaina jää jokin työ tekemättä, niin sen voi tehdä vasta kahden päivän kuluttua. Eeva ei tämän vuoksi ehtinyt edes ajatellakaan sanomalehteä, ennenkuin lähti kotiin. Mutta bussissa hän katsoi uudelleen lehteä. Ja tällä kertaa hän huomasi jotakin, mitä hän ei ollut ennen huomannut, nimittäin, että se oli eilispäivän lehti. Mutta se oli työnnetty ovesta sisään jo eilen . . . kuinka se oli mahdollista?

Oli vain yksi selitys: joku oli lentänyt Helsingistä eilen ja tuonut lehden mukanaan. Mutta kukaan hänen lontoolaisista tuttavistaan ei ollut matkustanut Helsinkiin, siitä hän oli varma. Kukaan sukulainen tai tuttava ei olisi lentänyt Lontooseen ilmoittamatta siitä hänelle tai lennettyään tänne tullut suoraan hänen luokseen ja jättänyt lehden tapaamatta häntä. Kuka se siis voisi olla?

Oli vain yksi mahdollisuus . . . eräs nuori mies . . .

Eeva raoitti hiukkasen silmiään. Ei kai hän vielä olisi perillä? Hän huomasi, että hänen täytyi heti astua pois bussista.

Satoi, kadut kiilsivät kosteuttaan ja puiden lehdillä oli pisaroita. Astellen hitaasti märkää katukäytävää pitkin hän ajatteli Mikkoa. Kun Mikko oli auttanut häntä silloin laivassa heidän ensi kerran tavatessaan, Mikko olisi vain nostanut hattuaan ja poistunut, ellei Eeva olisi alkanut puhella. Mikko oli tuota välinpitämätöntä ihmistyyppiä. Mutta Eeva oli alkanut puhella nuoren miehen kanssa. Ensi hetkestä hän oli tuntenut tai luullut tuntevansa, että he olivat luodut toisilleen. Muutenhan tapaaminen olisi ollut vain merkityksetön pieni kohtaus, ei muuta.

Mutta käy usein toisin kuin kuvittelee, salatut voimat johtavat ihmisiä eri suuntiin. Minkäpä sille voi. Myöhäistä se nyt oli joka tapauksessa . . . tai ehkä ei sittenkään . . .

Ja sitten he olivat kahdesti riidelleet, kerran Hiekka-
harjulla ja kerran Helsingissä. Miksi? Silloin kun hän
vielä asui Helsingissä, heillä oli ollut herttaisia iltoja
yhdessä, he olivat kuunnelleet radiota, joskus hiukan
tanssineetkin, ja Mikko oli kerran laulanut tanssisävelmän
tahtiin yhtä ja samaa sanaa: Kultatukka. He olivat
kumpikin oppineet pitämään sumuisista ja sateisista
illoista, sellaisesta ilmasta kuin nyt oli. Eevaa värisytti
hieman. Oli viileätä. Kylmä tuuli puhalsi puiston
poikki.

Hän meni sisään ja käveli portaat ylös lämmetäkseen
ja jotta sadetakki kuivaisi hiukan. Pian hän seisoi kaksi-
onsa oven edessä.

»Halloo neiti,» kuului ääni hänen takaansa. Hän
kääntyi.

»Mikko!»

»Eeva!» Mikko nousi penkiltä, jolla hän oli istunut ja
odottanut. Kumpikaan ei ensin sanonut sen enempää.
Sitten Eeva kysyi: »Kuinka löysit minut?»

»Täti antoi uuden osoitteesi. Ja maitopullo oven
edessä osoitti sinun olevan Lontoossa.»

Eeva avasi oven ja he astuivat sisään.

»Istu, ole hyvä. Juotko kahvia? Hyvä. Odotahan,
kun haen esiliinani. Tervetuloa Lontooseen! Tuntuuko
täällä viileältä? Eikö? Minusta tuntuu. Jospa sytyt-
täisin tulen takkaan. Eikö tällainen takka olekin kodikas?
Onhan se epätavallinen meikäläisissä oloissa, mutta täällä—
no tiedäthän sinä sen. Minä näet pidän takasta. Katsos,
hiilet leimahtivat heti palamaan.—Mikä odottamaton
yllätys!»

Näin laverrellen Eeva yhdisti virran sähkökattilaan.
Tietysti vieraalle oli keitettävä kahvia. Sitten hän
kattoi aterian ja Mikko kertoi lyhyesti kaiken, mitä oli
tapahtunut niiden monien kuukausien aikana, jolloin he
eivät olleet toisiaan nähneet; kuinka hänen oli täytynyt
ensin palata Helsinkiin jatkamaan iänikuisia lukujaan
ja sitten mennä pohjoiseen. Toukoja tehtäessä oli ollut
kovia sateita ja Hiekkaharjulla rakennettiin. Talo oli
nyt isompi kuin ennen, siihen oli rakennettu lisää huoneita
sen jälkeen, kun Eeva oli viimeksi siellä käynyt.

»Kun minä saavuin sinne, ei ollut tehty vielä mitään.

Louhittuja kiviä kuljetettiin vasta rakennuspaikalle. En voinut siellä työskennellä. Sen sijaan jokin käsittämätön levottomuus veti minua napapiirille pohjoiseen.»

Mikko kertoi myös kilpailusta ja kuinka hän oli tutkinnon läpäistyään saanut ensimäisen palkinnon. Ja eilisaamuna hän oli lähtenyt Lontoon-koneessa Helsingistä, jonne hän ei ehkä enää koskaan palaisi.

»Ja tästä minä oikeastaan tulin puhumaankin. Aion tehdä sinulle tärkeän ehdotuksen.»

»Onko se vakavaakin? No, kerrohan. Minä kuuntelen.»

»Niin, Eeva, katsohan, olen tehnyt vakavan ratkaisun: olen päättänyt ottaa tärkeän askelen. Vihdoinkin.»

»Niin, vihdoinkin.»

»Menen Kanadaan ja——»

»Mutta ovatpa sinun suunnitelmasi muuttuneet!»

»En lähtisi, ellei minun olisi pakko, tai oikeastaan, ellei minua olisi pyydetty. Minua tarvittaisiin näet rakennuspaikalla. Mutta, kuten tiedät, en ole kielimies. Niin tulin kysymään . . . olisitko sinä valmis tulemaan Kanadaan kanssani? Se olisi suurenmoinen seikkailu . . .»

Hän vaikeni.

Eeva nousi ja pani hiiliä tuleen. Hän jäi vieraaseensa selin ja hänen suupieliinsä ilmestyi hienoinen katkera juonne. Tuliko pani hänen poskensa hehkumaan? Hän tuijotti liekkeihin takan eteen kyyristyneenä, mutta ei sanonut mitään.

». . . sen tähden tulin kysymään sinulta . . .»

Eeva oli yhä selin vieraaseensa eikä tohtinut kääntyä. Täältä hän ei ainakaan lähtisi, jollei olisi pakko, mutta Mikko? Kyllä hänen pitäisi mennä Kanadaan, jos kutsuttaisiin.

Eeva kuuli oman äänensä koneellisesti sanovan: »En lähde.»

Hiljaisuus. Hän katui. Järki sa noi: »Sinä et luovu itsenäisyydestäsi! Et koskaan ole siitä tinkinyt etkä tingi nytkään!» Ja sydän sanoi: »Pidä vain kiinni Mikosta!»

Ei hän kuitenkaan koskaan voisi vakavissaan jättää Mikkoa uudelleen. Eeva punastui hiusjuuriaan myöten. Hän ei koskaan jätä Mikkoa, ei koskaan. Mutta

vietäisiinkö hänet pois tästä maasta, nyt kun hänen
elämänsä oli niin hyvällä tolalla? Mitä ihmiset siitä
sanoisivat? Hän puristi huulensa lujasti yhteen ja sanoi
sitten:
»Joku muu saa lähteä mukaasi. Kyllä sinä aina jonkun
löydät, jos etsit. Vaikka myönnettäköön, että suomen
kieli on melko tuntematon maailmassa.»
Mikko rypisti otsaansa: »En lainkaan ymmärrä, miksi
ehdotukseni on sinulle niin vastenmielinen.»
»Ei se olisi minulle vastenmielinen, jos se olisi hyvä
ja vakava ehdotus—mutta noin . . .»
Eeva vaikeni. Hän miltei sääli nuorta miestä. Kaikki
oli hänelle annettu, tätä yhtä lukuunottamatta. Olisi
niin mukava lähteä mukaan, ajattelematta mitään, vastaan
hangoittelematta. Kyllä lähtisin, hän ajatteli, jos . . .
jos vain . . . Mutta jos lähtisin, mitähän kotona sanot-
taisiin? Antaisivatko Mikon vanhemmat luvan? . . . Ei,
tarvittaisiin enemmän kuin Mikon taivuttelut, ennenkuin
hän lähtisi tästä maasta.
Nuori mies nousi ja alkoi kävellä edestakaisin.
»Mutta hyvänen aika,» hän sanoi, »mistä syystä, min-
kävuoksi et haluaisi tulla Kanadaan? Ehkä olet pahastu-
nut siitä, että olen muuttanut mieleni, pelkäät, että
jonakin kauniina päivänä uudelleen muuttaisin mieleni
tai sanoisin, että minun täytyy palata kansani pariin ja
talomme myydään . . .? Hyvä on, myönnettäköön,
että olit oikeassa ja minä väärässä, kun riitelimme Hiek-
kaharjulla ja Helsingissä, vietäköön kodistamme pois kaikki,
joka muistuttaisi Suomesta, älköön talossamme puhuttako
enää koskaan suomea . . .»
»Mutta Mikko,» Eeva katsoi nyt häntä suoraan silmiin,
»mitä oikein puhut—että talomme, talossamme—mitä
tarkoitat . . .?»
»Enkö ole jo sanonut, että rakastan sinua ja haluan
mennä naimisiin kanssasi?»
»Et ole sanonut. Et koskaan sanonut sitä! Et koskaan!
Ja se voisi muuttaa kaiken.»
»Älkäämme halkoko hiuksia! En ehkä ole sanonut sitä
aivan sananmukaisesti, mutta——»
»Et ehkä tiedä, että jokainen nainen haluaa kuulla sen
sananmukaisesti, ainakin kerran elämässään . . .»

»Ja kuka tässä nyt juuri epäröi eikä sano suoraan,
lähteekö vai eikö lähde?»

»Tietysti lähden. Olen niin iloinen . . . Milloin läh-
detään?»

»Lähdetään heti!»

A KEY TO THE EXERCISES

Exercise 1

1. He is a parson (the parson). 2. The house is low. 3. The flower is beautiful. 4. The shore is wide. 5. The road is narrow. 6. The shores are green. 7. He is hungry. 8. The bridge is black. 9. The old man is a Finn. 10. She (or he) is good and kind. 11. The bridges are black. 12. Finland is a beautiful country. 13. The room is cold. 14. The apple is sweet. 15. The horse is the neighbour's. 16. The sparrow is a bird. 17. The rooms are cold. 18. The apples are sweet. 19. The book is the boy's. 20. The trees are tall.

Exercise 2

1. Father (the father) is coming. 2. It is night. 3. It is raining. 4. The fire is burning. 5. The students are sitting and studying (sit and study). 6. The teacher is standing and teaching (stands and teaches). 7. (The) mother is reading. 8. I am very hungry. 9. The stars shine (are shining). 10. The church is visible, can be seen. 11. The boy is coming. 12. The bells ring (are ringing). 13. The minister is preaching. 14. The snow glistens (is glistening). 15. The girl sings and laughs. 16. I (shall) receive a book. 17. The boy is reading. 18. The girls sing (are singing). 19. The boys shout (are shouting). 20. I am reading. 21. Snow is falling.

Exercise 3

1. What does he see (what will he see)? 2. It is all the fault of the weather (everything is the . . .). 3. He is studying art. 4. It (that) arouses (will arouse) attention. 5. A lot of (news)papers (or leaves). 6. What work does he do (will he do)? 7. These men are from very far away. 8. (Some) white and yellow roses. 9. They are listening to the radio. 10. He (she) goes to school. 11. He (she) helps mother. 12. The cat eats many mice.

13. The cat always comes very quietly. 14. These poor boys are good pupils. 15. The cow, the horse and the sheep are all useful animals. 16. What is the time? 17. Do you see the river and the red cottage? 18. He walks the narrow path that goes through the wood. 19. They are building a church. 20. A spruce fence (hedge) surrounds the house. 21. She loves beautiful horses.

Exercise 4

1. There is a scent of resin in the air. 2. That is her affair. 3. He closes his eyes. 4. I live here. 5. She looks after the clothes. 6. The boy is in (his) bed. 7. The girl is in school. 8. He regards his shoes (he is looking at his shoes). 9. Your teeth are as white as hers. 10. He walks (about) with socks on his feet, and in sandals. 11. They are wrong, quite wrong. 12. Are you taking your daughter with you? 13. The door is locked. 14. This is my trade. 15. Man holds the paddle, God guides the boat. (Man proposes, God disposes.) 16. The boy rides (is riding) on horseback. 17. The ball is on the ground. 18. He lives in (the) town.

Exercise 5

1. The evening is wiser than the morning. 2. I don't know anything about that. 3. We shall soon get out of the wood. 4. We do not need a horse. 5. I am not coming (shall not come). 6. He goes out of the door. 7. This knife is better. 8. These trees are among the biggest (some of the biggest) of (in) this wood. 9. Turku is bigger than Viipuri, but Helsinki is the biggest town in Finland (the biggest of Finland's towns). 10. This birch is the most beautiful tree in our park. 11. Rye is more important than any others of Finland's grains. 12. She does not like this house. 13. You will be (become) his second wife. 14. She says nothing, does not say anything. 15. She takes a pocket torch from the table drawer. 16. How do you know that? How do I know that? 17. He speaks (will speak) about everything else, but not about himself. 18. She does not keep her word. 19. One of them is in the Old Church in (of) Helsinki. 20. Rouen is one of the biggest port(-town)s in (of) the country.

Exercise 6

1. They go (are going, will go) together into the woods.
2. When he came home, he did not know his mother any more (he no longer recognised his mother). 3. The children stepped into the biggest boat belonging to the house (farm). 4. The stone fell to the ground. 5. He gripped both my hands. 6. Two swallows made their nest under the (in the) eaves. 7. I shall read my book from cover to cover. 8. He settled in Turku. 9. I boarded a French boat. 10. They returned to the village. 11. Matti remained in the old house. 12. The farmer's wife (mistress of the house) had not forgotten the drought of the winter. 13. A private car appeared in the yard. 14. The door led to a little room. 15. You did not come to the right place. 16. Thence the glance turns to the window. 17. We drew the curtains across (before) the window. 18. He sees straight into the girl's green eyes.

Exercise 7

1. A bird (the bird) is sitting on a (the) branch. 2. The man hit (was hitting) the horse with a stick. 3. The boy has a horse. 4. The horse has a long tail and mane. 5. The cat has very good eyes. 6. The fisherman is on the lake. 7. The pigeon is sitting on the roof. 8. The dog barks (is barking) in the yard. 9. The best was still to come (still behind, after). In the late hours (when it was late) the time for stories (the story-moment) began. 10. They eat cheaply. 11. He himself had never spoken about his former life. 12. On the journey they had not exchanged many words. 13. You have made a mistake. 14. We left by train for the town. 15. Our train arrived at the town in the morning. 16. When we stepped out of the aeroplane, the first thing that surprised us was the quiet which reigned on the airfield. 17. On the wall there was a beautiful clock. 18. It was July, (with) the nights at their hottest. 19. They are running along the street (about in the street). 20. He had a very beautiful wife.

Exercise 8

1. Get up out of bed. 2. Does it feel cold here? 3. Large perch taste best of all. 4. Look at that horse. 5. Do not waste your time. 6. (Over) there can be seen (are visible) the roofs of houses. 7. He received from a (the) neighbour two (news)papers. 8. Give (me) some advice now. 9. Everyone go home (to his home). 10. I shall ask my father for a little money (ask of my father a little money). 11. Let us sit down. 12. Let those who wish sit down (sit down, those who want to). 13. Row over (row thither) to the tip of the headland, there is a good fishing-place there. 14. He came at seven. 15. Let us go back to the restaurant. 16. How much does it cost a metre? 17. However that may be (whatever may be the position of the matter). 18. Don't laugh. 19. Just don't believe those town papers. 20. Different languages are dissimilar in their structure and spirit. 21. The day seemed long. 22. Many a person asked us whether we knew him. 23. He is returning from a long country journey. 24. He was whiter of (his) skin than they (were). 25. You are, then, entirely of that opinion? 26. She had looked pale and sad. 27. Letters have arrived both from Helsinki and from elsewhere in Finland. 28. The room seemed narrow to the man. 29. I am the only one out of the brothers and sisters who has not received anything.

Exercise 9

1. Let him get a car for himself, if he needs one. 2. I take milk to them. 3. I am going to both places, (both to) the church and (to) the school. 4. They are just pushing the boat on to the water. 5. We sat down under a tree. 6. The merchants are spreading their wares on (to) tables. 7. He knew me. 8. Certainly I would say if I knew anything. 9. When Christmas approaches I (shall) get presents ready, which I (shall) give to my own people. 10. The clothes belong to them. 11. We went on board ship. 12. Her skin rose into chicken-flesh (i.e. she had goose-flesh). 13. She had moved to the neighbourhood from the nearby town. 14. 'I'm glad', I said to Ilmari

in the evening, ' that I haven't a single diamond.' 15. 'You would be even gladder if you had some,' replied Ilmari. 16. They are quiet, so that they shall not disturb 17. He bowed first to the manager, then to me, then to my daughter and then to us all. 18. They explained to me that the country's best roads are on the island. 19. Many happy returns! (good fortune to the four-year-old). 20. Their teacher proposed that one of the children should sing, should present some (a) song to the guest. 21. ' Who taught you to sing? ' we asked (of) the four-year-old. 22. A girl appeared in the street.

Exercise 10

1. He (she) is not able to walk. 2. The winter wind (wind of winter) makes the cheeks red. 3. One can see (one sees) a long way from the mountains. 4. I shall write to-morrow. 5. Yrjö received a beautiful picture-book as a Christmas present. 6. If the horse gets a little hay and oats to eat (then) it is satisfied. 7. It is ten o'clock, so it is time to go to bed. 8. It is already time to go to work. 9. In the autumn the leaves change to yellow, red, brown and grey. 10. I do not know that man. 11. I should like to give that beggar something. 12. I want to go to the village. 13. You have got to give the book to me. 14. Your brother can come along (with us, with me). 15. You must hold tight, otherwise we shall fall. 16. Elli must get a meal ready until (i.e. by the time) we come. 17. You may cook it yourself. 18. One may not sing here, singing is not allowed here. 19. The child began to cry. 20. I should like to eat. 21. Spring is beginning to arrive. 22. In the room there was, by way of furniture, only a table, two chairs and a bed. 23. We sat as audience (public) opposite them. 24. He was at that time the director of the theatre of (i.e. at) Tampere. 25. That you must do yourself. 26. It was economically the theatre's best play that year. 27. Charles, my dear, just think, (that) to-day it is exactly a year (there has passed exactly a year) since you last gave me a birthday present. 28. It is difficult to say whether his life or his death was the more significant.

Exercise 11

1. The winter has come with its long nights. 2. The man pulled with two hands. 3. The children ran with all (their) strength into the woods. 4. One was white and the other grey. 5. The child came home crying. 6. The time passed in singing and playing. 7. I intend to call on you going and coming. 8. We got home as the sun was setting. 9. He was from (his home was) Helsinki. 10. The old living-room itself had changed to a festival-room with a spruce-tree and candles. 11. 'A strange story (an odd affair),' he said musing(ly). 12. 'You have made a mistake,' the girl replied, and turning her back to them she went in the door. 13. The manager offered a chair, enquiring for a start, 'What sort of car have you thought (of)?' 14. As the evening approached he was sitting again with his accordeon at the foot of the tree. 15. Standing at the window (as she stood at the window) looking at the street she said, 'Let me go on.' 16. He was a little disappointed when the girl had declared as she left him that she could not come on Sunday morning to morning coffee. 17. For a good two or three years he had wandered from parish to parish mending all sorts of apparatus. 18. She remained with her back to her guest. 19. Ville sits (with) his elbows on his knees, resting (supporting) his chin in (his) hands (Note the illative here). 20. That did not concern (belong to) anyone. 21. Both (of them) had always behaved well. 22. I am not at all of the same opinion.

Exercise 12

1. I shall put the shirt on the fence to dry. 2. I got a letter from the Rev. Ahonen. 3. I got a letter from the parish priest, (the Rev.) Ahonen. 4. Without reading one does not learn. 5. The boy was coming (came) from swimming. 6. I was just about to fall, when help came. 7. He sets out to buy a ticket (or flag). 8. For reasons unknown to me they were not there. 9. Do you think that I have come here to work with such (people)? 10. The cobbler came to receive us. 11. He is an incurable

(incorrigible) optimist. 12. We (shall) climb over the wall to see. 13. Though he preferred not to drink (preferred to be without drinking), so (yet) he was able to drink every one of us under the table. 14. Without a sound (word) they returned to the village. 15. One such diamond was enough (sufficed) to make a man exceedingly rich. 16. She was tired and went, indeed, at once to her room to sleep. 17. The characters of the people have remained (kept) unchanged. 18. Behind (in the background of) everything was the Mediterranean, gilded by the sunset. 19. They stopped to look at the car. 20. He had opened the window for a moment after every cigarette he had smoked.

Exercise 13

1. In the year there are twelve months. 2. In it there are also four seasons. 3. The first season is the Spring. 4. Midsummer's Day is the 24th of June. 5. Winter often begins in November, which is the eleventh month of the year. 6. Christmas Day is on the 25th of December. 7. Everybody hopes for (all people hope for) the Spring and Summer. 8. I am the father of three children. 9. This cloth costs only a little over 800 per metre. 10. It will last at least a year or two. 11. One should see New Orleans in February or March, at the time of the famous carnivals. 12. More than 500 of them were Americans. 13. The 7th of November dawned bright and sunny. 14. In spite of everything the development of the fleet proceeded. 15. The repair of stained glass is impossible. 16. In the course of years (as the years passed) he got fatter and fatter. 17. Our ways parted as much as (already) twenty years ago. 18. The three children of the family understood that (their) father must be able to be quite at peace in the country. 19. Kivi had not the money for buying the house in his own name. 20. I have seen scores (literally tens) of wells, and the water had not run dry in (literally ' finished from ') one of them. 21. He went on with his sharpening. 22. Such was that meeting. 23. There have arrived scores (many tens) of letters. 24. Kalle (Charles) had to be on the train at 10.20.

Exercise 14

1. The French quarter is so small that one gets to know the artists living there in the space of ten days. 2. I would like to hear the children sing. 3. Among the great quantity of pictures representing the happenings of Christmas, there has remained in my mind, as one of the most impressive, a painting which represents the Holy Family seeking lodging for Christmas night. 4. The streets were crowded with children and grown-ups on their way to their schools and their places of work. 5. I met (found) in Socrates a power of mind, such as I had never believed I should meet. 6. The heat became (was becoming) a strain (straining). 7. Self-raising flour. 8. *I* do not believe this visit will do any good (will help). 9. That thoughtlessness he knew he would soon have (cause) to regret. 10. She noticed a girl descending the porch steps to the yard and going (ascending) back again. 11. She thought she had seen him on the steps (stairs) of the house. 12. She said she was going for a walk. 13. Did she fear she was getting old (would get old)? She did not. 14. Now she was putting (going to put) an end to this unnatural solitude. 15. It was frightful to be awake. 16. I have made a serious decision with (about) myself and my life. 17. She was too competent in everything. 18. At that moment she burst into incomprehensible laughter. 19. It seems to be getting on for half-past six. 20. (His) powers seemed to be sufficient for anything. 21. Can't you discover whether I am serious?

Exercise 15

1. In the winter the whole country is covered in (literally under) snow. 2. Ilmari had to obey. 3. It was to be hoped that she would understand. 4. The lake is quite close to the farm: it circles the farm on every side (from every direction). 5. He became at least ridiculous. 6. It is to be hoped that you will remember a certain fact. 7. The public is broadly of the opinion that a man of science must be dry and creaking like the door of a deserted cottage. 8. The dog lay beside me. 9. It would

not be pleasant to be without water in the summer. 10. We rowed toward the shore. 11. I will do it for you. 12. In the winter people have to work in (by) lamplight, for the days are short. 13. We walked (were walking) across splendid lawns (pastures). 14. Modern war is horrifying. 15. At that time there were still new lands to be discovered. 16. They read all the literature obtainable concerning the countries in question. 17. He offered a car for our use, for it was a long way from the flying-field to the town. 18. He was just walking past a car business, behind the display-windows of which were some new cars. 19. One had only to see (to it) that the tree should not fall on the walls of the house. 20. The tree was to be directed (it was necessary to direct the tree) so that it should not break the fence (hedge).

Exercise 16

1. There is many a tale about pike which have swallowed rings (which have) fallen into the sea. 2. She began to put to rights her hair (which had) become untidy (confused). 3. I put a billet which had stayed on the edge into the fire. 4. People say you have begun to smoke. 5. The woman turned away disappointed. 6. He asserts that the danger of war has lessened. 7. There is no one like her, and I do not think there ever has been. 8. Practical reading-tables and comfortable chairs await the library-user (who has) arrived from a long way away. 9. The money was certainly welcome. 10. The vexed parishioners were not able to forgive that. (The parishioners, being vexed, or, vexed as they were . . .) 11. She stared at the closed door (the door which had been closed). 12. Can you say how the bear is able to live through the winter buried in snow without food? 13. She had thought she had seen a smile. 14. She listened, crouching (crouched) in front of the fire. 15. The healthiest and medically most enlightened nation is not the one which has the most and the most beautiful hospitals, but the one which needs them least. 16. Ville appeared at (note the illative) his workshop rather later than usual.

Exercise 17

1. On the spoon (note the illative) was marked the name of the ship. 2. That gives a very pleasant impression, at least, seen thus from near by. 3. He hasn't said a mortal word. 4. Ville noticed when he had come from work that Hanna's eyes were red from weeping. 5. After three months (three months having passed) he came out of the hospital. 6. The restaurant was a familiar place. 7. She had rouged (reddened) cheeks. 8. The glasses having been emptied (when the glasses were emptied) the host (or farmer) still stood at the door(-post). 9. When he had received (he having received) the travelling expenses from the director he moved back. 10. What will it mean in a hundred years' time (a hundred years having passed, when a hundred years have passed)? 11. The friendly sales-people in (of) the shops become personal acquaintances. 12. They regarded themselves as the Lord's chosen people. 13. (His) father having died early, he moved, when quite young and without means, to Stockholm. 14. When we had gone (we having gone) through the Suez Canal and arrived in (on to) the Red Sea, the climate changed as though at one (a single) stroke. 15. The book-collection does not need to be large, but well chosen. 16. We want to eat it boiled (cooked). 17. This crowd of the élite (chosen) arrived after a (sea-)voyage which had lasted three months. 18. He was Matti's trusted friend from boyhood (beginning from boy-years). 19. A couple of years having passed (a couple of years later) she moved back to the capital. 20. Mr. Rantanen (M.A.), his morning lessons concluded, was walking home from school. 21. The people whom I saw around me were dressed in rich colours (were dressed colourfully). 22. When I had lived a couple of weeks in the town I had surely got to know the real Malaga. 23. The ' Board(plank)-House ' was the name used perhaps most frequently and most justifiably. 24. The man, having received his watch back (when the man had got his watch back), he pressed it to his ear.

Exercise 18

1. When the swallows fly high it is said that there will come fine weather. 2. When this work is completed, what is to be done then (what shall we do then)? 3. More food is needed here. 4. (The) stoves are made of bricks (tiles). 5. Will the water of this river rise any more (I wonder whether . . .)? 6. I do not know who he can be. 7. (Such) trees on which there is fruit are called fruit-trees. 8. Will that not perhaps be a little premature? 9. She has probably stood there for about twenty minutes. 10. There is perhaps no need to continue (with) examples. 11. Probably no one will wish to assert that he would have led anyone anywhere. 12. It is to be doubted whether that individual can know anything about his position. 13. Can the danger of a new world war be said to be really less than it was before (less than formerly)? 14. Now I shall take you to the (a) carpentry factory where furniture and other objects are made. 15. Is the money paid back, will the money be paid back? 16. All the shops are shut, the banks shut, the post-office shut. One thing, however, is not forgotten even on holidays (at the time of feasts), and that is the siesta. 17. Very soon I got to know that in this sunny land the word hurry is not known. 18. Gentlemen are known by their dark blue or pale striped suits and ladies by black silk. 19. In the best circles of Malaga night-life of any sort is not known. 20. Either one celebrates at home or one goes to the cinema. 21. In this musical province there is simply no interest in theatres and concerts. 22. The other rooms are only store-rooms, into which the public is not allowed.

Exercise 19

1. Whatever will they be saying at home? 2. They were sitting in school for three hours. 3. The saucepan was washed. 4. She was regarded as of small gifts (talents). 5. All the good places have already been filled. 6. The machines will probably be put in position (their positions) in the course of the Autumn. 7. In the little court one lived a strictly regulated life. 8. The artist left in the

morning by bus to continue his journey, nor has anything
been heard of him since then.   9. Payment was taken in
advance.   10. That is the first open mine in the town
district from which they have begun to dig diamonds.
11. A long correspondence was carried on about the matter
between Kivi and (his) brother Emmanuel.   12. This
(our) section is reserved for our readers.   13. This is how
people lived and dwelled formerly.   14. It has been
asserted that love is lacking in this work (from these works).
15. The children have been dressed and (they have been)
each in (his) turn taken home.   16. Ten years ago the
opinion was held that slimming must be done slowly and
carefully.   17. The horse has not even been shod.   18. So
I was assured previously.   19. Of course she knew who
was meant (referred to) in the hymn.   20. One must go on
to the end, once one has started.   21. Once she had
glanced at him, (then,) when the (court's) decision was
read.   22. In this way they got to the end sooner.   23. The
man was taken back two days after that.   24. They smoked
real English cigarettes.   25. They did not talk, (but) only
waited (there was no talking).   26. They began (One
began) to speak of the leading writers.   27. Whatever can
be meant by that?   28. It is important that the public
should not be given a false picture of him.

Exercise 20

1. For this bill the Finnish Bank will pay on demand
(in being demanded) one hundred marks.   2. What
would be said then?   3. At the time of the (In the doing of
the) spring sowings there were great rains.   4. They
proposed that a boat should be procured.   5. A translation
has to be natural, as far as possible such that it does not
give the impression of being a translation.   6. Let it be
mentioned in passing that the translator (into Finnish)
has not made any significant changes in (into) this new
edition.   7. Of plays Paavo has translated dozens (tens)
into Finnish.   8. Every morning there was put into every-
one's hand a programme in which was mentioned what
persons were to be received during the day, what cere-
monies would have to be performed and so on.   9. Thus

people have lived and dwelled previously; why should one diverge (why should there be a divergence) from the familiar way? 10. While this is being written there is being discussed in the correspondence columns of the daily papers of the capital a decision made last December by the City Council of Helsinki.

INDEX

(Numbers refer to the grammatical notes)